JEUX DANGEREUX

ŒUVRES DE DANIELLE STEEL
AUX PRESSES DE LA CITÉ

(Suite en fin d'ouvrage)

Danielle Steel

JEUX DANGEREUX

Roman

Traduit de l'anglais (États-Unis)
par Séverine Gupta

PRESSES
DE LA CITÉ

Titre original : *Dangerous Games*
L'édition originale de cet ouvrage a paru en 2017 chez Delacorte
Press, Random House, Penguin Random House LLC, New York.

© Danielle Steel, 2017, tous droits réservés.
© Presses de la Cité, 2020, pour la traduction française.
ISBN : 978-2-258-19169-3
Dépôt légal : mars 2020

Presses
de   un département **place des éditeurs**
la Cité

place
des
éditeurs

À mes merveilleux enfants,
Beatie, Trevor, Todd, Sam,
Victoria, Vanessa, Maxx, et Zara,
Que ceux en qui vous croyez ne vous déçoivent
Ni ne vous détruisent jamais,
Vivez de manière honorable, aimez avec sincérité,
Agissez selon vos valeurs,
Et soyez bons les uns envers les autres.

Je vous aime, pour toujours,
Maman/DS

Ne vous mettez point entre le dragon et sa fureur.

Le temps développera les replis où se cache l'artifice.

Le Roi Lear, William Shakespeare

1

Il était presque 4 heures du matin quand des coups de feu éclatèrent et qu'Alix Phillips courut se mettre à l'abri. Une fabrique de conserves de fruits avait fermé en Alabama, mettant des milliers de gens sur le carreau. Le syndicat tentait depuis des mois d'empêcher la liquidation de l'entreprise, mais le désespoir et la frustration avaient fini par céder la place à la violence. La plupart des ouvriers de l'usine étaient afro-américains, et certaines familles travaillaient là depuis plusieurs générations. Toute la nuit, la ville et ses environs avaient été livrés au pillage et à la destruction, et deux jeunes gens avaient été tués. Les unités antiémeute des cités voisines avaient été appelées à la rescousse, et l'odeur âcre du gaz lacrymogène flottait dans l'air. Alix était en plein reportage en direct. Ben Chapman, son caméraman, l'attrapa brutalement par le bras pour l'obliger à partir, la forçant à abandonner son poste. Il dut presque la traîner pour la sortir de là. Les forces armées s'approchaient de la zone, et les fenêtres d'un bâtiment incendié par les pillards explosaient sous l'effet de la chaleur. Alix venait juste d'annoncer sur une chaîne nationale qu'on n'avait rien vu de tel depuis les émeutes de Los Angeles en 1992.

— T'es complètement folle ou quoi ? cria Chapman, furieux, quand ils se réfugièrent derrière un bâtiment au bout de la rue.

Des membres de la garde nationale et de la police anti-émeute passèrent près d'eux dans un bruit de tonnerre. Cela faisait une semaine que Ben et Alix se trouvaient sur les lieux. Alix, sa carte de presse autour du cou, avait le visage couvert de suie, et les yeux irrités par l'épais nuage de lacrymo.

— T'as vraiment envie de te prendre une balle ?

Cela faisait quatre ans qu'ils travaillaient ensemble, et ils s'entendaient à merveille – sauf dans des moments comme celui-ci.

Sans se soucier des risques, Alix Phillips se jetait en première ligne de n'importe quelle bataille, émeute, manifestation ou situation périlleuse, afin d'en faire connaître la réalité à ses téléspectateurs. Ben adorait faire équipe avec elle, mais ils s'étaient disputés plusieurs fois à ce sujet. Grâce à son intrépidité, Alix avait déjà été primée pour ses reportages, et la chaîne était très contente de son travail, surtout à une époque où peu de reporters étaient prêts à prendre autant de risques. Elle avait ça dans la peau. Mais parfois la raison devait l'emporter – enfin, aurait dû. Cela n'arrivait jamais, avec Alix. Une fois plongée dans le feu de l'action, elle devenait aveugle à tout le reste. Elle était journaliste pour la télévision depuis qu'elle avait obtenu son diplôme à la fac, dix-sept ans plus tôt. Désormais âgée de trente-neuf ans, elle s'était forgé sans l'aide de personne une solide réputation professionnelle, en se rendant dans toutes les zones sensibles du monde. Elle couvrait l'actualité aussi bien à l'étranger qu'aux États-Unis, en tant qu'envoyée spéciale, et les producteurs se battaient pour l'avoir parce qu'elle acceptait toutes les missions qu'on lui proposait – et que ses éditoriaux et commentaires, toujours pertinents, étaient regardés dans le monde entier. C'était désormais une vraie légende dans le métier, admirée de tous et connue aux quatre coins du globe. Ben avait de la chance de collaborer avec elle, et il savourait ce privilège. Sauf quand elle allait trop loin et mettait leur vie en danger. Il était courageux mais pas stupide. Quant à Alix, rien ne l'arrêtait, et elle plongeait avec passion dans chaque nouvelle aventure.

Ben avait quarante-deux ans et cela faisait quatre ans seulement qu'il avait quitté l'armée – une unité d'élite de la marine militaire. Il était donc parfaitement apte au genre de missions qu'Alix préférait, et il avait accepté avec enthousiasme de s'associer à elle. D'autres caméramans, plus prudents, n'avaient pas saisi l'occasion. Alix avait une santé de fer et elle était très sportive, en plus d'être volontaire, intègre, courageuse – voire intrépide – et extrêmement brillante. Elle couvrait l'actualité de manière irréprochable, et Ben était aussi doué pour tenir la caméra qu'elle pour parler dans le micro. Leurs producteurs et leur public étaient fans de leur travail. Ils se complétaient parfaitement, et leur duo fonctionnait à merveille. Tous deux étaient connus pour leur intégrité professionnelle et leur capacité à analyser les événements en profondeur. Ils avaient parcouru ensemble tout le Moyen-Orient, enquêté sur des prises de pouvoir militaires et des guerres civiles en Amérique du Sud et en Afrique, des catastrophes naturelles, des coups d'État, ainsi qu'un certain nombre de gros scandales politiques aux États-Unis. Leur spécialité, c'était le conflit, quel qu'il soit. Et les images de Ben, alliées aux mots et à la présence à l'écran d'Alix, clouaient les téléspectateurs dans leur fauteuil. Ben la taquinait en lui disant que s'il y avait une catastrophe quelque part dans le monde elle trouverait toujours un moyen de s'y rendre, et de mettre leurs deux vies en péril – comme elle l'avait déjà fait à plusieurs reprises lors de cette nuit d'émeutes en Alabama.

À peine s'étaient-ils mis à l'abri qu'il y eut une explosion. Alix se précipita dans la rue avant que Ben puisse l'arrêter, et il courut à sa suite. Il était aussi dévoué qu'elle à la tâche, mais il estimait qu'il était également de son devoir de la protéger, ce qu'elle s'efforçait la plupart du temps d'ignorer.

— Est-ce qu'un jour tu me demanderas si on ne ferait pas mieux d'attendre au lieu de se jeter ainsi dans la gueule du loup ? dit-il en soupirant quand il la rattrapa.

Ils étaient tous les deux épuisés. Cela faisait un moment qu'ils ne dormaient que quelques heures par nuit.

— Bien sûr que non !

Elle lui lança un grand sourire et se mit à courir à côté d'une troupe de soldats venus renforcer l'escouade antiémeute. En dépit du danger, Ben devait reconnaître qu'il aimait travailler avec elle. Ils étaient comme des camarades de guerre, et une vraie complicité existait entre eux. Ben, qui mesurait presque deux mètres, avait les épaules larges et musclées et était en excellente condition physique. Quant à Alix, elle faisait un mètre soixante-dix et possédait un corps souple et athlétique ainsi que de longs cheveux blonds. Elle aimait à penser qu'elle était aussi capable que lui physiquement, et tout aussi robuste. Elle allait tous les jours à la salle de gym quand ils étaient à New York, et elle adorait la boxe. Mais vingt années dans la marine militaire, et tout simplement sa stature faisaient de Ben le plus fort des deux, qu'elle le veuille ou non. Alix était belle quand elle n'avait pas le visage couvert de suie, mais cela ne l'empêchait pas d'être parfaitement à l'aise vêtue d'un treillis crasseux. Elle se fichait de son apparence quand elle était sur le terrain. L'essentiel était de comprendre ce qui se passait dans le monde, quoi qu'il en coûte.

Les troubles se poursuivirent jusqu'à 7 heures du matin. Tous les casseurs et pillards avaient été arrêtés et jetés en prison. Les feux ravageaient toujours les lieux de manière implacable, et il fallut plusieurs jours pour les maîtriser. La cité industrielle était encore sous le contrôle de l'armée quand Ben et Alix parcoururent dans leur voiture de location les quatre-vingts kilomètres qui les séparaient de Birmingham et reprirent l'avion pour New York. La ville qu'ils venaient de quitter était presque réduite en cendres et, depuis la fermeture de l'usine, la plupart de ses habitants étaient au chômage et dépendaient de l'aide sociale. Beaucoup d'entre eux avaient déjà perdu leur maison. C'était une bien triste histoire, et Alix, dans son reportage, avait reproché au pouvoir local de venir si peu en aide à ses concitoyens et de ne pas avoir réprimé les débordements et pillages avant qu'ils deviennent incontrôlables. Le maire était corrompu, semblait-il – ce qu'elle laissa entendre sans le dire –, et la ville en faillite. La zone avait été déclarée sinistrée dès le début des émeutes. Elle demeura pensive et silencieuse pendant leur vol de retour. C'était difficile d'imaginer qu'une pauvreté pareille puisse exister aux États-Unis, mais ce n'était pas la première fois qu'ils en étaient les témoins. Et cela lui avait déchiré le cœur de voir que des enfants pieds nus et vêtus de haillons trop courts étaient désormais également privés de foyer.

— Qu'est-ce qu'ils vont faire, maintenant ? murmura-t-elle en se tournant vers Ben, tandis que l'hôtesse leur servait leur déjeuner en classe affaires.

Étant donné la difficulté de leurs missions, la chaîne leur payait ce luxe dès que possible. C'était l'un des avantages de leur métier, et tous deux l'appréciaient à sa juste valeur.

— Vivre avec les aides sociales, ou déménager s'ils le peuvent, répondit Ben d'un air grave, se remémorant à son tour la pauvreté dont ils avaient été témoins.

Il était bouleversé lui aussi, même s'ils avaient vu bien pire au cours des guerres et des événements atroces qu'ils avaient couverts partout sur la planète. Heureusement qu'ils n'avaient aucune attache, et que personne ne les attendait à la maison. Ben était sûr qu'ils reprendraient la route quelques jours plus tard. C'était toujours comme ça. Un nouveau malheur se produirait quelque part, et on leur demanderait de se rendre au plus vite sur les lieux. Finalement, ce n'était pas si différent de son ancien poste dans l'armée. Ben avait passé sa vie à défendre les gens et les principes auxquels il croyait.

En matière de courage et de talent, Alix avait de qui tenir : son père était un célèbre journaliste britannique qui avait été tué par une bombe en Irlande quand elle était enfant, au beau milieu d'un reportage. Elle ne gardait de lui qu'un souvenir flou mais, de ce qu'elle en savait, c'était un homme extraordinaire. Isabelle, sa mère, était française. Alix avait grandi à Londres avant d'aller étudier aux États-Unis et, quand elle avait décidé d'y rester et de devenir journaliste pour une grande chaîne de télévision, sa mère était retournée vivre dans son village natal de Provence. Elle avait été une bonne mère pour Alix, et ne s'était jamais mêlée de ses choix. Alix l'aimait énormément et allait la voir dès qu'elle le pouvait, à savoir trop peu souvent.

Sa vie étudiante aux États-Unis s'était avérée mouvementée et orageuse. Une idylle de jeunesse, en deuxième année, avait entraîné la naissance d'une fille un an plus tard. Wyatt, le père du bébé, avait un an de moins qu'Alix. C'était un garçon doux et passionnément amoureux qui avait tenté de se montrer aussi brave qu'elle quand elle avait choisi de garder le bébé – à la grande consternation de ses parents, de froids Bostoniens issus d'une riche famille de banquiers. Parmi les rêves qu'ils formaient pour leur fils ne figuraient ni un enfant illégitime ni le mariage avec une Londonienne inconnue et dont la famille n'avait à leurs yeux absolument aucun prestige, aussi intelligente qu'Alix pût être. Et le rêve que celle-ci nourrissait de suivre les traces de son père ne leur plaisait pas davantage, même si Wyatt trouvait la jeune femme époustouflante. Malgré leurs protestations, les jeunes gens se marièrent moins d'un mois avant la naissance de Faye.

L'accouchement fut facile, mais la suite beaucoup moins. Les parents de Wyatt lui coupèrent les vivres, et Isabelle dut quitter Londres pour venir les aider à élever le bébé, même si elle non plus n'était pas ravie de la décision d'Alix. L'amour naissant l'avait emporté sur la raison.

Trois mois plus tard, l'inimaginable s'était produit. Alors qu'il était en vacances avec des amis sur l'île de Nantucket, Wyatt était mort dans un accident de bateau. Alix, à vingt ans, était désormais veuve, avec un bébé de trois mois à charge. Toujours sous le choc, Alix et sa mère avaient assisté à l'enterrement à Boston, et s'étaient alors aperçues que la famille de Wyatt n'avait dit à personne qu'il s'était marié et avait un enfant. Elles n'étaient que des étrangères indésirables. Lors d'une discussion lugubre avec le père de son mari, le lendemain des funérailles, Alix avait compris que sa belle-famille ne voulait plus avoir de contacts avec elle ni sa fille à l'avenir. À leurs yeux, tout cela n'était qu'une erreur de jeunesse, et ils ne se sentaient aucune obligation envers la mère ou l'enfant. Ils n'avaient même pas voulu voir le bébé de leur fils.

Alix était alors retournée en Angleterre avec sa mère et, après un mois de longues discussions emplies de larmes, Isabelle l'avait convaincue de reprendre ses études et de la laisser s'occuper de Faye à Londres. Alix avait beaucoup hésité, jusqu'au moment de monter dans l'avion pour retourner aux États-Unis finir sa troisième année de fac. Mais une fois sur place, elle s'était rendu compte qu'elle avait pris la bonne décision, et que sa mère lui avait donné un sage conseil.

Un an plus tard, après avoir obtenu des notes frisant la perfection, Alix avait reçu son diplôme avec mention et s'était vu offrir une extraordinaire occasion de travailler dans le journalisme télévisé à New York. Sa carrière était lancée. Elle rentrait chez elle voir sa mère et sa fille dès qu'elle le pouvait, mais son poste était exigeant et elle s'était impliquée à fond pendant plusieurs années. Isabelle était alors retournée en Provence, en emmenant Faye, tandis qu'Alix acceptait toutes les missions délicates qu'on lui proposait. Elle n'aurait jamais pu gérer les premières années de sa vie professionnelle en s'occupant d'un bébé, et Faye s'épanouissait auprès de sa grand-mère. La petite fille avait cinq ans lorsque Alix décida finalement de l'emmener à New York. C'était un vrai défi pour elle, mais elle voulait voir son enfant grandir et se sentait prête à assumer cette responsabilité.

Elles trouvèrent un accommodement : Faye passait l'été avec sa grand-mère en France, et une nounou s'occupait d'elle à New York quand Alix partait en vadrouille pour son travail. C'était loin d'être idéal, mais cela fonctionnait plutôt bien. Alix et sa fille avaient en commun d'avoir grandi sans leur père, et cela créait entre elles un lien spécial. Faye s'inquiétait énormément pour sa mère quand elle la voyait à la télévision, dans un pays lointain ou au beau milieu d'une mission. Si Isabelle ne s'était jamais plainte du métier choisi par Alix, Faye ne se gênait pas pour le faire, et l'accusait continuellement de se montrer irresponsable et de chercher à se faire tuer.

« Je n'ai déjà pas de père. Qu'est-ce que je vais devenir s'il t'arrive quelque chose ? lançait-elle d'un ton accusateur.

— Tu irais vivre avec mamie en Provence », répondait Alix.

Les grands-parents paternels de Faye ne s'étaient pas manifestés une seule fois en dix-neuf ans. Alix avait toujours pensé qu'ils finiraient par la contacter, en vain. Leur petite-fille n'existait pas à leurs yeux. Elle demeurait une source d'embarras qu'ils préféraient ignorer, sans aucun sentiment pour l'unique enfant de leur fils disparu.

« Ça ne suffit pas, répliquait Faye, furieuse de voir sa mère prendre autant de risques. J'ai besoin de toi, aussi. Pas seulement de mamie. »

En vérité, Alix et Faye avaient besoin l'une de l'autre, mais Alix aimait aussi son métier et n'avait aucune envie d'y renoncer. Et quand Faye était partie à la fac, elle s'était sentie libre d'accepter des missions encore plus difficiles, plus longues et plus périlleuses que d'habitude. Son travail la faisait vibrer. Faye était fière d'elle, mais cela la mettait en rage. Les deux femmes ne cessaient de se chamailler.

Faye, à dix-neuf ans, était en deuxième année à Duke, et elle savait que, s'il y avait une guerre, une insurrection, une attaque terroriste quelque part sur la planète, sa mère se rendrait immédiatement sur les lieux, tel un papillon attiré par la lumière. Quant à la chaîne de télévision qui l'employait, elle profitait à fond de l'empressement d'Alix à partir tous les quatre matins, partout où on l'envoyait. Quiconque connaissait Alix avait parfaitement conscience que rien n'aurait pu la retenir. Si un problème surgissait dans le monde, il fallait qu'elle plonge au cœur de l'action, comme à cet instant. Faye, étant donné l'enfance qu'elle avait vécue, était farouchement indépendante elle aussi. Volontaire comme sa mère, elle voulait étudier le droit après son diplôme, et Alix était sûre qu'elle y parviendrait. Qui plus est, elle pouvait lui payer les cours désormais. En tant que journaliste vedette dans un grand média, elle gagnait bien sa vie. Mais aux yeux d'Alix l'argent n'était pas une priorité. Elle était passionnée par son métier et l'adorait. Chaque mission était unique et la remplissait d'excitation. En outre, elle était une professionnelle accomplie. Comme son père, Alix était journaliste dans l'âme, et elle aimait par-dessus tout couvrir les conflits. Ben et elle avaient cela en commun – et c'était pourquoi ils travaillaient si bien ensemble, quelle que soit la difficulté des reportages que la chaîne leur confiait.

Alix ne parlait jamais à Ben de sa vie intime ni de son passé. Ben avait été sidéré d'apprendre, au bout d'un an à la côtoyer, qu'elle avait un enfant. Comme elle n'hésitait pas à risquer sa vie dans l'exercice de ses fonctions, il n'aurait jamais pu deviner qu'elle avait une famille. Enfin, elle n'en avait pas vraiment. Juste Faye, et puis sa mère en France. En ce sens, Ben et elle se ressemblaient beaucoup. Lui-même était divorcé sans enfants, et ses parents ainsi que ses trois frères, qu'il voyait rarement, vivaient dans le Midwest. Il avait aussi des neveux et des nièces, mais ne les connaissait pas bien, et disait qu'il n'avait pas beaucoup d'affinités avec ses proches. Ceux-ci n'avaient pas compris qu'il quitte la maison pour entrer dans la marine. Pendant de nombreuses années, c'était l'armée qui lui avait tenu lieu de famille. Il avait de solides valeurs morales et éprouvait le besoin de protéger son entourage, mais Alix ne lui connaissait aucun lien intime avec quiconque. Et quand elle lui avait demandé pourquoi il avait quitté son uniforme de militaire, il s'était contenté de répondre que « c'était le moment », lui faisant clairement comprendre qu'il ne souhaitait pas en dire plus. Tout comme elle, c'était quelqu'un de très secret. S'ils étaient réunis, c'était parce qu'ils avaient une tâche à accomplir. Ils s'acquittaient donc de leurs missions à la manière de mercenaires, révélant la vérité aux téléspectateurs et faisant toute la lumière sur les trahisons, les abus et les crimes commis contre l'humanité de par le monde. Aux yeux d'Alix, le plus important était de dénoncer les infamies et les bassesses. Ben était du même avis, quel que soit le péril encouru.

— Tu as eu le temps d'appeler Faye ? demanda-t-il d'un ton désinvolte tandis qu'ils rentraient à New York.

Il aimait avoir des nouvelles de la jeune femme. Faye lui semblait aussi brillante et intéressante que sa mère, et prête à défendre ses idéaux.

Cela faisait plus de vingt ans que Ben était parti de chez lui, et quatorze ans qu'il avait divorcé. Il ne parlait jamais de son ex-femme, et Alix sentait, avec raison, qu'il ne le souhaitait pas, alors elle ne lui posait pas de questions. Chacun avait droit à ses souvenirs et ses secrets. Ils étaient collègues, pas amants – même s'ils étaient devenus amis à force de travailler ensemble.

— Oui, je l'ai appelée quand on était en Alabama, répondit Alix.

Elle essayait toujours de passer un coup de fil à Faye, où qu'elle se trouve.

— Comment va-t-elle ? demanda-t-il.

— Elle est furieuse, comme d'habitude, répondit Alix en souriant.

Faye ne supportait toujours pas qu'elle parte en reportage dans des zones sensibles.

— Je crois qu'elle aimerait me voir couvrir les concours de pâtisserie, les expositions canines et les foires agricoles, ajouta Alix.

Il rit à cette idée. Faye ne manquait jamais de rappeler que sa mère et sa grand-mère en Provence étaient tout ce qu'elle avait dans la vie, et accusait Alix d'être égoïste. À cause de ces incessants rappels, Alix avait souscrit un contrat d'assurance-vie généreux pour sa fille, comme son propre père l'avait fait pour elle et sa mère. Cela lui avait permis de recevoir une bonne éducation, et à Isabelle de s'occuper d'elle à temps plein quand elle était petite. Pourtant, elle avait beau faire comme si ça lui était égal, cela lui pesait parfois d'être une mère célibataire, elle ne pouvait le nier. Pas assez pour changer de vie ou renoncer à son travail – elle ne pouvait se le permettre pour l'instant, et ne le souhaitait pas. Mais les récriminations de Faye la faisaient culpabiliser.

Alix et Ben déjeunèrent en papotant un peu, puis Ben mit ses écouteurs pour regarder un film sur son iPad. Alix abaissa le dossier de son siège, s'enfouit sous une couverture et plongea dans le sommeil.

Ben la réveilla juste avant qu'ils atterrissent à JFK. Il disait toujours qu'elle serait capable de dormir la tête à l'envers au fond d'un fossé. Elle reprit ses esprits et remonta son dossier à l'instant même où les roues se posaient sur la piste. Elle avait l'air incroyablement reposée et fraîche comme une rose.

— Tu rentres chez toi ? demanda Ben pendant qu'ils rassemblaient leurs affaires.

Elle portait encore un treillis des surplus de l'armée, des rangers et une vieille veste de camouflage effilochée qui avait connu des jours meilleurs. Sa garde-robe était pleine d'uniformes de combat – c'était là sa tenue de travail. Ben ne connaissait pas d'autres femmes comme elle.

— Non, je crois que je vais aller directement à la boîte voir s'il y a du nouveau, répondit-elle d'un air distrait.

Ben ne cessait de lui dire qu'elle était accro au travail, et elle était bien obligée de l'admettre : les preuves à l'appui de cette théorie étaient accablantes. Alix avait le pas alerte et vif quand ils descendirent de l'avion et se dirigèrent vers la zone de retrait des bagages. Elle était vraiment increvable, et ça rendait Ben fou par moments, quand il se sentait lui-même épuisé. Ce n'était jamais le cas d'Alix, tout du moins ne le montrait-elle pas. Ils connaissaient l'aéroport comme leur poche, pour y avoir passé beaucoup trop d'heures à attendre qu'un avion en retard finisse par décoller. Ben avait deviné qu'elle irait directement au travail. Il savait qu'elle resterait assise pendant des heures devant son bureau, avant d'aller prendre une douche dans les locaux et de remettre plus ou moins les mêmes vêtements – et que pour finir elle ne se donnerait pas la peine de rentrer chez elle et demeurerait à la chaîne jusqu'à l'aube. Elle détestait regagner son logement vide. Quant à lui, il avait hâte de retrouver son appartement de Brooklyn et, au moins pour une nuit, des draps propres et un lit confortable. Cette simple idée le remplissait d'aise, après quatre jours de motels miteux et de siestes rapides à l'arrière d'une voiture. Alix se fichait comme d'une guigne de l'endroit où elle dormait, voire tout simplement de dormir. Contrairement à Ben et la plupart des gens, elle avait la chance de pouvoir se contenter de très peu d'heures de sommeil.

Plusieurs femmes lancèrent des œillades à Ben quand ils traversèrent l'aéroport. Certes, il était grand, beau, et solidement charpenté, mais Alix était toujours restée indifférente à son charme. Elle adorait travailler avec lui, mais n'avait jamais envisagé de relation intime, et puis, ils se connaissaient trop bien. Chacun avait vu l'autre dans un certain nombre de situations désagréables et effrayantes. Ou délicates et embarrassantes. Et Alix savait d'instinct qu'une liaison amoureuse aurait tout gâché. Qui plus est, lui non plus ne semblait pas éprouver d'intérêt particulier pour elle. Tous deux aimaient leur relation telle qu'elle était, dépourvue de complications et entièrement fondée sur le travail. Dans le boulot, ils formaient un couple idéal. Les tandems créés par les producteurs étaient souvent beaucoup moins compatibles que celui-là. Certains se disputaient tout le temps, se haïssaient dès que la caméra cessait de filmer. Plusieurs conflits dans les coulisses de la chaîne étaient devenus légendaires mais, entre eux deux, rien de tout cela n'avait cours. Ils étaient très vite devenus amis, et l'étaient toujours.

Chacun saisit sa valise sur le tapis roulant. Alix n'eut aucun mal à soulever la sienne. Cela faisait longtemps qu'il ne lui proposait plus de l'aider, il savait qu'elle aurait refusé de toute façon. Alix chérissait par-dessus tout son indépendance, et elle était fière de n'avoir besoin de personne. Ils prirent deux taxis différents pour regagner le centre, et elle se rendit à la chaîne, curieuse de savoir ce qui l'attendait. Une fois sur place, elle découvrit, comme d'habitude, une pile de papiers accumulés sur son bureau en son absence. Des annonces, des notes de service, des textes pour accompagner ses reportages, des validations de ses sources, des mémos de la direction. Elle passa presque tout en revue jusque tard dans la nuit quand, trop fatiguée pour rentrer chez elle, elle s'allongea sur le canapé de son bureau et s'endormit. Éveillée avant l'arrivée des employés, le lendemain matin, elle prit une douche, enfila un jean et un pull piochés dans sa valise et se versa une tasse de café bien fort. Elle était de nouveau assise à sa place quand Félix Winters, le directeur de l'information, entra dans la pièce.

— Tu as dormi ici ? lui demanda Félix d'un ton narquois, connaissant déjà la réponse.

Elle acquiesça en souriant.

— Évidemment.

Il n'eut pas l'air surpris. Elle voyait à sa tête qu'il était ravi de leur couverture des émeutes. Même s'il était rare qu'il l'exprime, il aimait presque tous ses reportages. Ce n'était pas le genre à se répandre en compliments, mais il éprouvait un profond respect pour elle.

— Viens boire ton café dans mon bureau, qu'on fasse le point, suggéra-t-il.

Elle hocha la tête et promit de le rejoindre une minute plus tard. Un assistant de production passa la tête dans l'embrasure de la porte : ils avaient un scoop pour l'ouverture de la matinale. Un tremblement de terre en Afghanistan venait de tuer des milliers de personnes. Se demandant si Ben et elle seraient envoyés sur les lieux du drame, elle se rendit dans le bureau de Félix.

Ils discutèrent tout en surveillant le moniteur TV du coin de l'œil. Les vidéos et reportages en direct depuis l'Afghanistan étaient atroces. Les cadavres s'entassaient dans les rues, les gens pleuraient, d'autres étaient coincés sous les décombres des immeubles.

— Ça avait l'air de mal tourner, en Alabama. Je m'inquiétais pour toi, lança Félix, sincèrement soucieux.

— On s'en est sortis, mais ce n'était pas beau à voir. Ils ont envoyé les troupes trop tard. La situation était déjà devenue incontrôlable.

Son producteur l'écoutait d'une oreille distraite en hochant la tête, l'air pensif.

— Qu'est-ce qui se passe ? s'enquit-elle.

Elle connaissait cette expression sur son visage.

Il hésita une minute, avant de répondre avec un sourire penaud :

— Encore une idée complètement dingue qui m'a traversé l'esprit. Ne me demande pas pourquoi, mais hier j'ai vu une photo du vice-président qui m'a fait tiquer.

— Tu n'as jamais apprécié cet homme, lui rappela Alix en souriant.

— C'est vrai. Je trouve qu'il a l'air hypocrite. Et pour un type qui joue au père la vertu et prétend être M. Propre, je n'aime pas les gens avec qui il traîne. Et d'où il tire son argent, tout à coup ?

— Il l'a épousé, répliqua-t-elle avec ironie. Un bon moyen de devenir riche sans trop d'effort.

— Ça demande quand même quelques efforts de temps à autre, lança Félix d'un ton railleur, la faisant éclater de rire. Je ne sais pas. J'ai toujours trouvé que quelque chose clochait chez lui.

Ce n'était pas la première fois qu'elle l'entendait dire ça.

— Il était avec qui, sur cette photo ? demanda-t-elle, curieuse d'en savoir plus.

Félix avait du flair, mais il avait aussi ses bêtes noires. Le vice-président en était une, malgré son honorable carrière et ses belles relations. Clark avait été le meilleur ami de feu le sénateur Bill Foster, un homme politique devenu une véritable icône. Tous deux envisageaient de mener la campagne présidentielle ensemble au moment où Foster était mort. Mais Félix, quoi qu'on puisse dire, n'aimait pas Tony Clark.

— Il était avec l'un des responsables de la commission des jeux. Et chaque fois que je joue au golf à Washington, je l'aperçois en compagnie de tel ou tel lobbyiste pas franchement respectable.

— Cela n'a rien d'illégal, le taquina Alix.

— Je sais. Je prends mes désirs pour la réalité. J'espère toujours qu'on le pincera la main dans le sac un jour ou l'autre. Mais il est trop malin pour ça.

— Ou bien trop honnête, répondit Alix d'un ton circonspect.

Elle ne savait pas trop quoi penser du vice-président. Tony Clark était intelligent, riche, et menait une brillante carrière. Son réseau politique et mondain était impressionnant. Il jouait bien le jeu. Trop bien pour risquer de tout perdre en agissant de manière stupide. Mais Félix avait toujours pensé le contraire. Il le trouvait trop sûr de lui, trop arrogant.

— Rends-moi service, sonde un peu tes contacts à Washington et vois si quelque chose en sort. On ne sait jamais.

— L'espoir fait vivre, conclut-elle d'un ton moqueur.

Elle s'apprêtait à sortir de son bureau quand elle se tourna brusquement pour lui lancer :

— Tu nous envoies en Afghanistan ?

— Je te préviendrai, répliqua-t-il, les yeux fixés sur l'écran TV.

Elle songea à sa quête acharnée des malversations commises par le vice-président. Elle n'avait jamais été d'accord avec lui sur ce point, mais elle interrogerait ses sources, pour lui faire plaisir. C'était son patron, après tout, et il lui arrivait d'avoir raison. Mais pas cette fois-ci, elle en était sûre. Félix avait un problème avec ce type, point final. C'était plus fort que lui, il ne le supportait pas.

Une heure plus tard, elle suivait la matinale sur l'écran de son bureau quand Ben entra. Il avait l'air frais et reposé, tout comme elle après ses quelques heures de sommeil sur le canapé. Le travail lui redonnait des forces, et Ben devina qu'elle n'était pas repassée chez elle.

— En route pour l'Afghanistan ? lui demanda-t-il.

Il se laissa tomber sur une chaise en face d'elle et jeta un coup d'œil au moniteur TV.

— Félix ne m'a encore rien dit. Il relance la chasse aux sorcières contre le vice-président, dit-elle avec un sourire. Et il m'a demandé d'enquêter sur lui.

— Clark est un type très occupé, répondit Ben, d'un ton peu convaincu. Moi non plus, je ne l'aime pas trop. Il y a quelque chose chez lui qui m'énerve. Mais je pense qu'il est clean. Il est trop futé et ambitieux pour tremper dans des histoires louches.

Sur ce point, ils avaient la même opinion.

Le vice-président Tony Clark avait un peu plus de quarante ans. Divorcé d'une riche mondaine, il avait épousé une femme beaucoup plus jeune que lui en secondes noces quatre ans plus tôt, et avait deux enfants en bas âge. C'était la famille parfaite pour un politicien. Ils avaient même un golden retriever nommé Lucky. Sa jeune épouse était l'héritière de l'une des plus grandes fortunes du pays, et son beau-père, le plus important donateur de la campagne présidentielle précédente. La vie de Tony Clark semblait se dérouler sans accroc et, même quand les choses tournaient mal pour lui, il parvenait vite à retomber sur ses pieds.

Clark avait vu sa carrière politique s'accélérer grâce au sénateur Bill Foster, un ami d'enfance. Leur tandem avait été une évidence, étant donné la profondeur de leurs liens. Foster avait possédé le charme, l'esprit, les compétences politiques, le charisme, les relations et l'intelligence nécessaires pour mener une magnifique campagne et gagner la présidence quelques années plus tard, en emmenant Clark dans son sillage – avant d'être assassiné lors de sa deuxième campagne sénatoriale. Le père de Bill Foster était connu pour sa capacité à faire et défaire les carrières à Washington, et le frère de sa veuve était sénateur du Connecticut. Sa famille occupait donc une place de tout premier plan dans l'arène politique. Mais si Foster avait le carnet d'adresses, l'argent venait de Clark. Ce n'était pas le sien, mais il connaissait de gros donateurs. Ensemble, ils auraient formé une équipe imbattable. Après la mort de Foster, Clark avait pris un an pour faire peau neuve, avant d'apparaître comme l'un des candidats les plus prometteurs du moment, en tandem avec un sénateur presque assuré de gagner la Maison-Blanche. Il s'était aussi remarié, deux ans après l'assassinat de Foster.

Tony Clark était demeuré très présent dans la vie de la veuve de Foster et celle de ses deux enfants. Olympia Foster et lui apparaissaient parfois en public, et il l'avait beaucoup soutenue sur le plan affectif au cours des six années qui venaient de s'écouler. Depuis la mort de son mari, Olympia avait vécu en recluse et presque disparu des radars. Avec Foster, elle avait formé un couple idéal, et les fervents partisans de son mari étaient aussi din-gues d'elle qu'ils l'avaient été de lui. Alix se demanda soudain ce qu'elle était devenue. Cela faisait des mois que son nom n'était pas apparu dans la presse, même si l'on savait que l'actuel vice-président et elle étaient restés très amis. Un jour, Faye lui avait envoyé une lettre pour lui faire part de son admiration, et elle lui avait répondu avec chaleur. Olympia Foster était une femme extraordinaire, et Alix, comme d'autres, avait toujours trouvé qu'il y avait quelque chose des Kennedy chez elle. Elle avait la même élégance digne, la même grâce intimidée que Jackie. Et comme Jackie, elle avait survécu à la mort tragique de son mari, abattu par un tueur fou, ce qui n'avait fait qu'accroître la compassion du public à son égard.

Félix passa la tête dans l'embrasure de la porte.

— Vous aimez le curry ?

Alix ne dit mot, l'air indifférent. Ben répondit que oui, avant d'ajouter :

— Tu nous commandes à déjeuner ?

— Non, il y a un scandale en Inde, dans le domaine de la haute technologie. Vous partez tous les deux pour Delhi ce soir, annonça-t-il d'une voix neutre. Votre avion décolle à 21 heures, et je vous rappelle que pour les vols internationaux l'enregistrement a lieu deux heures avant.

— Je ferais mieux de rentrer chez moi pour refaire mes valises, indiqua Alix, oubliant leur conversation au sujet du vice-président.

Il n'y avait plus aucun vêtement propre dans le sac rapporté d'Alabama. Et elle n'aurait pas besoin de treillis à Delhi, mais de robes d'été et de sandales.

— Il ne perd pas de temps, hein ? s'exclama Ben après le départ de Félix.

Il semblait réticent à partir en Inde le soir même.

— Ça a l'air pas mal, comme sujet de reportage, objecta Alix d'une voix encourageante.

Elle aimait son travail, parfois plus que lui. Et il se sentait épuisé, après l'Alabama. Pas elle.

— Ce sont toujours de bons sujets, quand c'est toi qui les traites, répondit Ben d'un ton sincère.

— Je ferais mieux d'y aller, conclut Alix en se levant.

Elle avait mille choses à faire pour préparer ce voyage de dernière minute. Et tous deux savaient qu'ils auraient droit dans l'après-midi à un long briefing sur cette histoire en Inde, s'ils s'envolaient le soir même.

Quelques minutes plus tard, elle héla un taxi devant le bâtiment de la chaîne et réfléchit à cette nouvelle mission tandis qu'ils traversaient le centre-ville en trombe, notant quelles recherches elle avait l'intention de mener pour nourrir son reportage. Elle songea à sa fille et se dit qu'elle devait l'appeler avant leur départ.

Une fois que son taxi l'eut déposée devant son immeuble délabré de l'East Village, elle fit une lessive et prépara sa valise. Si Ben semblait peu enthousiaste et exténué, elle se sentait tout excitée. Elle excellait dans son métier et l'avait dans la peau. Après toutes ces années, il continuait à faire battre son cœur. Et ceux qui la connaissaient savaient que cela ne changerait jamais.

Alix était de retour au bureau trois heures plus tard, sa valise prête. Elle avait pris des vêtements d'été adaptés au climat indien, ainsi que des robes d'allure convenable, au cas où elle devrait rencontrer des représentants du gouvernement, ou interroger des huiles en lien avec son reportage. L'un des hommes les plus riches et les plus influents du pays risquait de finir en prison, et cela ferait bientôt la une des journaux. Félix leur livra toutes les informations dont ils disposaient, puis pria Alix de rester dans son bureau pour lui parler en privé. Lui-même avait commencé par être journaliste avant de gravir les échelons au sein de la chaîne, il comprenait donc bien son travail de reporter. La pression continuelle qu'il subissait avait fini par marquer son visage, et il comptait sur Alix et une poignée d'autres employés pour maintenir leur audience au plus haut. Il les surveillait de près, de manière à éviter tout dérapage. Sa grande force, c'était de dénicher de bons sujets et d'envoyer le premier ses journalistes enquêter sur les lieux – il n'avait rien perdu de son flair pour détecter un scandale sur le point d'éclater. Et Alix, de tous les pros qu'il connaissait, était de loin la meilleure. Elle ne le décevait jamais.

Il lui tendit une épaisse enveloppe en papier kraft par-dessus son bureau.

— J'aimerais que tu y jettes un coup d'œil pendant le vol et que tu enquêtes un peu là-dessus depuis Delhi, si tu as le temps. Tu crois que je suis fou, je sais, mais c'est au sujet du vice-président. Il n'a peut-être rien à se reprocher, mais je sens qu'il y a une embrouille quelque part, ou alors une histoire d'argent qui change de mains. Penche-toi un peu là-dessus.

Alix, intriguée, haussa un sourcil. Elle adorait faire des recherches pour lui. Malgré certains désaccords, il avait souvent le nez fin, et en matière de scoop, son sixième sens était sidérant. Elle entrouvrit l'enveloppe, qui contenait plusieurs photos de Tony Clark.

— Passe-les en revue et dis-moi si quelque chose attire ton attention. Je n'arrive pas à me débarrasser de l'idée, même si ça paraît délirant, qu'il accepte des pots-de-vin de la part des lobbyistes, voire de gens plus louches encore. Peut-être que j'ai tort, mais fais-moi le plaisir de vérifier tout ça. Il se montre régulièrement en compagnie de quelques-uns des lobbyistes les plus douteux et les plus véreux de Washington. Pas officiellement, mais de manière informelle, en tant qu'« ami ». Ses proches prétendent que c'est purement fortuit. Je n'y crois pas une seconde. Il se trouve toujours là où il y a de l'argent, et il ne fait jamais rien s'il n'a pas un intérêt personnel.

Clark savait très bien faire profil bas et mener une vie exemplaire, mais il y avait parfois quelque chose chez lui, même aux yeux d'Alix, qui paraissait trop beau pour être vrai. Il fallait admettre qu'il avait eu de la chance. Il était devenu riche et, par deux fois, avait fait un magnifique mariage. De l'avis de Félix, cela ne relevait pas que du hasard, de ses bons investissements en Bourse et de la richesse de ses épouses. Il possédait une véritable fortune personnelle, ce qui n'était pas le cas au début de sa carrière. Alors, d'où venait cet argent ? Cette question rongeait Félix depuis longtemps. Personne n'avait jamais accusé le vice-président d'irrégularités, mais Félix s'était toujours demandé comment il avait obtenu tout cela. Son expérience et son instinct de grand reporter lui disaient que quelque chose ne tournait pas rond. Simplement, il ne savait pas quoi. En tout cas, ce n'était pas juste la capacité de Clark à transformer en or tout ce qu'il touchait, ni purement de la chance. Et Félix n'avait pas l'air de vouloir renoncer. Les clichés qu'il venait de confier à Alix étaient récents et montraient le vice-président dans divers endroits et en compagnie de toutes sortes de gens.

— J'y jetterai un coup d'œil, promit Alix.

Elle s'intéressait davantage au réseau politique de Clark qu'à sa fortune. Il avait des relations puissantes et de grandes ambitions. Elle aussi jugeait que son amitié avec Bill Foster ne semblait pas relever du hasard. Foster aurait été le bon cheval pour lui, le propulsant directement à la Maison-Blanche – même en position de second, ce qui ne semblait pas déranger Clark. Il n'était devenu proche du Président en exercice qu'après la mort de Foster. On avait l'impression qu'il programmait tout dans sa vie. Et il était effectivement devenu vice-président.

— Moi non plus, je ne l'aime pas beaucoup, avoua-t-elle à Félix. Mais il ne semble pas le genre d'homme à agir de manière stupide ou malhonnête, en acceptant les pots-de-vin d'un lobbyiste. Il n'oublie jamais de penser à l'avenir, et je suis convaincue qu'il a de grands projets à long terme, comme se présenter lui-même à la présidence, dans quatre ans, à la fin de ce second mandat.

Le locataire de la Maison-Blanche venait à peine d'être réélu. Tout le monde attendait que Clark annonce son intention de briguer les plus hautes fonctions de l'État, mais il n'avait rien dit pour l'instant. C'était encore un peu tôt, il avait deux ans pour le faire. Et Félix avait bien l'intention de le surveiller de près pour voir jusqu'où il irait.

— Tu as sans doute raison. Mais on l'a aperçu récemment avec trois des lobbyistes les plus corrompus de Washington. En train de dîner et de jouer au golf, comme une bande de potes. Je veux juste que tu enquêtes discrètement, que tu utilises tes relations, et que tu sondes des gens à ton retour. Tu pourras examiner les photos pendant le voyage.

— Qui voudrais-tu que je sonde exactement ? lui demanda-t-elle. A priori, je ne connais personne de son entourage.

À peine avait-elle prononcé ces mots qu'elle songea à Olympia Foster, et se dit aussitôt que c'était ridicule. La veuve Foster n'était plus dans le jeu politique depuis six ans, même si elle restait une bonne amie de Clark. Alix songea qu'elle pourrait en apprendre plus si Olympia Foster acceptait de lui parler. Dans la première année ayant suivi la mort de Foster, Clark n'avait cessé de se montrer en compagnie d'Olympia et de ses enfants, après les avoir réconfortés pendant les funérailles. Sur les photos de l'enterrement, on voyait Olympia flanquée de son frère, le sénateur du Connecticut, ainsi que de Clark. Alix soupçonnait Olympia d'en savoir plus que quiconque sur les agissements de Clark. Bien sûr, elle ne s'attendait pas à ce que la veuve lui dévoile des secrets, en supposant qu'il y en ait. Mais on se confiait facilement à elle. Elle avait un sourire désarmant, et elle était douée pour faire parler les gens. Chaleureuse et décontractée, elle les poussait à lui dire ce qu'ils avaient sur le cœur. C'était exactement pour cela que Félix lui avait confié cette mission, officieuse jusqu'à nouvel ordre. Il savait que, si quelqu'un était capable de dénicher des infos, c'était bien elle, et qu'elle lui rapporterait un scoop s'il y en avait un.

— J'examinerai tout ça et je passerai quelques coups de fil depuis Delhi, si j'ai le temps. J'ai quelques contacts à Washington qui pourraient être utiles. C'est une petite ville, et ça y jase beaucoup, ajouta-t-elle d'un air songeur.

Elle avait envie d'appeler elle-même la veuve de Foster pour tenter d'obtenir un rendez-vous. Cela ne servirait probablement à rien, mais ça valait le coup d'essayer. Olympia Foster avait été l'idole d'Alix quand elle était plus jeune. Même à présent, ce serait intéressant de discuter avec elle, si Olympia était partante. Celle-ci ne donnait jamais d'interviews, mais elle accepterait peut-être de passer une heure avec Alix pour parler de l'héritage spirituel de son mari.

Olympia avait écrit un livre sur son époux après le décès. Alix l'avait lu et beaucoup aimé. L'ouvrage exaltait ses vertus, expliquait en détail ses prises de position politiques, et évoquait ses rêves pour l'avenir du pays. Si ce qu'elle racontait était exact, sa mort était une perte bien plus grande pour l'Amérique qu'on ne l'avait cru. Le texte était écrit de manière intelligente et structurée, magnifié par le profond amour d'une épouse en deuil. Elle avait voulu lui rendre hommage à titre posthume et elle y était parvenue, avec dignité et éloquence. Son livre s'était vendu à plus d'un million d'exemplaires, un succès phénoménal.

Alix se leva, l'enveloppe de documents sur Tony Clark entre les mains, et Félix lui souhaita bonne chance pour son reportage à Delhi. Il ne pensait pas qu'ils y resteraient très longtemps, mais une analyse de première main de la situation la rendrait plus intéressante aux yeux des téléspectateurs et serait bonne pour l'audimat. Ce qui était la raison de vivre de Félix.

Alix ne cessa de penser à Olympia Foster en regagnant son bureau, où Ben l'attendait avec son sac. Ils devaient partir pour l'aéroport une demi-heure plus tard.

— Alors, tu t'es fait virer ? dit-il pour la taquiner.

Elle éclata de rire.

— Pas encore. Mais j'y travaille.

— Juste pour info, j'adore mon travail, et ça m'embêterait vraiment de devoir m'habituer à un nouveau coéquipier. » Il jeta un coup d'œil à l'enveloppe qu'elle avait fourrée dans son bagage à main : « Des devoirs à faire dans l'avion ?

Elle hocha la tête.

— Tony Clark. Félix est toujours convaincu qu'il y a anguille sous roche. Enfin, un petit poisson pour l'instant. Il espère bien que c'est une anguille.

— Et c'est à toi qu'on demande d'attraper l'anguille ? ajouta Ben, l'œil brillant.

— En supposant qu'il y en ait une. Ce qui reste à voir, répondit Alix en souriant.

— En tout cas, ça devrait t'empêcher de t'ennuyer pendant un petit moment, répliqua-t-il.

Il se mit à feuilleter un magazine en attendant qu'elle finisse de se préparer. Tout ce qu'il avait à faire était de la suivre et d'imprimer son reportage sur la pellicule. Le gros du travail était pour elle. Il alla leur chercher du café, et elle en profita pour appeler Faye avant qu'ils quittent le bureau. Elle craignait de tomber sur sa boîte vocale, et fut contente quand sa fille décrocha. Une fois à Delhi, elle n'aurait guère le temps de lui téléphoner.

— J'ai vu comment ça s'est fini en Alabama, lança Faye, manifestement en colère. Tu t'obstines à vouloir te faire tuer. Tu as de la chance que personne n'ait tenté de te tirer dessus. Un de ces jours ils t'auront, maman.

Elle lui en voulait. Mais Alix savait que c'était parce qu'elle avait peur. Peur de perdre sa mère.

— Ce n'était pas aussi dangereux que ça en avait l'air, tenta-t-elle de la rassurer.

Mais Faye ne s'en laissa pas conter.

— C'était sans doute encore pire, tu veux dire. Difficile de croire que ce genre de choses peut encore se produire de nos jours. Les propriétaires d'usines prétendent qu'ils sont au bord de la faillite alors que c'est de la discrimination raciale pure et simple.

Faye voyait juste, comme d'habitude. Elle avait grandi avec les reportages d'Alix, et sa mère s'était toujours efforcée de lui expliquer l'actualité. Cela avait rendu Faye précocement cynique, ce qu'Alix regrettait parfois. Mais la réalité du monde était la matière même de son travail, et sa fille avait l'esprit affûté.

— Alors, tu vas où cette fois-ci ?

— Je pars en Inde ce soir. Un scandale dans le monde des affaires. Pour une fois, tu ne peux pas me reprocher que ce soit dangereux. C'est lié à la haute technologie, un magnat qui part en prison. Intéressant, et très calme.

— Je pensais que tu couvrirais le tremblement de terre en Afghanistan, répliqua Faye, la voix tremblante. Je suis sûre qu'ils te renverront bientôt dans une zone de conflit.

— Je ne fais pas que ça, lui rappela Alix.

— Mais souvent. Et puis, tu m'as menti. L'année dernière, tu m'as dit que tu arrêterais les reportages de ce genre. Et tu as couvert cinq guerres depuis.

Faye n'oubliait jamais rien, au grand agacement de sa mère. En outre, elle avait raison.

— Je dois aller où l'on m'envoie, Faye. Ça fait partie du boulot.

— Pourquoi tu ne peux pas être comme tout le monde ? Prof, infirmière ? Ou présentatrice météo ?

— Mes jambes ne sont pas assez jolies pour que je sois présentatrice météo, et je ne porte jamais de minijupe.

— Ne sois pas si sexiste, maman, rétorqua Faye d'un ton réprobateur.

— Désolée. Je n'ai aucune envie de parler de la chaleur à Atlanta, ni de la neige dans le Vermont, ni des tempêtes tropicales dans les Caraïbes. Ça me ferait crever d'ennui.

— Conclusion, tu joues au petit soldat. Tu vas te faire tuer un de ces jours, maman.

Il y eut quelques instants de silence. Alix ne savait que répondre. Sa fille avait peut-être raison. C'était comme ça que son propre père était mort.

— Quoi de neuf, à la fac ? lança-t-elle pour éloigner Faye de ces sombres pensées – ce qui ne marchait pas toujours.

— Pas grand-chose. J'ai eu un C en chimie.

Mais elle avait eu des A et des B dans toutes les autres matières. Alix ne s'inquiétait pas pour ses notes. Elle avait toujours été excellente élève.

— J'ai discuté hier avec mamie, elle m'a dit qu'il fallait que tu l'appelles un de ces jours.

— J'en ai bien l'intention, mais je n'ai pas encore eu le temps, répondit Alix d'une voix coupable.

Elle n'appelait pas sa mère assez souvent, et celle-ci était assez gentille pour ne pas s'en plaindre. Heureusement, Faye lui téléphonait fréquemment.

— Elle part à Florence et à Rome pour une sorte de voyage artistique. Elle voulait que je l'accompagne, mais je ne peux pas.

Elles discutèrent encore un peu jusqu'à ce que Ben réapparaisse avec deux cafés et pointe le doigt vers sa montre. Deux minutes plus tard, ils devaient être partis. Alix acquiesça en silence.

— Je te rappellerai de Delhi », promit-elle à sa fille. Elle était sincère. Elles savaient pourtant toutes les deux que rien n'était moins sûr, si le reportage demandait plus de temps que prévu. « Je reviens dans quelques jours.

— Avant de repartir ailleurs. Essaie d'éviter les ennuis, maman. Je t'aime.

Elle prononça ces derniers mots d'une voix émue, et les larmes montèrent aux yeux d'Alix. La vie n'avait pas été facile pour elles, mais elles avaient surmonté les épreuves et étaient profondément attachées l'une à l'autre. Alix savait que Faye était fière d'elle.

— Moi aussi, je t'aime, ma chérie. Prends bien soin de toi.

Elles raccrochèrent. Alix but une longue gorgée de café et sourit à Ben.

— Comment elle va ? demanda-t-il avec intérêt.

Il savait combien Alix aimait sa fille, et il se souciait d'elle aussi.

— Elle a eu un C en chimie, mais sinon tout va bien.

Pour toute réponse, Ben sourit. Lui n'avait pas de place pour la famille dans sa vie. Son existence consistait à parcourir le monde pour la chaîne, ce qui était peu propice aux relations durables, voire à celles de courte durée. Sa vie amoureuse était aléatoire, et surtout faite de jolies femmes qu'il croisait mais n'avait pas l'occasion d'inviter à dîner, ou alors d'aventures d'un soir. Il n'avait jamais le temps ni la possibilité d'aller plus loin. Et de manière générale, cela lui convenait. Tout comme Alix, il n'avait jamais ressenti le besoin de se remarier. Elle disait toujours que le mariage ne faisait pas partie de ses objectifs, pour les mêmes raisons que lui, et qu'elle n'avait aucune envie de se lier à quelqu'un qui se plaindrait de son travail ou tenterait de la faire changer de vie. Renoncer à son job, malgré ses dangers, était un sacrifice qu'elle n'était pas prête à consentir pour un homme. Et elle savait d'expérience que personne ne voulait d'une petite amie ou d'une épouse qui gambadait près des mines en Irak, ou qui grimpait une montagne afghane en char d'assaut pour rencontrer des terroristes. Faye n'avait pas tort : un de ces jours, elle risquait de se faire tuer. Alors elle faisait avec. Et pour l'instant, les rencontres de hasard, son travail et sa fille suffisaient largement à emplir sa vie.

La mort de son père dans un bombardement quand elle était petite avait marqué Alix plus qu'elle ne l'imaginait. Elle avait peur de devenir trop proche d'un homme, de crainte de le perdre – ou de se perdre soi-même. Son travail lui permettait d'échapper à la vie normale et d'oublier les blessures de son enfance. Quand le père de Faye était décédé, la peur de perdre un être cher s'était encore renforcée. Les deux seules personnes qu'elle s'autorisait à aimer et qu'elle laissait entrer dans son intimité étaient sa mère et sa fille. Il n'y avait pas de place pour une relation sérieuse avec un homme. Ben avait le même problème – pour des raisons différentes, mais les conséquences étaient les mêmes. Son expérience dans la marine lui avait parfaitement convenu, et son existence actuelle était presque aussi palpitante. D'une façon ou d'une autre, il avait besoin de relever des défis et de risquer sa vie chaque jour. C'était devenu une habitude, depuis l'armée. Et quand il tenait la caméra pour Alix, le danger était monnaie courante. Ben disait toujours que, par certains côtés, c'était comme s'ils passaient leur temps à jouer à la roulette russe. Ni lui ni elle n'avaient peur de mourir.

— C'est bon, t'es prête ? lui demanda-t-il d'un ton désinvolte.

Elle prit son bagage à main et sortit du bureau avec sa valise à roulettes, tandis qu'il tirait la sienne, avec sur l'épaule le sac contenant son matériel vidéo. Ils étaient habitués à voyager léger. Quittant les locaux de la chaîne, ils se rendirent au rez-de-chaussée et rejoignirent la berline qui les attendait pour les conduire à l'aéroport. Ben semblait content. Ils étaient doués pour ce genre de mission et, à ses yeux, Alix surpassait tous ses collègues.

— Je crois que je ne pourrais plus vivre autrement, lança Alix dans un accès de franchise quand la voiture s'éloigna du trottoir pour s'engouffrer dans le trafic new-yorkais. Je ne sais pas comment font les gens pour ne jamais quitter leur appart et accomplir la même routine tous les soirs.

— Ça s'appelle mener une vie normale, répondit-il calmement, les yeux songeurs.

Il savait qu'il n'aurait jamais cette vie-là et ne le souhaitait pas.

— Je ne serais sans doute pas très douée pour ça, répondit Alix d'un air pensif.

— Probablement que non, approuva Ben.

Ils ne connaissaient de la vie que celle qu'ils menaient depuis toujours et n'en demandaient pas plus. En outre, c'était celle qui leur convenait le mieux. Quant à mourir au champ de bataille, ils y étaient prêts. C'était l'existence qu'ils s'étaient engagés à mener, en parfaite connaissance des risques encourus. Elle lui sourit, tandis que le chauffeur se faufilait dans les rues bondées en direction de l'aéroport. Ils étaient tels deux oiseaux libérés de leur cage et volant à nouveau vers le ciel. Et ils adoraient cette sensation.

2

En route pour Delhi, ils firent escale à l'aéroport londonien d'Heathrow à 9 heures, heure locale. Alix traîna dans les boutiques, tandis que Ben se faisait couper les cheveux et masser la nuque. Tous deux avaient dormi dans l'avion. Ils avaient l'habitude d'accomplir nombre de petites tâches du quotidien dans les aéroports, où ils passaient plus de temps que n'importe où ailleurs, et c'était dans l'avion qu'ils regardaient les films qui venaient de sortir. Ils devaient s'envoler pour New Delhi à midi.

Alix avait examiné les photos et lu les documents concernant Tony Clark pendant le premier vol, et le dossier lui avait paru très intéressant. Elle comprenait la méfiance tenace de Félix, même si rien n'indiquait que Clark recevait de l'argent des lobbies. Ce qui ressortait de ces papiers, c'était qu'il fréquentait certains des lobbyistes les plus influents du moment, et d'autres comptant parmi les plus louches ; mais rien de concret ne suggérait un échange de bons procédés, ou qu'il touchait de l'argent pour satisfaire leurs demandes. Le rôle des lobbyistes n'était d'ailleurs pas dénué d'intérêt : en informant les hommes politiques des besoins et des évolutions des industries qu'ils représentaient, ils permettaient que les élus puissent soutenir et faire adopter des lois en conséquence.

De ce qu'Alix comprenait des recherches menées par Félix, les relations de Tony Clark avaient de quoi intriguer, rien de plus. Elle prévoyait quand même de passer quelques coups de fil pour vérifier tout cela à son retour. Elle connaissait des gens au Congrès qui n'avaient pas la langue dans leur poche, et souhaitait savoir ce qu'ils pourraient bien lui révéler sur Clark avant d'aller plus loin et d'en rendre compte à Félix. Elle avait l'impression que son producteur agissait trop tôt, ou avec trop de zèle. Le vice-président avançait peut-être ses pions pour préparer l'avenir, mais il n'avait encore commis aucune irrégularité ni enfreint aucune loi. Il n'y avait pas trace de tels agissements, malgré son attitude obséquieuse. Et puis, Clark n'était pas un imbécile. Il n'allait pas compromettre une carrière impeccablement orchestrée et détruire tout ce qu'il avait bâti. Elle était sûre d'une chose : derrière son allure innocente, c'était un homme extrêmement calculateur, et il ne ferait rien qui pouvait lui porter préjudice. Elle avait tout intérêt à le garder à l'œil et à fouiner un peu ; mais elle soupçonnait qu'il n'existait aucune preuve permettant de le coincer, et son instinct était généralement fiable.

Elle scruta à nouveau les photos. À ses yeux, une seule sortait du lot. Clark était engagé dans ce qui semblait être une conversation des plus sérieuse avec un lobbyiste soupçonné de soudoyer des hommes politiques – même si cela n'avait jamais été prouvé, et qu'il n'avait pas eu d'ennuis avec la justice. Un lobbyiste qui avait un jour travaillé pour la commission des jeux.

Elle en parla à Ben après son massage, devant un petit déjeuner. Elle venait d'acheter une paire de bottes dans l'une des boutiques haut de gamme de l'aéroport. C'était la première fois depuis des mois qu'elle faisait du shopping.

— Je suis d'accord avec toi, dit Ben en humant son café. On peut dire ce qu'on veut, Clark est sacrément malin. Il n'est pas assez stupide pour risquer de détruire sa carrière en acceptant des pots-de-vin des lobbies. Ça n'arrivera jamais. Je crois que Félix se met le doigt dans l'œil si c'est ce qu'il pense. Tony Clark ne se permettrait pas d'outrepasser la loi. Et puis, c'était un proche de Bill Foster. Le sénateur était l'honnêteté même, il ne se serait jamais acoquiné avec un escroc. Ils seraient tous les deux à la Maison-Blanche à l'heure qu'il est si Foster n'avait pas été assassiné.

Le mobile du tueur n'avait jamais été déterminé. C'était un ressortissant syrien muni d'un passeport volé, et le service de sécurité l'avait abattu avant qu'il puisse être interrogé. Il n'y avait aucune raison de tuer Foster, ce ne pouvait donc être que le geste d'un terroriste isolé. Le gouvernement syrien avait nié tout lien avec le tueur et annoncé qu'il n'était en rien responsable de ses actes. Ce n'était qu'une tragédie absurde, qui avait porté un coup terrible à Clark également.

— Je suppose que ça ne peut pas faire de mal de se renseigner un peu sur lui, répondit Alix d'un ton désinvolte. J'appellerai quelques-unes de mes sources à Washington quand nous serons rentrés. Qui sait ? Cela cache peut-être autre chose que des pots-de-vin. Si ça se trouve, il cherche simplement à réunir des fonds pour sa future campagne, en supposant qu'il brigue la présidence dans quatre ans. Ça lui ressemble davantage. Carnet d'adresses et pognon. Beaucoup de pognon, dans l'intérêt de sa campagne. Clark m'a toujours semblé hypocrite. Tout ce qui l'intéresse, c'est de soigner son image, de se faire bien voir. Mais il n'y a pas de loi contre ça. C'est un politicien jusqu'au bout des ongles. Tandis que Foster était un idéaliste, une sorte de visionnaire. Ils formaient un bon tandem. Le réaliste et le rêveur.

— Ou le magouilleur et le rêveur, répliqua Ben en souriant.

Ils embarquèrent pour New Delhi, et Ben lut un livre pendant la première partie du vol. Quant à Alix, elle regarda un film, puisqu'elle avait terminé l'étude du dossier donné par Félix, ainsi que tout le travail préparatoire pour leur reportage en Inde. Elle était curieuse de rencontrer le magnat qui s'était mis dans le pétrin. Ce scandale à rebondissements ressemblait à une série télé : l'une des plus grandes fortunes du pays avait enfreint la loi et en avait retiré quelques milliards. L'homme s'était fait prendre pour un détail sans importance, et le château de cartes s'était effondré. Une fois le scandale révélé, les dénonciations de ses anciens partenaires avaient afflué du monde entier. Il risquait de passer un bon moment derrière les barreaux, comme Bernie Madoff, qui avait escroqué des milliers de personnes aux États-Unis et ailleurs. Alix avait couvert ce sujet également. Les escrocs à grande échelle, elle connaissait bien, et c'était toujours très intéressant de les interviewer.

Ils dormirent tous deux pendant la dernière partie du voyage, rejoignirent leur hôtel à 2 heures du matin, et se levèrent tôt le lendemain pour rencontrer l'homme en question. Le magnat était assigné à résidence, et quand on les fit entrer dans sa splendide demeure il les accueillit avec l'air serein et très sûr de lui. Il ne semblait pas le moins du monde inquiet. Alix comprit immédiatement, dès les premiers instants de leur conversation, qu'il était totalement égocentré et parfaitement dénué de remords. C'était l'exemple même du sociopathe. Elle en avait rencontré beaucoup dans son travail – des dictateurs, des politiciens, de prospères chefs d'entreprise, des criminels. C'était une race d'hommes particulière. Rien n'était plus séduisant qu'un sociopathe, et c'était grâce à leur charme qu'ils maintenaient les gens sous leur coupe.

45

L'entretien fut interrompu à midi par un somptueux repas, servi dans sa salle à manger en marbre blanc par une armée de domestiques. L'homme était passionnant à écouter, et il aurait parlé toute la journée s'ils l'avaient laissé faire. Mais à la fin du déjeuner Alix avait déjà tout le matériau nécessaire, et d'autres questions auraient été superflues. Ben était satisfait lui aussi : ses images illustreraient parfaitement cette actualité brûlante et montreraient bien qui était cet homme.

Pendant les deux journées qui suivirent, Alix et Ben rencontrèrent quelques-uns des anciens collaborateurs du magnat, ainsi que ceux qu'il avait bernés, en plus de représentants du gouvernement et d'experts juridiques qui leur détaillèrent les conséquences de ses agissements. Tout le monde en Inde paraissait convaincu qu'il finirait en prison – quoique l'auteur des crimes, lui, fût certain d'être disculpé. Il semblait persuadé qu'il était plus futé que tout le monde, ce qui était probablement vrai. Mais ça ne l'avait pas empêché de se faire prendre.

Au bout de trois jours, ils avaient bouclé tous les entretiens et achevé la mission. Comme ils partaient le lendemain, Ben leur réserva ce soir-là une table dans un magnifique restaurant.

— On l'a bien mérité, dit-il quand ils arrivèrent au Dum Pukht, dont la somptueuse salle à manger, dans des teintes bleu et argent, était ornée de chandeliers en cristal.

La nourriture s'avéra exquise. Le concierge du Leela Palace, où ils séjournaient, leur avait recommandé le lieu. De temps à autre, quand ils étaient à l'étranger, une soirée comme celle-ci était un petit plus appréciable.

Alix avait acheté un sari bleu pâle l'après-midi même, et un autre pour sa fille, ainsi que quelques bracelets aux couleurs vives que Faye adorerait, elle en était sûre. Pour une fois, ils se trouvaient quelque part où il y avait vraiment de jolies choses à rapporter. La plupart du temps, vu le genre d'événements qu'ils couvraient, c'était loin d'être le cas. Ben et elle étaient de surcroît satisfaits de leur reportage, qu'ils évoquèrent pendant le dîner. Restait à faire le montage, mais ils avaient envoyé les rushs à Félix par Internet, et celui-ci se montrait enthousiaste. Il les avait félicités pour la qualité de leur travail et leur remarquable interview du magnat mis en examen. Il savait qu'il pouvait toujours compter sur eux.

— On dit que l'Inde est le pays le plus romantique du monde, lui lança Ben quand ils eurent commandé un cognac en digestif.

Alix lui sourit.

— À ce qu'il paraît. La dernière fois que je suis venue ici, c'était pour une inondation qui avait tué huit mille personnes. Le reportage qu'on vient de faire a été sacrément plus tranquille, fit-elle, l'air heureuse et détendue. Désolée que tu ne sois pas en meilleure compagnie pour profiter du charme de l'Inde ! ajouta-t-elle d'un air taquin.

Il lui décocha un grand sourire.

Elle avait bien vu qu'il regardait les belles Indiennes passant dans la rue ou attablées au restaurant ce soir-là.

— C'était exactement ce que j'étais en train de me dire. Mais je préfère dîner avec toi qu'avec mes anciens camarades de travail. Prendre ses repas avec une troupe de soldats n'a rien de très romantique non plus. Et les cantines dans lesquelles on mangeait ne ressemblaient pas à ça.

Elle rit en imaginant la scène.

— Ne t'y habitue pas trop, ça ne risque pas de se reproduire de sitôt.

Ils passaient l'essentiel de leur temps dans des zones de combat, à dormir dans des logements misérables, des véhicules blindés ou à l'arrière de jeeps, dans des vêtements crasseux.

— Je me disais un truc, reprit Alix. C'est bizarre à quel point ce type est convaincu qu'il n'ira pas en prison, alors que tous ceux à qui on a parlé et qui sont plus ou moins proches du pouvoir affirment que ça ne fait aucun doute. Tu crois qu'il nous racontait des conneries, ou qu'il se mentait à lui-même ?

Elle savait pourtant bien qu'il était dans la nature des sociopathes de se croire au-dessus des lois.

— Les gens ont une telle capacité de déni. Ça m'étonnera toujours, répondit Ben tandis qu'ils finissaient leur verre.

Le repas avait été exceptionnel et, par rapport à New York, étonnamment bon marché. Ni Ben ni Alix ne se sentaient donc coupables de l'ajouter à leurs notes de frais. Ils avaient bien droit à une petite folie de temps à autre.

— Je pense qu'il est sincèrement convaincu qu'il n'ira pas en prison, reprit Ben. Il se croit plus intelligent que les autres. Tu as entendu ce qu'il a dit.

Il écoutait toujours attentivement les interviews pendant qu'il filmait.

— J'ai pensé que c'était juste pour fanfaronner, devant moi et devant la caméra.

— Ça m'étonnerait. À mon avis, il en est persuadé. Et il va avoir une sacrée surprise. Qui sait, peut-être qu'il pourra soudoyer des gens pour y échapper, mais ce n'est pas l'impression que j'ai eue. Il y a eu trop de dommages collatéraux liés à ses malversations, même si lui ne le voit pas de cette façon. Alors c'est quoi, notre prochaine destination ?

Elle avait discuté avec Félix après lui avoir envoyé les rushs de l'interview et avait posé la même question. Selon lui, ils ne repartiraient pas avant plusieurs semaines. Et il lui avait rappelé qu'elle devait vérifier ses infos concernant Tony Clark, puisqu'il n'y avait pas d'actualité brûlante à couvrir pour le moment. Il s'obstinait à croire que cela pouvait aboutir à quelque chose, même si Ben et Alix n'étaient pas du même avis. Mais c'était lui le patron, et ils étaient bien obligés de lui obéir.

— Je ne serais pas contre deux ou trois semaines à New York, lança Ben quand ils quittèrent le restaurant pour regagner l'hôtel. J'ai l'impression qu'on ne fait qu'y passer en coup de vent.

— Ce qui est le cas. De mon côté, j'aimerais bien profiter d'un week-end avec Faye, si elle n'est pas trop occupée. Je pourrais prendre l'avion pour Duke.

Cela faisait deux mois qu'elle n'avait pas vu sa fille.

— Tu as de la chance de l'avoir, dit Ben d'une voix douce – une voix qu'Alix ne lui connaissait pas.

Ils ne parlaient jamais de leur vie personnelle quand ils étaient au boulot, mais c'était une magnifique nuit de pleine lune dans un endroit sublime, et tous deux s'étaient apprêtés pour ce dîner. Ils n'étaient plus dans leur contexte de travail habituel et se sentaient presque comme des gens ordinaires – un homme et une femme sortant dîner le soir, même s'ils n'étaient que des collègues devenus amis.

— Tu n'as jamais voulu avoir d'enfants ? Il n'est pas trop tard, finit-elle par dire en réponse à sa remarque.

— Je crois bien que si, répondit-il après une légère hésitation.

Si elle l'avait interviewé pour un reportage, elle aurait insisté davantage, mais elle s'abstint. Pourtant, elle avait perçu du chagrin dans sa voix, et se demandait d'où venait cette émotion.

— J'ai eu Faye quand j'avais vingt ans, j'étais encore à la fac, et je n'étais pas du tout prête pour ce que ça impliquait. Son père et moi, on s'est mariés à peine un mois avant sa naissance, et il est mort dans un accident trois mois plus tard. Ma belle-famille ne voulait pas entendre parler de moi ni de Faye. J'ai fini par la laisser à ma mère en Europe, je suis retournée en Amérique finir mes études, et j'ai trouvé un boulot à New York. Elle a vécu avec ma mère pendant cinq ans. Ça a l'air simple quand je le raconte maintenant, mais ça ne l'était pas à l'époque.

C'était la première fois qu'elle évoquait devant lui les conditions de son mariage et de la naissance de Faye, et il semblait impressionné.

— Sans l'aide de ma mère, reprit-elle, je n'y serais jamais arrivée. On s'en est bien sorties, mais ce genre de situation laisse des traces. Tout bien considéré, Faye s'est montrée incroyablement mature et indulgente envers moi, et ma mère a été formidable avec elle. Entre son père qu'elle n'a pas connu et moi qui ne suis jamais là, elle pourrait m'en vouloir beaucoup plus. C'est juste mon travail qui la met en rogne. Elle aimerait que je sois une « mère normale », mais cela n'a jamais été au programme me concernant. Ma mère était femme au foyer, et ça lui convenait parfaitement. Moi, je deviendrais folle si j'essayais. Le bon côté des choses, c'est que je crois avoir réussi à montrer à Faye qu'elle peut courir après ses rêves, faire ce qu'elle veut dans la vie, et se battre pour ce en quoi elle croit. Ce n'est peut-être déjà pas si mal, même si je n'ai pas toujours été présente pour elle. Elle a quitté la France et la maison de ma mère quand elle avait cinq ans, pour venir vivre avec moi. Ce n'était pas facile, mais on s'en est tirées. Elle est très chouette, ma fille.

— Sa mère aussi, déclara-t-il d'un ton admiratif. Je suis toujours bluffé par les gens qui ont un travail comme le nôtre, qui réussissent quand même à avoir des enfants, et qui parviennent à ne pas en faire de parfaits détraqués. Ils étaient comment, tes parents ?

— Mon père s'appelait sir Alex Phillips. C'était un journaliste britannique qui a été tué par une bombe de l'IRA. J'étais encore toute petite à l'époque. Ma mère est française, et c'est une femme extraordinaire. Si je ne suis pas une trop mauvaise mère pour Faye, c'est bien grâce à elle. Elle m'a toujours encouragée à être et à faire ce que je voulais dans la vie. Je suis sûre que ça la rend dingue de me voir suivre les traces de mon père. On sait toutes les deux comment ça s'est fini. Mais elle ne se plaint jamais. Et si un jour il m'arrive quelque chose, elle sera géniale avec Faye, je n'ai aucun doute là-dessus. Elle a plus de soixante ans maintenant, mais elle est toujours très active, elle est heureuse, elle voyage, elle voit ses amis. Elle n'attend pas de moi que je comble un vide. C'est quelqu'un de remarquable, et Faye l'adore. D'une certaine façon, elle est plus proche de ma mère que de moi. Il y a un lien spécial entre elles.

— J'aimais énormément ma grand-mère moi aussi. Elle était grande et robuste, c'était une vraie femme d'intérieur, et une excellente cuisinière. Tout ce que je faisais trouvait grâce à ses yeux, et elle me prenait pour un génie. Elle était très fière que je me sois engagé dans la marine militaire. Le reste de la famille n'était pas convaincu et jugeait que c'était une perte de temps. Ils auraient voulu que je travaille dans l'imprimerie fami-liale. Mais ce n'était pas pour moi. C'est dingue à quel point les grands-parents comptent dans notre vie, et comme ils peuvent nous soutenir, dit-il avec nostalgie, plongé dans ses souvenirs.

— Je n'ai jamais eu de grands-parents, avoua Alix. Ils sont morts avant ma naissance et mes parents étaient tous les deux enfants uniques. J'ai grandi seule avec ma mère. Ce qui fait que Faye n'a pas beaucoup le choix, elle non plus. Elle n'a que sa grand-mère et moi.

— On dirait qu'elle s'en sort bien. Mes deux parents avaient beaucoup de frères et sœurs, mais ça fait des années que je ne les ai pas vus. Quant à mes propres frères, je n'ai presque aucun contact avec eux. Nous n'avons rien en commun. Ils sont toujours dans le Michigan, à mener une vie « normale », comme on dit. C'est difficile pour eux de communiquer avec moi, après mon passage dans l'armée, et vu mon boulot actuel. Et c'est encore plus dur pour moi de discuter avec eux. Quand je rentre voir mes proches, j'ai l'impression de venir d'une autre planète. D'ailleurs c'est un peu comme ça qu'ils me traitent. Ils sont tous mariés avec des enfants. J'ai rencontré mon ex-femme au lycée, et elle est retournée dans le Michigan après notre divorce. Aujourd'hui, elle est remariée et elle a des enfants. Je suis le seul rebelle de la bande.

Elle sentit qu'il y avait autre chose, mais elle ne voulait pas se montrer indélicate.

— Ce n'est pas plus mal, parfois, répondit-elle d'une voix douce.

— Je ne suis pas sûr qu'ils seraient d'accord, répliqua-t-il au moment où ils franchissaient les portes de l'hôtel.

Ils avaient passé une bonne soirée et se sentaient plus détendus.

— Je n'arrive pas à imaginer de laisser tomber tout ça un jour. Et toi ? demanda Alix.

Il secoua la tête et éclata de rire.

— Non. Mais je ne te vois pas non plus esquiver les mines et les coups de feu jusqu'à la fin de ta vie. Il faudra qu'on se calme un peu, un jour.

Ils avaient apprécié cette mission à New Delhi, moins contraignante que d'habitude.

— En tout cas, pas tout de suite, répondit Alix d'un ton sans appel. Je ne suis pas prête à travailler dans un bureau, et je ne suis pas certaine de l'être un jour. Plutôt mourir ! ajouta-t-elle avec véhémence.

— Espérons que non. Pas tant que je t'aurai à l'œil, en tout cas.

Elle n'en faisait qu'à sa tête et c'était parfois épuisant, mais il était content de relever le défi. Devoir perpétuellement assurer ses arrières était un sacré boulot.

— Il faudrait une armée entière pour t'empêcher de te jeter dans la gueule du loup.

Elle le remercia pour cette agréable soirée et chacun regagna sa chambre. Elle avait déjà préparé ses bagages pour le lendemain. Tôt dans la matinée, ils reprirent l'avion pour New York. Il était tard quand ils arrivèrent, et cette fois-ci elle prit la direction de son appartement, expliquant à Ben qu'elle y resterait le lendemain matin pour passer quelques coups de fil.

— Au sujet de Tony Clark ?

Elle acquiesça sans mot dire et lui fit un petit signe de la main en entrant dans son immeuble, tandis qu'il poursuivait vers Brooklyn. Elle envoya un texto à Faye pour lui dire qu'elle était bien rentrée, et ne reçut aucune réponse. Sa fille était sans doute plongée dans ses bouquins, ou sortie avec des amis. Alix n'était pas inquiète.

Le lendemain matin, elle passa en revue la liste de ses contacts à Washington qu'elle avait prévu d'appeler. Mais il y avait une personne qu'elle allait tenter de voir en premier. Cela la taraudait depuis des jours. Elle l'avait cherchée sur Internet et, d'une manière surprenante, avait très facilement trouvé son numéro. Alix ignorait si c'était celui de son domicile ou d'un bureau, mais elle le composa quand même. La femme qui lui répondit avait l'air efficace et professionnelle.

— Jennifer MacPherson, énonça-t-elle d'une voix claire.

Alix demanda si c'était bien le bureau d'Olympia Foster, ce que la femme au bout du fil confirma. Elle lui expliqua qu'elle souhaitait prendre rendez-vous avec la veuve du sénateur, sans préciser qu'elle était journaliste. Mais l'assistante avait reconnu son nom et voulut savoir de quoi il s'agissait.

— J'aimerais lui parler de son défunt mari, répondit Alix d'une voix calme. J'ai adoré son livre.

Elle pouvait difficilement déclarer qu'elle voulait la voir pour lui demander si Tony Clark était un escroc. Et elle espérait que ce livre serait une bonne entrée en matière. L'assistante nota ses coordonnées et annonça qu'elle lui ferait savoir si Mme Foster était disponible – c'est-à-dire, si elle acceptait de la rencontrer. Alix ne pouvait rien faire de plus pour l'instant. Impossible de forcer le passage, et elle n'avait pas d'autre moyen d'établir un contact. Il allait bien falloir attendre l'autorisation de la gardienne du palais, en la personne de Jennifer MacPherson – qui avait l'air redoutable, et assez mal disposée envers elle.

Après avoir raccroché, elle demeura assise quelques secondes sans bouger, se demandant si Olympia accepterait un entretien. Puis elle passa ses coups de fil à Washington. Elle nota avec intérêt que personne ne semblait surpris qu'elle veuille en savoir plus sur Tony Clark et ses liens avec les lobbyistes. Ses contacts n'avaient cependant aucune information à lui donner, même si deux d'entre eux s'étaient déjà interrogés sur le sujet. Tous lui promirent de voir ce qu'ils pourraient trouver et de la rappeler. Ainsi, plusieurs de ses informateurs au fait du monde politique avaient eux aussi des doutes au sujet de Clark. Voilà qui était étonnant. Félix n'avait peut-être pas tort, après tout. Elle n'avait plus qu'à attendre, et à les secouer s'ils tardaient à réagir. En tout cas, l'enquête était bel et bien lancée. Et elle avait réussi à contacter l'une des meilleures amies du vice-président, même si c'était sous un autre prétexte. Elle avait tout mis en branle. Restait à voir ce qu'il en sortirait. Quand on commençait à poser des questions, on ne savait jamais où cela pouvait mener. Les réponses étaient rarement celles que l'on attendait – c'était bien ça qui était amusant. À chaque journée sa moisson de surprises. Comment pourrait-elle jamais y renoncer pour une vie « normale » et un travail ordinaire ?

3

Alix avait donné à l'assistante d'Olympia Foster son numéro de portable en expliquant que c'était le meilleur moyen de la joindre. Trois jours plus tard, personne n'avait appelé. Alix ne voulait pas se montrer grossière en insistant. Elle savait qu'il fallait traiter Olympia avec ménagement. Enfin, si elle en avait un jour l'occasion. Le bruit courait que la femme du sénateur ne parlait jamais à la presse. En outre – ce qu'Alix ignorait –, son assistante lui avait fortement déconseillé d'accepter le rendez-vous. Alix était journaliste, qui plus est reporter d'investigation pour une grande chaîne. Tout le monde savait qu'elle jouait de l'agressivité et du charme avec les gens qu'elle interviewait. Jennifer n'avait donc aucune confiance en elle.

— Mais tu m'as dit que c'était à propos de mon livre, fit Olympia d'une voix hésitante.

Elle savait très bien qui était Alix et avait toujours admiré sa façon de couvrir l'actualité pour la télévision. Elle semblait intelligente, sérieuse, et respectueuse de ses interlocuteurs. Certes, elle parvenait à leur faire avouer des choses étonnantes. Mais Olympia n'avait rien à cacher.

— Elle a dit qu'elle « adorait » ton livre, pas qu'elle voulait te parler *à ce sujet*, répondit Jennifer d'un ton coupant. Et elle n'a lancé ça que pour s'introduire chez toi, pour t'attendrir. Cela ne veut pas dire que c'est vrai.

— De quoi veux-tu qu'il s'agisse ?

Olympia semblait perplexe.

— On ne sait jamais, avec les journalistes. Peut-être qu'elle veut te faire parler d'un scandale qui n'a pas encore été révélé au public.

— Je n'ai jamais été impliquée dans un scandale, pas plus que Bill, répondit-elle calmement.

Elle ne voyait pas où était le mal, mais tout le monde connaissait son côté ingénu. Jennifer avait passé dix ans de sa vie à la protéger, même avant la disparition du sénateur. Et elle avait dû redoubler d'efforts depuis qu'il n'était plus là.

Malgré les doutes de Jennifer, Olympia décida de rencontrer Alix. Elle voulait profiter de l'occasion pour lui parler de son second ouvrage, lui aussi consacré à Bill, mais de manière plus subtile. Il évoquait moins ses accomplissements que sa façon de concevoir le rôle du gouvernement à l'avenir, dans un monde en pleine mutation. Elle n'avait pas reçu beaucoup d'encouragements, et pour l'instant aucun éditeur n'en avait voulu. Ils souhaitaient tous avoir le manuscrit achevé entre les mains pour s'assurer qu'il ne répétait pas trop le précédent, et qu'il n'était pas trop théorique. Elle s'était servie du premier comme d'un prétexte pour rester enfermée chez elle pendant trois ans, à le corriger, le revoir et le peaufiner – et voilà qu'elle recommençait. Ses enfants étaient contrariés de la voir mener une existence de recluse et jugeaient qu'elle devait reprendre une vie sociale. Ils s'inquiétaient pour elle. Mais Olympia n'en démordait pas : elle devait transmettre le message de Bill au reste du monde. C'était sa mission sacrée, désormais.

Josh et Darcy, ses enfants, lui avaient déjà dit qu'elle n'avait plus d'excuse pour demeurer ainsi retranchée des vivants, or ce livre ne faisait que prolonger le processus. Ils auraient voulu qu'elle sorte plus souvent, qu'elle recontacte de vieux amis perdus de vue depuis des années, qu'elle se trouve un passe-temps, qu'elle postule pour un travail, voire qu'elle reprenne des études. Ils lui rappelaient souvent que leur père était mort depuis six ans. Pour eux, ce nouveau manuscrit n'était qu'une façon de perpétuer encore le deuil et de s'y enfermer pour de bon. Olympia avait beau dire que ce n'était pas le but, le résultat était le même, quelles que soient ses raisons d'écrire. Jennifer était d'accord avec les enfants. Cela lui semblait donc une très mauvaise idée qu'Olympia discute avec Alix d'un second ouvrage sur Bill Foster. En outre, personne ne savait ce qu'Alix avait vraiment dans la tête ni ce qu'elle dirait.

Après avoir écouté poliment Jennifer dérouler ses objections, Olympia appela Alix elle-même. Celle-ci était en plein travail et venait juste de sortir d'une réunion quand elle répondit à l'appel masqué. Elle reconnut immédiatement la douce voix si particulière à l'autre bout du fil et demeura abasourdie.

— Madame Phillips ? dit Olympia de sa voix légèrement rauque à la diction impeccable. Olympia Foster à l'appareil. Je crois savoir que vous m'avez appelée au sujet de mon livre. En vérité, j'ai commencé à en rédiger un second. Il n'est pas encore terminé, mais j'espère qu'il pourra paraître dans un an environ, si je parviens à trouver un éditeur. C'est un peu plus abstrait que le précédent, mais mon mari avait de si belles idées concernant l'avenir du pays. Je ne pouvais leur rendre justice dans mon premier ouvrage, il y avait tant à en dire.

De toute évidence, elle avait hâte de parler de ce livre.

— Bien sûr, je comprends », dit Alix en butant sur les mots, ce qui n'était pas dans ses habitudes. Elle n'en revenait pas de parler à Olympia Foster. Il avait suffi qu'elle appelle son assistante pour l'avoir au bout du fil. « Seriez-vous disposée à me rencontrer pour en parler ? ajouta-t-elle d'un ton déférent.

Elle n'avait pas envie de lui dire que ce n'était pas son défunt mari qui l'intéressait, mais bien Tony Clark. Mieux valait le lui annoncer quand elles seraient face à face. Pour l'instant, l'essentiel, c'était de franchir le seuil de sa porte. Elle s'occuperait du reste plus tard. Alix s'aperçut que son cœur battait plus fort à l'idée de cette entrevue, ce qui était ridicule, même à ses yeux. Mais Olympia était devenue une sorte d'icône. Un symbole de la parfaite épouse, brandissant la flamme éternelle de son mari mort en martyr. On ne prononçait son nom qu'à mi-voix, avec compassion et un profond respect. Elle était bien plus qu'une veuve désormais.

— Je serais ravie de vous rencontrer, répondit Olympia d'un ton serein. J'ai toujours admiré votre travail. Votre couverture de l'actualité, notamment dans les zones de guerre, est absolument remarquable. Vous êtes quelqu'un de très courageux.

— Merci, répondit Alix en rougissant.

Elle se sentait comme une gamine intimidée. Olympia paraissait douce et aimable. Elle n'avait que huit ans de plus qu'Alix, mais c'était déjà une légende. Un halo de mystère semblait flotter autour d'elle.

Deux jours plus tard, Jennifer, l'œil sévère, ouvrit la porte de l'hôtel particulier à Alix. Celle-ci portait une jupe et un pull gris, des talons hauts, et ses longs cheveux blonds étaient ramassés dans une impeccable queue-de-cheval. Elle était élégante et avenante. Elle sourit à Jennifer en franchissant le seuil, mais l'assistante demeura muette et sur la défensive. Il était clair qu'elle n'approuvait pas ce rendez-vous. Mais Olympia en avait décidé autrement, et Jennifer devrait faire avec, qu'elle le veuille ou non.

Elle mena Alix dans un petit salon élégamment orné de meubles anglais d'époque et la pria de patienter. Elle revint quelques minutes plus tard et Alix la suivit à l'étage d'un air compassé. Quelque chose de sacré se dégageait de cette maison silencieuse. Tout respirait le chagrin. Elle se souvint que les Foster avaient vécu à Chicago et à Washington quand Bill Foster était sénateur, car il était originaire de l'Illinois. Olympia et ses enfants n'avaient emménagé à New York qu'après sa mort. Elle vivait là depuis six ans, mais on aurait dit qu'elle y habitait depuis toujours. Jennifer la fit entrer dans une pièce qui semblait servir de sanctuaire au mari défunt. Les murs étaient tapissés de livres, et le beau bureau anglais ancien était celui de Bill Foster. Ses trophées, ses souvenirs et des photos de lui envahissaient les lieux, et son portrait surplombait la cheminée. Sa présence et son esprit étaient partout palpables dans la pièce.

Olympia était plongée dans son travail. Elle se leva et vint vers elle en arborant le sourire dont Alix se souvenait si bien, à la fois timide et chaleureux. Elle l'invita à s'asseoir dans un confortable fauteuil, depuis lequel le portrait de Foster semblait la fixer. La pièce n'était pas tant lugubre que fascinante : tout ce qui s'y trouvait semblait être à lui ou relié à lui. C'était là qu'Olympia passait le plus clair de son temps et se sentait le mieux. Autour d'elles se trouvaient les biens les plus chers de son époux ainsi que des images de lui – avec elle, en compagnie de leurs enfants, au Sénat, pendant sa campagne. Le livre qu'elle avait écrit pour lui rendre hommage était posé sur la table basse, avec une photo de lui en couverture. Quant à Olympia, elle était discrète, gracieuse, et sa voix était douce. Elle était aussi délicate qu'Alix l'avait toujours imaginée, et une impression de grande vulnérabilité se dégageait d'elle.

Elle lui proposa du café ou du thé, mais Alix déclina son offre et quelques minutes plus tard Jennifer quitta la pièce, l'air désapprobateur. Olympia ne voyait pas l'intérêt qu'elle assiste à leur conversation. Elle avait vu Alix si souvent à la télévision qu'elle avait l'impression de bien la connaître, et elle se montra amicale et chaleureuse. Elles bavardèrent de tout et de rien pendant quelques minutes. Alix la complimenta sur la pièce et son contenu, ajoutant que le portrait de son mari était incroyablement ressemblant. Elle nota, voyant la date sous la signature, qu'il avait été peint de manière posthume, de toute évidence à la demande de son épouse.

Alix comprenait à présent pourquoi celle-ci n'apparaissait plus en public. Elle vivait plongée dans ses souvenirs, et continuait à pleurer la perte de son mari comme s'il était mort la veille. Ses yeux étaient tristes et graves, reflétant l'immensité de sa peine. Le temps l'avait légèrement marquée au cours des six dernières années, mais elle n'avait pas beaucoup changé. À quarante-sept ans, c'était toujours une beauté, et elle faisait plus jeune que son âge. Alix soupçonnait qu'elle aurait eu l'air plus jeune encore si ses yeux n'avaient pas été deux puits de douleur.

Elle portait un pull noir tout simple, ainsi qu'une jupe et des bas assortis. Alix décida d'aborder prudemment le véritable objet de sa visite. Elle affirma d'abord s'intéresser au second livre d'Olympia sur son mari, puis elle évoqua Tony Clark.

— Le vice-président et votre mari étaient très proches.

Elle attendit la réaction d'Olympia.

— Oui, c'est vrai, répondit celle-ci avec douceur, tandis qu'Alix scrutait ses yeux bleu sombre.

Ses cheveux foncés lui tombaient aux épaules et sa peau sans défaut, d'une blancheur de porcelaine, était presque translucide. On eût dit qu'elle n'était pas sortie de chez elle depuis des années. Alix espérait que ce n'était pas le cas. Tout en elle semblait triste et fragile.

— Tony et Bill ont grandi ensemble à Lake Forest, une banlieue de Chicago, poursuivit Olympia. Ils sont allés à l'école ensemble, puis à Harvard, et ils sont toujours restés proches. Bill était plus impliqué dans la vie politique, à cause de son père, mais Tony avait envie de faire de la politique depuis qu'il était petit. Il est venu vivre à New York une fois sorti d'Harvard, pour lancer sa carrière.

C'était vrai : Clark était devenu sénateur de New York avant d'être nommé vice-président.

— Il s'est montré d'une incroyable gentillesse avec moi et mes enfants depuis que... depuis que Bill...

Sa voix s'éteignit. Alix hocha la tête pour lui signifier qu'elle comprenait et qu'il était inutile qu'elle achève cette douloureuse évocation.

— C'est le parrain de mon fils, et il a toujours été comme un oncle pour mes enfants. Surtout maintenant.

— Comment vont-ils, au fait ? demanda Alix poliment.

Elle était curieuse de savoir ce qu'ils devenaient. Ils devaient avoir une vingtaine d'années à présent.

— Leur vie est passionnante, répondit Olympia, et un sourire éclaira son visage. Josh a vingt-quatre ans, il est diplômé en agronomie et travaille dans une ferme bio dans l'Iowa. Il est très attaché à cet État, tout comme l'était son père, et il adore vivre dans le Midwest, près de ses racines familiales. Quant à Darcy, elle a vingt-deux ans et vit au Zimbabwe, elle travaille pour une association qui vient en aide aux habitants d'un village. Ils cultivent les terres, construisent des canalisations, installent la plomberie. Chacun fait ce qu'il a toujours voulu faire dans la vie. Nous les y avons encouragés.

— Pensez-vous que l'un d'eux voudra faire de la politique un jour ? demanda Alix.

Olympia fit signe que non.

— Cela m'étonnerait. Les affaires publiques ne les intéressent ni l'un ni l'autre, et ils sont bien placés pour savoir qu'elles peuvent vous coûter très cher. Ils ont choisi d'autres voies.

Alix était curieuse de savoir ce qu'elle faisait de ses journées, à part écrire sur son mari mort six ans plus tôt, mais elle n'eut pas le courage de l'interroger.

— Et ce sont des voies tout à fait honorables, si je puis me permettre. Ma fille est en deuxième année à Duke. Elle veut suivre des études juridiques après son diplôme. Elle s'intéresse beaucoup aux droits des femmes et envisage de travailler un jour au Moyen-Orient. Les jeunes gens d'aujourd'hui semblent tous bien décidés à rendre le monde meilleur. Je ne pense pas avoir été aussi altruiste à leur âge.

— Moi non plus, dit Olympia en riant. J'ai moi-même étudié le droit, mais je m'intéressais à des sujets plus prosaïques, comme les lois antitrust, la fiscalité et le droit des affaires.

Alix savait qu'elle avait aussi défendu la cause des femmes quand son mari était sénateur. Mais elle n'avait plus rien fait dans ce domaine depuis plusieurs années, et n'exerçait plus depuis la naissance de ses enfants et l'entrée de son mari en politique. Devenue une épouse et une mère dévouée, elle avait renoncé à sa propre carrière.

Alix décida de la ramener prudemment au sujet qui l'intéressait, même si c'était un peu tiré par les cheveux.

— Je dois avouer que je me demande pourquoi on voit si souvent le vice-président participer à des collectes de fonds soutenues par des groupes de pression, et pourquoi il se montre aimable avec tant de lobbyistes bien connus. Je me demandais si vous pouviez m'éclairer un peu là-dessus, vous qui le connaissez si bien.

Olympia sembla surprise par la question et hésita avant de répondre.

— Je suis sûre que c'est plus amical qu'autre chose, déclara-t-elle d'un ton léger. Le vice-président connaît du monde dans divers secteurs d'activité, et il est admiré de tous à Washington.

Ce n'était pas tout à fait vrai, mais Alix ne la contredit pas.

— Il ne veut offenser personne, voilà tout. Et les lobbyistes sont utiles. Il aide beaucoup le Président, en discutant ainsi avec tout le monde. Ses relations ont été très profitables à Bill également. Ils formaient un tandem incroyable, exactement comme avec l'actuel Président.

Elle poursuivit son éloge, et Alix comprit qu'elle ne tirerait rien d'intéressant d'elle. C'était une amie dévouée de Clark et elle le défendrait bec et ongles – presque autant qu'elle défendrait Bill.

— Je ne crois vraiment pas qu'il y ait de quoi s'inquiéter de le voir en bons termes avec deux ou trois lobbyistes. À mon avis, c'est juste une coïncidence.

— Vous pensez qu'il va se présenter aux élections présidentielles ? répliqua Alix.

— Je n'en ai aucune idée, répondit Olympia en souriant.

Elle s'était montrée charmante et courtoise tout au long de leur entretien. Quand elle se leva, Alix comprit qu'il était temps de partir et la remercia de lui avoir accordé du temps et de lui avoir répondu de manière aussi franche.

— C'était un immense honneur pour moi de vous rencontrer et de passer un moment avec vous, ajouta-t-elle avec chaleur.

Juste avant de quitter la pièce, elle jeta un coup d'œil au portrait de Bill Foster et remarqua que l'artiste s'était débrouillé pour que ses yeux semblent suivre celui qui les regardait. C'était une technique picturale qu'Alix n'avait jamais appréciée et qui, dans ce cas précis, dégageait quelque chose de vaguement effrayant.

— J'étais l'une des plus grandes admiratrices de votre mari, reprit-elle. Il aurait fait un Président extraordinaire.

— C'est vrai, répondit Olympia d'une voix dolente.

Jennifer apparut soudain pour raccompagner Alix au bas de l'escalier, après qu'Olympia lui eut serré la main en lui assurant qu'elle aussi avait apprécié leur rencontre.

Une fois dans la rue, Alix héla un taxi pour retourner au bureau. Elle avait fait chou blanc. Elle ne parvenait pas à savoir si Olympia protégeait Tony Clark, si elle ignorait tout de ses activités, ou bien si elle disait la vérité. Selon Olympia, le vice-président était un homme extraverti, avec de nombreux amis dans toutes les branches professionnelles. Mais Alix n'y croyait pas. C'était trop lisse. Cela ressemblait trop à une réponse apprise par cœur, à une version officielle. Elle commençait à se demander si Félix n'avait pas raison. Olympia avait tellement clamé qu'il n'avait rien à se reprocher que cela cachait quelque chose. Elle avait passé son temps à lui répéter qu'il était au-dessus de tout soupçon, même si beaucoup de gens le jalousaient. Pareille réussite faisait forcément des envieux.

Alors qu'Alix était encore dans le taxi qui la ramenait à la chaîne, Olympia décrocha le téléphone de son bureau et appela le vice-président. On le lui passa immédiatement, comme d'habitude. Les instructions qu'il avait données à son équipe étaient claires : chaque fois que Mme Foster se manifestait, quoi qu'il fasse, sauf s'il était avec le Président, il fallait immédiatement lui passer l'appel. Il était toujours joignable pour elle, au cas où elle aurait besoin de son aide. Comme il lui avait parlé la veille au soir, il fut surpris d'avoir de ses nouvelles aussi vite.

— Bonjour, Olympia. Quelque chose ne va pas ?

— Non, tout va bien. J'ai eu une visite ce matin qui pourrait t'intéresser. Alix Phillips. Elle vient juste de repartir.

— La journaliste ? Qu'est-ce qu'elle voulait ? dit-il d'une voix méfiante.

Il espérait qu'Olympia avait refusé de la laisser entrer. Elle n'avait aucune raison de l'accueillir chez elle. Rien de bon ne pouvait en sortir, et il n'aimait pas l'idée que la presse s'approche d'elle et se mette à fouiner dans sa demeure.

— En fait, elle est venue me parler de Bill, mais elle t'a mentionné à la fin de la conversation. Elle se demandait pourquoi tu avais été vu récemment en compagnie de lobbyistes, et elle était curieuse de savoir si tu allais te lancer dans la course à la présidence. Je lui ai dit que je n'étais pas au courant de tes projets. Et je lui ai assuré que tu avais énormément d'amis, et que ta présence auprès de lobbyistes lors d'événements mondains ne voulait absolument rien dire.

— Bien répondu », dit-il, quelque peu soulagé. Mais même si Olympia avait bien réagi, il était mécontent que Phillips ait posé ce genre de questions. « Il se trouve que je joue au golf avec plusieurs d'entre eux. Il n'y a rien d'autre à en dire, ajouta-t-il d'un ton jovial, voire légèrement amusé. Tu es sûre qu'elle est venue parler de ton livre ? reprit-il, plus habitué qu'elle à repousser la presse, et soupçonnant que ce n'était pas la vraie raison de cette visite. Elle s'intéressait beaucoup à moi, on dirait.

Il était contrarié, mais ne voulait pas blesser Olympia, qu'il savait très sensible.

— Ton nom est arrivé dans la conversation, mais ce n'est pas pour ça qu'elle est venue. Et elle n'a plus parlé de toi par la suite. Elle a adoré le premier livre.

Olympia semblait aux anges.

— Bien sûr que non, elle n'a plus reparlé de moi. Elle est trop maligne pour ça. Méfie-toi si elle rappelle. Ces journalistes sont des faux jetons, et elle est très douée dans son domaine. Il faut que tu fasses attention. Il y a des loups devant chez toi qui n'attendent qu'une chose, te sauter à la gorge. Après les épreuves que tu as traversées, tu ne le supporterais pas, affirma-t-il, jouant avec sa fragilité au lieu de lui donner de la force. Je ne veux pas qu'ils te fassent du mal.

— Elle ne ferait jamais ça. Elle a l'air tout à fait respectable, répliqua Olympia, prenant la défense d'Alix.

— C'est une journaliste d'investigation, lui rappela-t-il. Il n'y a rien de respectable là-dedans. Elle te mangerait toute crue si ça lui garantissait une bonne histoire. La presse n'est l'amie de personne. Je te rappelle demain, et j'essaie de passer dîner la semaine prochaine. En attendant, évite les médias. Tu n'as pas besoin de soucis en plus, et moi non plus. Bill serait content que je te protège de leurs attaques, conclut-il d'un ton ferme.

— Je crois que nous n'aurons pas de problèmes avec elle, répondit calmement Olympia.

Il préféra ne pas la contredire, mais n'en était pas si sûr. À Washington aussi, il y avait eu des enquêtes. On venait de l'en avertir. Il avait même décidé d'annuler sa partie de golf avec l'un des principaux acteurs des groupes de pression cette semaine-là. Il n'avait aucune envie que la presse braque ses feux sur lui. Même pour le montrer en train de jouer au golf – ou sous-entendre n'importe quoi à ce sujet. Il lui faudrait se montrer plus prudent à l'avenir : il ne lui était jamais venu à l'esprit qu'ils pourraient tenter de rencontrer Olympia pour lui soutirer des informations le concernant. Ces journalistes n'étaient pas idiots, surtout cette Phillips. Ça finirait par lui attirer des ennuis. Il se demandait qui l'avait mise sur cette piste. Si c'était une initiative de sa chaîne, ou si elle avait eu toute seule l'idée de rendre visite à Olympia. Mais il y avait une chose dont il était sûr : elle ne l'avait pas vue pour lui parler de son livre. Ce n'était là qu'une ruse, et celle-ci avait fonctionné – pas totalement, il fallait l'espérer. Si Olympia lui avait vraiment répondu comme elle le prétendait, il n'y avait pas de quoi trop s'inquiéter. Mais il n'aimait pas l'idée que cette Alix se mette à fouiner. Il haïssait les médias plus que tout et n'avait aucune confiance en eux. Olympia aurait dû se méfier elle aussi, au lieu de lui ouvrir sa porte. Mais elle était naïve et vivait hors du monde. Quant à la relation qu'il entretenait avec elle, ce n'était l'affaire de personne.

Olympia avait été brisée par l'assassinat de Bill, et c'était à ce moment-là que Tony s'était immiscé dans sa vie. Elle était plus proche de lui que de son propre frère, avec qui elle ne s'était jamais bien entendue et dont elle aimait encore moins la compagne, une femme jalouse et assommante. Olympia avait été plus vulnérable et perdue que jamais après la mort de Bill. Tout était arrivé si vite qu'elle était d'abord restée sous le choc – et Tony avait été là pour la soutenir. Sa femme et lui étaient déjà séparés, et ils avaient divorcé juste avant le tragique événement. Tony Clark n'avait eu aucun mal à envisager l'avenir aux côtés d'Olympia, une fois qu'elle se serait remise. Leur alliance les servirait tous deux. Elle était l'épouse idéale pour un homme politique, et la volonté de Tony Clark d'accéder à la Maison-Blanche n'était pas morte en même temps que Bill. Il avait préparé le terrain pendant toute une année, et abordé le sujet avec elle quand il avait jugé le moment venu. Il n'avait pas d'enfants et gardait du temps pour elle dès qu'il le pouvait. Il lui rendait visite à New York au moins une fois par semaine, parfois même pour quelques heures seulement. Et il lui parlait souvent longuement au téléphone le soir.

Un an après la mort de Bill, le moment lui avait semblé opportun pour lui demander de l'épouser. Il lui avait expliqué que ce serait une sage décision pour tous les deux, et que cela profiterait même à Josh et Darcy. Il était divorcé, elle était veuve, et elle avait besoin de son aide pour gérer sa vie et celle de ses enfants. Qui plus est, il y avait d'innombrables problèmes à régler concernant la succession de Bill. Leur union était souhaitable à tous les points de vue.

Elle lui avait promis d'y réfléchir, et il avait ajouté que Bill aurait probablement été content de la savoir entre de bonnes mains. Elle avait joué un grand rôle lors des campagnes de Bill, il n'avait aucun doute là-dessus. Elle dégageait quelque chose de lumineux qui faisait fondre les gens, et sa bonté se lisait sur son visage. Bill l'avait toujours appelée, en plaisantant, son « arme secrète », expliquant qu'il ne pouvait pas perdre une élection tant qu'il était marié avec elle. Tony avait de grands projets et visait la présidence. Il voulait Olympia à ses côtés en tant qu'épouse, pas seulement comme amie. Josh et Darcy l'adoraient et, s'il devenait le beau-père des enfants de son meilleur ami, les électeurs verraient en lui un homme compatissant, responsable et aimant. La victoire était assurée. Il était certain qu'Olympia comprendrait elle aussi l'intérêt de partager son avenir avec lui.

Il avait été tellement convaincu qu'elle dirait oui qu'il fut stupéfait et anéanti quand elle rejeta son offre. Elle lui expliqua qu'elle aurait malheureusement l'impression de trahir Bill. Qu'elle n'était pas encore prête à tourner la page, et ne le serait peut-être jamais. Et puis, il y avait une chose qu'elle voulait éviter plus que tout au monde : redevenir l'épouse d'un homme politique. Ce qui était arrivé à Bill l'avait définitivement convaincue qu'elle ne voulait plus jamais subir ce genre de folie. Elle ne souhaitait plus que la politique fasse partie de sa vie, ni voir sa famille et son mariage placés sous le feu des projecteurs. Tout cela appartenait au passé. Elle serait incapable de survivre à une tragédie similaire. Or elle savait à quel point sa carrière d'élu comptait aux yeux de Tony. Il y avait consacré sa vie, et elle ne pouvait l'empêcher d'accomplir son rêve. Mais pour son bien et celui de ses enfants, elle voulait demeurer à jamais hors de l'arène et loin du regard du grand public. Elle s'était montrée inflexible sur ce point. Ils devaient rester amis, rien de plus. Tony n'était nullement préparé à cette réponse, et il avait redoublé d'efforts en faisant subtilement pression sur elle, la convainquant qu'elle ne pourrait s'en sortir sans son aide, et qu'elle prendrait de grands risques à s'aventurer seule dans le monde. Elle s'était isolée et coupée de l'extérieur à mesure qu'il devenait son unique confident. Mais cela n'avait pas suffi à la convaincre de l'épouser.

Il avait passé une année entière à tenter de la persuader qu'un avenir commun était la meilleure solution, en vain. Olympia soutenait toujours qu'elle ne se remarierait pas. Or Tony savait qu'il lui fallait une femme, s'il voulait gagner les élections. Il avait donc épousé Megan, après une cour assez brève, et elle était tombée enceinte pendant leur lune de miel. Ce n'était pas Olympia, mais elle était très jeune, très riche, et offrait l'image nécessaire à sa carrière politique. C'était une vraie beauté, et leurs enfants en bas âge prouvaient qu'il aimait la vie de famille, ce qui lui attirerait des votes. Tony ne faisait jamais rien qui ne soit pas soigneusement calculé.

Olympia était la femme qu'il avait voulue et n'aurait jamais. Elle restait désespérément hors d'atteinte, et pourtant atrocement proche de lui. Il passait le plus de temps possible avec elle, en veillant à ne pas révéler la profondeur de son attachement. Megan comprenait et ne s'y opposait pas. Elle était désolée de ce qui était arrivé à Olympia et la considérait comme une figure tragique, pas comme une menace. Et Tony n'avait aucune envie que cela change. L'ingérence de la presse dans leur intimité ne pouvait que lui attirer des ennuis, ce qu'il voulait éviter plus que tout ; et jusqu'à présent il y était parvenu. Désormais, il considérait Olympia comme une sainte femme qui bénirait un jour sa campagne. Elle dépendait à présent totalement de lui et vivait sous sa coupe. Tony lui conseillait de demeurer en retrait du monde, ce qui lui permettait d'accroître encore son influence sur elle.

Qu'Alix Phillips passe du temps avec Olympia était exactement ce qu'il voulait empêcher. Sa voix était inquiète et maussade quand il raccrocha. Il n'en voulait pas à Olympia d'avoir reçu la journaliste, mais il était furieux qu'Alix ait cherché à la manipuler lors de cet entretien – qui n'avait évidemment *rien* à voir avec les livres, quoi qu'en pense Olympia.

— Comment ça s'est passé ? demanda Félix quand Alix revint au bureau, après sa petite visite chez Olympia Foster.

Il goba deux antiacides. La matinée avait été stressante, et cela faisait des années que sa digestion pâtissait de sa carrière. Pour plaisanter, Alix lui avait offert cinq cents rouleaux de pastilles contre les brûlures d'estomac à Noël, et il lui avait dit que c'était le plus beau cadeau qu'on lui ait jamais fait.

— Rien à signaler. C'est une femme charmante et dévouée jusqu'à la moelle – à Bill Foster, à Tony Clark, aux deux. Elle prétend que le vice-président est juste un type sympathique et gentil avec plein de gens, mais qu'il n'est en rien lié aux lobbies et ne l'a jamais été. Elle le croit vraiment, à mon avis, mais ce n'est pas mon cas. Je lui ai demandé si Clark allait se présenter à la présidence et elle ne le pense pas. Peut-être le sait-elle, mais elle ne me le dirait pas de toute façon. Et puis, elle a perdu le contact avec la réalité. Elle vit dans un mausolée, et elle n'a pas remis les pieds à Washington depuis la disparition de son mari. Elle écrit un deuxième livre à son sujet et se comporte comme s'il était mort hier. Je crois sincèrement qu'elle n'a aucune idée de ce qui se passe, que ce soit au sujet de Tony Clark ou de n'importe qui d'autre. C'est son meilleur ami. Elle le voit comme une sorte de saint, juste en dessous de saint Bill. Je suis en train de remonter d'autres pistes à Washington. Mais la concernant – mis à part le pur plaisir de discuter avec elle, car c'est une personne merveilleuse –, j'ai perdu mon temps. Elle ne nous apprendra rien sur le vice-président.

— Je m'en doutais un peu, mais ça valait le coup d'essayer, répondit-il, la mine sombre.

— En effet. D'après moi, il l'a convaincue de croire tout ce qu'il raconte. C'est un type très persuasif, et j'ai comme l'impression qu'elle n'a pas d'autre confident que lui. Ses enfants ont quitté la maison. Il est seul à lui tenir compagnie et à la soutenir sur le plan affectif.

— C'est marrant qu'il ne l'ait pas épousée. Ça aurait été génial pour sa carrière. Pile le petit coup de pouce dont il avait besoin pour se propulser au sommet, suggéra Félix, le regard songeur.

— Je ne pense pas qu'elle aurait accepté de l'épouser. Selon moi, elle ne veut plus jamais entendre parler de politique. Elle considère que cela a tué son mari. Et j'ai l'intuition que Clark veut la Maison-Blanche, à n'importe quel prix.

Il ne l'avait pas encore annoncé publiquement, mais c'était clair comme de l'eau de roche.

— Moi aussi, avoua Félix en reprenant un antiacide.

Alix avait dit vrai : Olympia ne leur apprendrait rien, et elle était complètement sous l'emprise de Tony Clark. Malgré tout, elle était heureuse de l'avoir rencontrée. Elle se sentait profondément désolée pour elle. Ne restait à Olympia que l'ombre de sa vie ancienne. Et Tony Clark pour seul ami.

4

Une semaine après avoir rencontré Olympia, Alix était à son bureau, à travailler sur divers reportages. Un scandale sexuel impliquant un membre du Congrès, qui venait de démissionner, une menace nucléaire émanant de la Corée du Nord, la Cour suprême réexaminant des questions liées à l'avortement, et l'un des États du sud du pays s'opposant une fois de plus au mariage homosexuel. Cela faisait presque deux semaines que Ben et elle étaient à New York. Par réflexe, elle jeta un coup d'œil à l'écran de TV posé sur son bureau à l'instant où un bandeau annonçant un flash info barra l'écran. Elle posa son stylo. Il y avait des émeutes à Téhéran, et les manifestations étaient essentiellement constituées de femmes.

Une secte extrémiste faisait pression sur le gouvernement pour qu'il recommence à durcir les lois, après une longue période de détente au cours de laquelle les Iraniennes avaient eu accès à de meilleurs emplois et à une meilleure éducation, et pendant laquelle leurs conditions de vie s'étaient nettement améliorées. Désormais, l'ancienne réglementation et les vieilles traditions étaient revenues en vigueur. Les femmes instruites étaient chassées du marché du travail, et beaucoup avaient été récemment licenciées. La population féminine ne l'acceptait pas et protestait en masse. Alix vit sur l'écran des femmes traînées hors de la foule et poussées dans des camionnettes de police pour être envoyées en prison. Une jeune fille avait été tuée lors d'une manifestation le matin même. Dès que l'émission normale reprit son cours, Alix saisit son téléphone fixe et appela Félix. Lui aussi venait de voir les infos.

— Ça chauffe à Téhéran, lança-t-elle de but en blanc.

Elle avait vu une photo de la jeune fille tuée, une enseignante de vingt-deux ans, apparemment aimée de tous. Tout de suite après sa mort, elle était devenue un symbole de la protestation et des droits des femmes.

— On dirait bien.

Après une longue période de calme, voilà que les rues étaient plongées dans le chaos. Ces événements étaient la spécialité d'Alix. Elle excellait dans ce genre de reportages et adorait les couvrir.

— Qu'est-ce qu'on attend ? demanda-t-elle.

— Je veux d'abord voir ce que ça donne, répondit-il calmement.

Félix semblait toujours serein et imperturbable, même quand ses nerfs étaient à vif. Sa femme l'avait quitté cinq ans plus tôt, après vingt ans de mariage, en lui expliquant qu'il était marié à son travail et n'avait pas besoin d'elle. Elle l'avait remplacé par un prof de fac de Dartmouth rencontré sur Internet. Cinq ans plus tard, ils étaient encore ensemble, et Félix était seul. Il n'avait pas de temps pour quelqu'un dans sa vie, car seuls comptaient pour lui de nouveaux reportages sur tout ce qui allait mal dans le monde. Il voyait à peine ses enfants, et ses employés étaient devenus sa famille. Son instinct pour trouver de bonnes histoires était infaillible, comme en témoignaient leurs pics d'audience. Leur émission du soir était largement en tête, au prix de sacrifices parmi le personnel de la chaîne. Ceux qui trimaient le plus n'avaient pas de vie privée. C'était comme ça, et ils le savaient.

— Tu travailles sur quoi en ce moment ? lui demanda-t-il.

— Le scandale sexuel du député. J'ai eu sa femme au téléphone hier. Il n'y a rien de spécial à en dire, tu n'as pas besoin de moi pour ce genre de sujets. Et puis je suis sur la Cour suprême qui revoit son jugement concernant l'avortement. Et l'opposition de certains États du Sud au mariage homosexuel. En plus de la Corée du Nord, mais ça semble se calmer. Et j'attends des nouvelles d'un type du lobby de l'armement, qui joue au golf avec Tony Clark.

— Quoi de neuf de ce côté-là ?

— Pour l'instant, on dirait qu'Olympia Foster a raison. Il a beaucoup d'amis, point final.

— Tu y crois ?

Félix avait l'air surpris. Il fit craquer un antiacide sous sa dent à la manière d'un bonbon. Il avait essayé toutes les marques possibles et imaginables.

— Non, mais je n'ai rien sur quoi m'appuyer pour l'instant, mis à part mon intuition, répondit-elle avec franchise. Je crois que cela cache quelque chose, mais peut-être n'est-ce rien de grave.

— Je pense comme toi.

Sans trop savoir pourquoi, il avait le sentiment que le vice-président était un pourri. Il était trop proche de l'argent, trop gentil avec trop de gens gravitant dans de puissants lobbies, dont quelques-uns à la réputation douteuse. Et l'image qu'il donnait en public était trop belle pour être vraie. Mais ça n'allait pas être facile à prouver – en supposant qu'il soit bien soudoyé par des groupes de pression influents. Ils risquaient d'avoir du mal à prouver que quelque chose clochait chez lui, ou à trouver des éléments qui l'accableraient. Encore fallait-il qu'il y en ait. C'était un type intelligent, et peu susceptible de laisser des pièces à conviction derrière lui. Mais s'il devait déclarer sa candidature à la Maison-Blanche, Félix avait absolument besoin qu'ils dénichent le maximum d'informations, s'il avait effectivement agi de manière illégale – que ce soit par le passé ou à présent. Alix partageait son point de vue. Le public avait le droit de savoir. Mais les émeutes qui venaient de se déclarer à Téhéran prenaient le pas sur tout le reste pour l'instant. Tony Clark pouvait attendre, et comme les manifestants en Iran étaient surtout des femmes, et que l'une d'entre elles avait été tuée, Alix était impatiente de s'y rendre.

— Qu'en penses-tu ? demanda-t-elle à Félix.

Il n'eut pas besoin qu'elle en dise davantage. D'ailleurs, il était déjà en train de se demander s'il allait ou non la dépêcher à Téhéran quand elle l'avait appelé. Elle n'avait pas traîné : cela faisait moins d'une heure que la nouvelle était tombée. Alix ne perdait jamais de temps. Les journalistes locaux présents sur les lieux couvraient les événements pour l'instant, en récupérant des reportages et des directs de la BBC, ce que Félix n'avait jamais apprécié. Il voulait sa propre équipe sur place.

— Je ne sais pas trop. Ils pourraient réprimer les manifestations avant que ton avion atterrisse en Iran.

C'était tout un art de déterminer s'il fallait envoyer des journalistes ou attendre. Il n'avait pas envie de rater des événements importants, mais il ne souhaitait pas non plus perdre de l'argent, de la main-d'œuvre et du temps.

— Mon instinct me dit de laisser passer la nuit. On aura les idées plus claires demain, conclut-il d'un ton hésitant.

— Le vol est long, et il peut se passer beaucoup de choses en une nuit. N'attendons pas trop, dit-elle sagement.

— On va t'obtenir en urgence un visa de presse, comme ça tu pourras décoller quand tu le souhaites si les choses tournent mal. Tu ne peux pas partir sans visa de toute façon.

Alix trouvait cela sensé. Et elle savait qu'ils en demanderaient un pour Ben également. Celui-ci surgit dans son bureau l'après-midi même, l'air de s'ennuyer ferme et de tourner en rond. On eût dit deux pompiers d'astreinte attendant que des flammes surgissent quelque part dans le monde.

— Tu crois qu'on va y aller ? lui demanda-t-il.

Elle avait passé l'après-midi à régler des détails, au cas où.

Le lobbyiste de l'armement et partenaire régulier de golf de Tony Clark l'avait appelée, mais n'avait rien d'intéressant à lui raconter. Il connaissait le vice-président depuis un an et trouvait que c'était un type bien. D'après lui, Tony voulait juste rester à l'écoute et savoir ce qui se passait, rien de plus. Un lobbyiste des compagnies pharmaceutiques lui avait raconté exactement la même chose la veille. Tous appréciaient le vice-président et le considéraient comme un ami. Elle se demanda s'il n'était pas simplement en train de réunir de puissants donateurs pour sa prochaine campagne. Ce n'était pas interdit.

Certains d'entre eux, d'un point de vue juridique, n'étaient même pas des lobbyistes, parce qu'ils ne passaient pas 20 % de leur temps à faire du lobbying pour le même client – ces 20 % correspondaient à la norme légale au niveau fédéral. S'ils consacraient moins d'un cinquième de leur temps au même client ou travaillaient pour plusieurs, ils n'étaient techniquement parlant pas lobbyistes, et ils échappaient donc à la loi fédérale. Il y avait beaucoup de zones troubles concernant la définition du lobbying. Et Tony semblait fréquenter les lobbyistes officiels aussi bien qu'informels. Aucune de ses recherches sur le vice-président ne s'était révélée fructueuse jusqu'à présent, et l'intuition de Félix ne l'avait menée nulle part. Il n'y avait aucune preuve, ni même le moindre indice, que de l'argent ait changé de mains au bénéfice de Clark. Peut-être que c'était simplement un échange de bons procédés, ou qu'il préparait le terrain pour ramasser le magot plus tard. Pour l'instant, elle n'était sûre de rien, mais elle restait aux aguets.

Elle résuma toute l'affaire à Ben tandis qu'ils regardaient un autre bulletin d'informations sur Téhéran. La situation s'apaisait. Une nouvelle manifestation avait été réprimée l'après-midi même sans faire de victime.

— J'ai bien l'impression qu'on ne partira pas, lança Alix à la fin du journal télévisé.

Ben eut l'air déçu. Il repartit une demi-heure plus tard, car il était de service, et Alix se remit au travail.

Elle ne prit pas la peine de faire ses valises une fois rentrée chez elle et tenta d'appeler Faye, qui ne décrocha pas et lui envoya un SMS plus tard, depuis la bibliothèque. Comme sa mère, elle était appliquée dans son travail. Ses points forts étaient l'anglais, l'histoire et l'économie, et elle songeait désormais à passer un MBA, en plus d'un diplôme en droit, une fois son cursus terminé à Duke. Elle avait encore le temps d'y réfléchir. Tout comme sa mère, Faye ne perdait jamais de vue son objectif. Sans surprise pour Alix, elle voulait obtenir son MBA/doctorat en droit à Harvard, si elle était acceptée.

Alix alla se coucher peu après avoir regardé les infos. La situation en Iran n'avait pas changé. Félix, cependant, la tira du sommeil à 4 heures du matin.

— Ils viennent de descendre deux jeunes femmes. La police prétend que c'est la faute des manifestants, mais quelqu'un a filmé la scène avec son téléphone portable. C'est bien la police qui les a tuées. Prépare tes valises. Je viens d'appeler Ben. On vous a réservé le vol de 9 heures, vous devrez quitter New York à 6. Quelqu'un du bureau passera dans une heure t'apporter ton visa et celui de Ben.

Il s'était occupé de tout. Elle n'avait plus qu'à faire ses valises et envoyer un SMS à Faye.

— Tu ne dors donc jamais ? demanda-t-elle à Félix.

Un assistant de production aurait pu se charger de ce genre de coup de fil, mais Félix était obsédé par le travail. Son ex-femme n'avait pas tort.

— Pas si j'arrive à rester debout.

Il les considérait tous comme ses enfants. Il n'avait pourtant que dix ans de plus qu'Alix, même s'il paraissait vingt ans plus âgé. Sa calvitie et son surpoids n'aidaient pas. Il se nourrissait exclusivement de doughnuts et de plats chinois, ce qui ne faisait qu'aggraver ses perpétuelles indigestions et brûlures d'estomac. Même les antiacides ne pouvaient lutter contre un tel régime, associé au stress. Il avait toujours l'impression que la vie de ses reporters était entre ses mains – et parfois c'était effectivement le cas.

— Bon vol. On vous donnera des nouvelles à votre arrivée, et on vous dira qui aller interviewer. L'idéal serait de décrocher des entretiens avec des personnes haut placées dans le gouvernement, en supposant qu'elles veuillent bien nous parler. Et couvre-toi la tête, on n'a pas envie que tu finisses en prison. Garde toujours ta carte de presse sur toi, de même que Ben.

Elle avait l'impression que son père lui livrait ses instructions avant qu'elle parte en colonie de vacances, et sourit en raccrochant. Ben appela deux minutes plus tard, l'air enthousiaste.

— Ça y est, on est repartis.

Depuis qu'ils travaillaient ensemble, Alix avait bien compris qu'il préférait être n'importe où dans le monde plutôt que chez lui – quelles que soient les conditions, même les plus dangereuses. Ça lui rappelait sa vie dans la marine militaire, quand il partait en mission. Et Dieu sait qu'il y en avait de difficiles. Le pic d'adrénaline que cela suscitait en lui le regonflait à bloc. C'était parfois contagieux, et Alix connaissait bien ce sentiment. Rien ne la retenait chez elle pour l'instant, puisque Faye vivait à Duke. Elle pouvait partir toute l'année désormais si elle le souhaitait.

— Je te retrouve à l'aéroport à 7 heures. J'aurai nos deux visas et notre argent pour le voyage.

— Je sais, j'ai eu Félix au téléphone.

Elle était parfaitement éveillée désormais, tout comme lui. Ça y est, leur tandem repartait à la guerre. Enquêter sur des crimes, en l'occurrence contre les femmes. Ils défendaient la paix, la justice et les droits de l'homme, au bénéfice du monde entier. Parfois elle avait l'impression d'être engagée dans une noble cause ; et parfois simplement de faire son métier.

— L'une de ces filles qu'ils ont tuées hier soir avait seize ans », ajouta-t-il, l'air ému. Ben était un tendre – plus tendre qu'Alix parfois. « Ce n'était qu'une enfant, dit-il d'une voix brisée.

— Pas dans le monde où elle vivait, répondit Alix.

Tous deux savaient que c'était vrai.

Après avoir raccroché, elle s'occupa de remplir sa petite valise à roulettes. Comme d'habitude, ils ne savaient pas combien de temps ils seraient partis, ni où on les enverrait ensuite. Ils pouvaient rester loin de chez eux pendant des semaines, des mois peut-être. Mais au moins, Alix savait que tout se passait bien pour Faye à Duke. Elle n'avait plus à culpabiliser comme auparavant. Elle était libre de son temps désormais, libérée des remords. Enfin, elle aurait dû l'être. Ben n'avait pas ce genre de soucis – lui qui n'avait ni copine ni femme, pas d'enfants, et qui était doté d'une famille qu'il ne voyait jamais, en tout cas pas depuis deux ans. Il était libre comme l'air.

L'une des assistantes de production lui apporta l'argent nécessaire ainsi que leurs visas, juste avant qu'Alix monte dans une voiture avec chauffeur pour rejoindre l'aéroport. À son arrivée, elle avait dix minutes d'avance sur l'heure d'enregistrement. Ben l'attendait, le regard fiévreux, et lui tendit un cappuccino.

— Tu as les visas ?

Elle acquiesça de la tête.

— Et aussi l'argent.

Elle lui donna une enveloppe en plus de son visa, et ils allèrent enregistrer leurs bagages avant de gagner la zone d'attente de l'aéroport et d'attendre l'embarquement. Une télévision était allumée dans une alcôve du salon, et ils regardèrent les dernières nouvelles à côté d'un petit groupe d'hommes d'affaires. Les émeutes à Téhéran avaient gagné en puissance, et Alix avait hâte d'y être, tout comme Ben. Elle gardait dans son sac à main le foulard qu'elle portait dans les pays musulmans. Elle ne faisait jamais l'erreur de se promener tête nue, et conservait un tchador dans sa valise, juste au cas où, pour se couvrir jusqu'aux chevilles. Elle savait qu'elle aurait à porter le foulard dès qu'ils entreraient dans l'espace aérien iranien, sans attendre l'atterrissage. Ce n'était pas la première fois qu'elle faisait ce genre de voyage.

Elle souhaitait passer des coups de fil dès que Félix les aurait contactés à leur arrivée, de manière à planifier des interviews pour leur reportage. Son but était de s'entretenir avec les familles des trois jeunes filles défuntes, même si sa priorité demeurait les hommes au pouvoir qui avaient promulgué des lois extrêmement répressives envers les femmes iraniennes, barrant la route à des élans modernistes qui tomberaient dans les oubliettes de l'histoire s'ils s'obstinaient à satisfaire aux exigences de religieux extrémistes. Le gouvernement prétendait qu'il n'avait pas le choix. C'était la faction religieuse qui faisait la loi, et il était contraint de lui obéir. Les femmes qui protestaient devaient s'y conformer, comme tout le monde – ou aller en prison, voire mourir.

Le gouvernement s'était montré modéré jusqu'à présent, et il ne semblait pas ravi non plus de ces bouleversements ; mais les chefs religieux devaient être respectés, que cela plaise ou non aux jeunes Iraniennes. C'était toujours un problème dans les pays du Moyen-Orient où ces factions étaient puissantes ou extrémistes. Quant aux femmes des régions rurales ou éloignées, elles étaient encore plus assujetties à l'ordre ancien que celles des villes, qui avaient goûté à un mode de vie plus libre et refusaient d'y renoncer. Mais Félix avait dit qu'il n'était pas intéressé par un point de vue général. Il voulait qu'elle se concentre sur les femmes qui manifestaient à Téhéran, et elle avait la ferme intention de bien montrer aux téléspectateurs leurs conditions de vie.

Ils embarquèrent à 8 h 30 et décollèrent à l'heure pour leur premier vol à destination de Francfort, où ils firent une longue escale avant de s'envoler enfin pour Téhéran. Il n'y avait que trois films à disposition, un Disney et des films avec contrôle parental ne présentant aucun intérêt pour elle ni pour Ben. Alix parcourut la documentation qu'elle avait imprimée avant de partir et n'avait pas encore eu le temps de lire. Ben dormit pendant presque tout le vol : la nuit avait été courte avant l'appel de Félix, et il avait encore dû faire une lessive et préparer ses bagages. Il était toujours moins organisé qu'Alix quand ils partaient en mission au débotté. Si elle maîtrisait parfaitement les départs précipités, Ben oubliait toujours quelque chose d'important chez lui. Alix, quant à elle, vérifiait tout à l'aide d'une liste qu'elle avait élaborée au fil des ans et qui ne laissait rien au hasard, tout comme ses reportages. Elle était très attentive aux détails.

Elle se couvrit la tête du foulard gris qu'elle gardait dans son sac quand on leur annonça qu'ils entraient dans l'espace aérien iranien, et ils furent parmi les premiers à quitter l'avion et passer la douane. Leurs papiers étaient en règle, les fonctionnaires se montrèrent aimables avec eux, et ils n'eurent aucun problème à franchir les portes de l'aéroport. Ils prirent un taxi jusqu'à l'hôtel Laleh et gagnèrent les petites chambres voisines qu'on leur avait réservées. Ils avaient déjà dormi dans la même pièce, quand il l'avait fallu. Cela ne dérangeait pas Alix. Elle n'était pas prude et, en situation de crise, on se débrouillait comme on pouvait. Mais ces chambres-ci étaient agréables, et Alix commença à passer des coups de fil dès qu'ils furent installés.

Elle avait déjà certains numéros de téléphone à mettre à profit. Elle eut de la chance avec le troisième appel : on lui expliqua que les représentants de l'État avaient missionné deux personnes pour évoquer la situation devant la presse internationale. De toute évidence, le gouvernement n'appréciait pas de se retrouver sous les feux des projecteurs. Il était fier d'avoir assoupli les lois au bénéfice des femmes au cours des années précédentes, et cela le contrariait de devoir les abroger – sans même parler du nombre croissant de morts et de blessés au cours des émeutes. Une autre jeune femme avait été tuée pendant qu'ils étaient dans l'avion, cette fois-ci piétinée par des manifestants fuyant la police, qui avait ouvert le feu et jeté des grenades lacrymogènes. La tension et la violence s'accentuaient, et cela ne présageait rien de bon.

Ben et Alix se douchèrent, enfilèrent des vêtements propres et prirent un repas léger avant de se rendre à leurs entretiens avec les représentants du gouvernement. Les interviews se passèrent bien, même si Alix savait qu'on ne leur livrait là qu'une version officielle. Ils n'avaient cependant aucun moyen d'en savoir davantage.

Plus tard dans l'après-midi, ils rencontrèrent les familles de deux des jeunes filles décédées. Leurs proches, qui parlaient anglais, leur tinrent des propos déchirants. Les victimes étaient de jeunes femmes respectables et instruites qui refusaient de voir leur pays retourner au Moyen Âge, et qui étaient prêtes à perdre leur vie pour protéger les libertés auxquelles elles croyaient, et pensaient avoir droit. Leurs parents étaient désespérés par leur sort tragique.

Ben et Alix s'approchèrent prudemment des émeutes ce soir-là. Ben filma en marge de la foule. Leurs cartes de presse leur permettaient de se mêler aux manifestants, mais même Alix demeura sur ses gardes devant la fébrilité des participants. La situation était dans l'impasse : depuis le début de l'après-midi, aucun des deux camps ne fléchissait ni ne passait à l'offensive. Tout pouvait cependant basculer en un instant, et une nouvelle flambée de violence pouvait être imminente. Elle resta à l'écart des manifestants, après en avoir interviewé quelques-uns avec l'aide de leur traducteur en farsi. Ben et elle convinrent d'un itinéraire à suivre en cas d'urgence, s'ils devaient rapidement battre en retraite ; mais comme toujours il ne la lâcha pas d'une semelle, prêt à l'entraîner à l'écart ou la protéger si nécessaire. Ses réflexes d'ancien militaire étaient devenus une seconde nature chez lui, et dès leur arrivée il avait mis au point la meilleure stratégie de repli possible.

Ils restèrent auprès des manifestants jusqu'à minuit passé, et il n'y eut aucun mort cette nuit-là. Puis ils regagnèrent leur hôtel pour revenir tôt le lendemain. Alix avait écouté la prière psalmodiée au lever du soleil et, comme chaque fois, elle avait été frappée par la mystérieuse beauté du monde islamique. Mais ce qui se passait à Téhéran était une terrible régression pour les Iraniennes. Il était difficile de comprendre un tel contraste, dans ce pays qui pouvait être à la fois si séduisant et si rude. Cette contradiction la touchait au plus profond d'elle-même, et elle l'évoqua dans son émission. Ben sut immédiatement que son reportage serait primé. Alix se montrait toujours très modeste, mais lui voyait bien la qualité de son travail. Elle touchait au cœur du sujet et se focalisait sur les problèmes humains les plus fondamentaux. Le tout avec une incroyable éloquence.

Il ne se passa pas grand-chose le reste de la semaine. Comme dans une guerre d'infanterie à l'ancienne, les manifestants et l'armée avançaient et reculaient à tour de rôle, sans que personne gagne du terrain, ce qui ne résolvait rien. Une autre jeune femme fut tuée, frappée par le sabot d'un cheval quand la police montée antiémeute tenta de faire bouger la foule. Comme les précédentes, c'était une mort absurde. Cela ne servait à rien, si ce n'est à montrer que cette femme était prête à sacrifier sa vie pour une cause en laquelle elle croyait. Elle avait vingt-deux ans et trois enfants en bas âge. Alix interviewa son mari, qui pleura sans discontinuer devant la caméra de Ben, en serrant ses enfants dans ses bras, tandis que la mère et les sœurs de la victime gémissaient à l'arrière-plan. Cela illustrait parfaitement le caractère insensé d'un conflit qui fauchait les gens dans la fleur de l'âge. Pour défendre ses droits de femme moderne, elle avait laissé trois enfants orphelins et brisé le cœur de son mari, de sa famille et de tous ceux qui la connaissaient. Sur le plan des idées, elle avait raison et sa lutte était louable ; mais humainement parlant ce n'était pas le cas, et le gouvernement le savait.

À la fin de leur semaine en Iran, le gouvernement accepta que huit femmes choisies parmi les manifestants rencontrent les représentants officiels pour tenter de parvenir à un accord, qu'ils soumettraient par la suite aux chefs religieux. Le but était de trouver un compromis satisfaisant tout le monde, au moins en partie. C'était une immense victoire pour les femmes ayant manifesté avec tant de courage, et un honneur rendu aux cinq qui avaient perdu la vie. Le gouvernement souhaitait que les émeutes prennent fin. Alix était sûre qu'il y en aurait d'autres si l'accord trouvé n'était pas appliqué à la lettre. Mais c'était un début, et cela permettrait aux habitants de Téhéran de reprendre une vie normale.

— Tu crois que le gouvernement est sincère ? lui demanda Ben quand ils rentrèrent à l'hôtel après l'annonce officielle.

— Oui. Mais est-ce qu'il parviendra à convaincre les chefs religieux, c'est une autre histoire. Je ne pense pas que les dirigeants politiques veuillent, eux non plus, revenir au Moyen Âge. La situation est délicate : ils doivent respecter les religieux tout en souhaitant un pays moderne et qui fonctionne. Les femmes ici ont toujours été éduquées, et à plusieurs moments de l'histoire elles ont représenté une part non négligeable de la force de travail qualifiée. Elles ne veulent pas perdre leurs acquis une fois de plus.

Leur situation lui rappelait à quel point elle-même avait de la chance.

Ils commandèrent à manger et demandèrent à être servis dans la chambre d'Alix. Dès qu'ils entrèrent dans la pièce, elle retira le foulard qu'elle portait depuis leur arrivée pour dissimuler ses cheveux blonds. Elle en avait assez et ne pouvait imaginer ce que c'était de devoir le mettre tous les jours – sans même parler des femmes issues de familles très religieuses, voilées de la tête aux pieds. Il y en avait plusieurs parmi les manifestants. C'était un univers si différent de celui dans lequel Ben et elle vivaient. La ville possédait un merveilleux musée et une université extraordinaire, et les cinq prières quotidiennes apportaient un côté mystique et exotique qui rappelait à Alix à quel point ce monde lui était peu familier.

Ils appelèrent Félix, qui leur demanda de rester une journée de plus à Téhéran pour filmer les femmes en chemin vers la réunion avec les représentants du gouvernement, en guise de conclusion à leur reportage. Après cela, ils pourraient rentrer à New York. Félix les félicita pour la qualité de leur travail, qui avait couvert tous les aspects du problème. Ils avaient montré la dimension humaine du conflit, livré des informations sur les manifestations, et mené de remarquables entretiens avec les responsables politiques. Il n'aurait pas pu demander mieux. Cela faisait huit jours qu'ils étaient en Iran, et ils ne s'étaient pas reposés une minute. Félix avait fait prolonger leurs visas, initialement prévus pour une semaine seulement. Tous deux étaient épuisés, mais contents de leur travail. À leurs yeux, la réunion de compromis prévue entre le gouvernement et les opposants mettrait peut-être fin au conflit. Les femmes se disaient militantes, mais Alix avait le sentiment qu'elles allaient partiellement revenir sur leur position. Elles ne pouvaient continuer ainsi indéfiniment, et cinq morts pour leur cause suffisaient bien.

Les manifestantes prévoyaient de rester dans la rue jusqu'à la réunion du lendemain, mais quelques-unes étaient déjà parties rejoindre leur famille et leurs enfants. Ben et Alix allèrent se promener cet après-midi-là – c'était la première pause qu'ils s'accordaient depuis leur arrivée. Quand ils s'arrêtèrent pour prendre un café, elle expliqua à Ben qu'elle voulait appeler quelqu'un avant de partir.

— Tu as des amis en Iran ?

Il avait l'air surpris. Il savait qu'elle était déjà venue en mission à Téhéran, mais ne pensait pas qu'elle y avait noué des liens. Elle fit non de la tête.

— Pas vraiment. J'ai rencontré un Saoudien ici, il y a plusieurs années. C'est un journaliste de la BBC qui me l'a présenté comme un contact utile. Il m'a filé un coup de main un jour, en me trouvant des infos que je n'arrivais pas à obtenir par les voies officielles. Il semble au courant de tout ce qui se passe dans la ville. Je pense qu'il faut que je l'appelle.

— Pour lui parler des manifestations ?

Alix ne se contentait pas de rester à la surface, elle creusait toujours ses sujets, même quand on ne le lui demandait pas. C'était la qualité qui la distinguait. Elle ne se contentait pas de ce qu'on lui disait et cherchait la vérité sans relâche. Ils avaient tout ce qu'il fallait pour leur reportage, mais apparemment cela ne lui suffisait pas.

— On ne sait jamais ce qu'on peut trouver, répliqua-t-elle. J'ai juste envie de voir s'il vit toujours dans le coin et s'il a des infos à nous donner. Peut-être qu'on en tirerait un nouveau sujet de reportage. Il y a beaucoup de passage, par ici. C'est un type intelligent, ça pourrait être un bon investissement pour l'avenir.

Ben sourit.

— Et comment tu formules ça sur ta note de frais pour la chaîne ? Pot-de-vin ?

Mais il trouvait l'idée futée. Elle avait raison, il en sortirait peut-être quelque chose.

— D'habitude, dans ce genre de situation, j'écris « chauffeur » ou « interprète », dit-elle en souriant. C'est une dépense justifiée, même si ça ne présente pas très bien sur une note de frais. J'ai déjà obtenu des pistes géniales grâce à des sources peu orthodoxes, surtout dans cette partie du monde.

— Ce n'est pas moi qui t'en ferai le reproche.

Il semblait tout à la fois amusé et admiratif.

Elle appela son contact depuis le téléphone de sa chambre, une fois de retour à l'hôtel. Ben Tarik Saleh répondit à la quatrième sonnerie, alors qu'elle était sur le point de raccrocher. Il reconnut immédiatement son nom et se souvenait bien de la dernière fois qu'ils avaient fait affaire ensemble. Il lui parla comme à une vieille amie et l'interrogea sur sa famille, ce qui permit à Alix de comprendre qu'il n'avait pas confiance dans son téléphone, pas plus qu'elle dans le sien. En vrai pro, elle connaissait les règles du jeu. Lui aussi connaissait son boulot, à force de frayer en eaux troubles et de monnayer ses infos.

Elle proposa à Tarik de prendre un café avec elle, et il l'invita à le retrouver chez sa tante, comme la dernière fois. C'était un nom de code pour désigner un café où il avait ses habitudes. Tarik gardait en réserve divers lieux où rencontrer les gens qui le payaient pour obtenir des informations. Alix raccrocha, satisfaite. Ils se verraient une heure plus tard, même s'il lui avait donné rendez-vous trois heures après. Elle connaissait la manœuvre.

— Tu le vois ce soir ? lui demanda Ben quand elle raccrocha.

Il avait entendu la fin de la conversation et avait été dupé par l'horaire qu'elle avait confirmé à voix haute.

— Non, dans une heure. Je ferais mieux d'y aller, c'est assez loin d'ici.

— Je t'accompagne, répondit-il du tac au tac. Il vaut mieux que tu n'y ailles pas seule.

C'était pourtant ce qu'elle avait fait la fois précédente, tout en sachant que ce n'était pas très malin. Mais à l'époque, elle travaillait avec un caméraman qu'elle ne connaissait pas et elle ne voulait pas qu'il sache où elle allait, ni pourquoi. Elle accepta l'offre de Ben, et ils quittèrent la chambre quelques minutes plus tard. Elle remit son foulard et ils hélèrent un taxi devant l'hôtel.

Le café se trouvait près du grand bazar de Téhéran. Il y avait énormément de voitures, la confusion régnait, et la foule grouillait de tous côtés. Le bruit était assourdissant. Il leur fallut presque une heure pour s'y rendre, dans un trafic dense. L'entrée du café était une simple brèche dans le mur qu'ils n'auraient même pas remarquée s'ils ne l'avaient pas cherchée. C'était l'un des rares lieux publics également ouverts aux femmes. Alix le reconnut immédiatement. Ben entra à sa suite et prit place à une table à l'avant, tandis qu'Alix marchait vers le fond du modeste établissement, où l'informateur saoudien l'attendait. Il demeura désinvolte et garda le visage impassible quand elle s'assit en face de lui, comme s'il la voyait tous les jours.

— Merci d'avoir accepté de me rencontrer, dit-elle tandis que les yeux de l'homme scrutaient le restaurant et les passants.

Il ne remarqua rien de spécial et sembla satisfait. Il avait bien vu que Ben était avec elle, mais cela ne lui posait pas de problème. Elle avait trois billets soigneusement pliés dans la paume de sa main, qui effleura rapidement et discrètement celle de Tarik sous la table. Elle venait de lui donner l'équivalent de trois cents dollars en argent local pour ce qu'il avait à dire, quoi que ce puisse être. C'était beaucoup d'argent à Téhéran, et elle savait qu'il n'hésiterait pas à en réclamer davantage s'il avait une information cruciale à lui livrer. Il s'était montré honnête avec elle jusqu'à présent, et ses pistes avaient toujours été fiables et utiles.

— Qu'est-ce que vous voulez savoir ? lui demanda-t-il en sirotant son café serré, avant d'en commander un pour elle.

Il avait un peu plus de trente ans et paraissait sans le sou – ce qui n'était sans doute pas le cas, puisqu'il travaillait depuis des années comme informateur. Il avait de bons contacts au sein du gouvernement, selon le journaliste qui les avait présentés, et n'avait jamais été pris. Elle le soupçonnait d'avoir de la famille très haut placée. Moitié saoudien, moitié iranien, il avait un pied dans les deux mondes. Vivant à Téhéran depuis des années, il voyageait beaucoup et avait réussi à ne pas se faire remarquer, ne s'alliant à aucun des deux camps et restant loin des tensions régionales. Les Saoudiens n'étaient pas vraiment les bienvenus en Iran.

— Je ne sais pas trop, avoua-t-elle. Tout ce que vous avez qui pourrait faire un bon reportage pour nous. Avez-vous vu à Téhéran des gens qui n'ont rien à y faire ?

— Pas récemment. Il y a six mois, peut-être, répondit-il d'un air pensif.

Il plissa les yeux en buvant une autre gorgée de café. Elle attendit, ne sachant pas trop à qui il faisait allusion.

— Votre vice-président », murmura-t-il de manière que personne ne l'entende, les lèvres bougeant à peine. Il alluma une cigarette et en rejeta la fumée. « Il était déjà venu, mais pas depuis quelques années. Il venait souvent, il y a longtemps. Il a des amis saoudiens, il les rencontre ici.

Alix était stupéfaite qu'il évoque le vice-président. C'était trop facile. Cela lui semblait presque irréel – et pourtant elle le croyait sur parole. Tarik avait toujours été une source fiable.

— Était-il en visite officielle ?

Tarik fit non de la tête.

— Pas cette fois-ci. La dernière fois, oui, il y a deux ans environ. Mais il y a huit ou dix ans, il était là fréquemment. Il vient voir quatre Saoudiens, des hommes importants. Ce sont les plus gros exportateurs de pétrole d'Arabie saoudite, ils sont liés à la famille royale. Autrefois, il venait tous les mois, puis tous les deux ou trois mois, et maintenant moins souvent. Je peux demander s'il les rencontre ailleurs. Peut-être à Dubaï. C'est ce que vous vouliez savoir ?

Elle acquiesça, tentant de masquer sa surprise. Il n'était pas facile pour un Américain de se rendre à Téhéran, mais Tony Clark, apparemment, connaissait les bonnes personnes. Quand on avait suffisamment d'argent, tout devenait possible, même ici. Elle songea qu'il voyageait probablement dans un avion privé, à l'évidence fourni par ses « amis » saoudiens.

— Je crois bien que oui, répondit-elle.

— Rejoignez-moi ici demain à 18 heures, je verrai ce que je peux trouver d'autre. S'il fait affaire avec eux, ils lui donnent beaucoup d'argent, des millions. L'argent n'est pas un problème pour eux.

Cela expliquerait une partie de la fortune que Tony avait amassée au fil du temps. Même de bons investissements ne pouvaient justifier sa richesse. Alors que l'argent du pétrole saoudien, oui. Elle ne s'attendait pas à ce qu'il trempe là-dedans. Accepter des pots-de-vin des lobbyistes de Washington était une chose mais conclure des accords pétroliers avec les Saoudiens, c'était un vrai scoop.

— À demain, conclut Tarik en se levant, avant de laisser quelques pièces de monnaie sur la table.

Elle le suivit dans la rue en silence. Ben quitta sa table pour la rejoindre. Tarik prit le vélo qu'il avait laissé à l'extérieur et s'en alla. Ben et Alix descendirent la rue et hélèrent un taxi. Ils étaient assis dans le véhicule qu'elle ne lui avait toujours pas dit un mot. L'air distraite, elle réfléchissait à ce que Tarik venait de lui révéler. C'était parfaitement scandaleux et confirmait son intuition qu'il y avait quelque chose de « bizarre » chez le vice-président

– quelque chose que Félix et elle ne parvenaient pas à cerner. Peut-être qu'elle venait de mettre le doigt sur le problème. Mais que faisaient les lobbyistes dans cette histoire ? Ou alors, il magouillait avec tout le monde, cherchant à amasser de l'argent pour sa campagne présidentielle. Et si ce n'était que par pure cupidité ? Ou pour toutes ces raisons à la fois ? Sans oublier qu'il avait épousé une femme extrêmement fortunée...

— Tu as obtenu ce que tu voulais ? murmura Ben.

— Je crois que oui. Je n'en suis pas sûre. C'était une bonne idée de le rencontrer, dit-elle d'un ton vague, avant de garder les yeux fixés sur la rue, de l'autre côté de la vitre, jusqu'à ce qu'ils atteignent l'hôtel.

Elle pensa à Olympia Foster, qui ignorait tout de l'homme qu'elle considérait comme son plus proche ami. Si ce qu'on lui avait dit était vrai, si les Saoudiens graissaient la patte de Tony Clark, c'était un véritable escroc, d'envergure internationale. Or il avait convaincu Olympia de son innocence. Elle se demanda si Bill Foster connaissait, ou soupçonnait, les malversations de Clark. Olympia ne le lui aurait jamais avoué, si cela avait été le cas. La veuve du sénateur cherchait à les protéger tous les deux. Et Alix doutait que Foster ait été au courant des tractations louches de Clark, en supposant qu'elles aient bien eu lieu. Foster était trop pur pour cela, et Alix n'avait aucune inquiétude le concernant. Personne ne s'était jamais demandé si Foster avait des revenus douteux d'origine inconnue, ou des agissements à se reprocher. Il était mort comme il avait vécu, blanc comme neige, auréolé d'une réputation sans tache.

Alix se coucha tôt ce soir-là, sans avoir divulgué à Ben les révélations de sa source. Le lendemain, ils filmèrent les femmes en route pour la réunion officielle, bouclèrent le reportage, et rentrèrent à l'hôtel en fin d'après-midi. Quand elle expliqua à Ben qu'elle avait de nouveau rendez-vous avec Tarik au même endroit, il ne sembla pas surpris. Ils prirent un taxi pour rejoindre le café et y entrèrent en suivant le même protocole que la veille. Tarik avait l'air pressé, cette fois-ci. Il lui dit qu'il avait rendez-vous à l'autre bout de la ville une heure plus tard, et que cela circulait mal.

— Il a rencontré les Saoudiens à Dubaï, lui confia-t-il sans attendre. Il a arrêté de faire affaire avec eux il y a quatre ans, quand il est devenu vice-président. Mais maintenant il veut recommencer.

Probablement en prévision de sa campagne présidentielle, dans deux ou trois ans, songea Alix, mais elle le garda pour elle. Le Président venait de commencer son second mandat : c'était le moment pour Clark de se préparer à prendre la suite, et de renflouer ses coffres.

— L'argent qu'ils lui donnent va en Suisse. Ces comptes ne sont plus secrets, votre gouvernement peut probablement les trouver s'il sait quoi chercher. Il a rencontré deux Saoudiens quand il était à Harvard, des frères, et ils sont restés amis. Il négocie avec eux depuis des années.

Il lui passa discrètement un petit bout de papier où figuraient leurs noms.

— Il ne viendra plus à Téhéran, c'est trop dangereux pour lui, il n'est venu qu'une fois depuis qu'il est vice-président. Je pense qu'ils se verront surtout à Dubaï. Il veut passer un marché avec eux.

— Est-ce qu'un homme nommé Bill Foster était impliqué dans tout ça ? William Foster ? Il est déjà venu ici avec lui ?

Elle espérait que non, mais c'était son boulot de vérifier. Sa quête de la vérité n'épargnerait personne.

— Non, il venait toujours seul. Ma source en est certaine. Et je n'ai jamais entendu ce nom. Mais votre vice-président est dur en affaires, et il leur demande beaucoup d'argent. Il leur revaudra ça plus tard, quand il sera Président. Il a dit qu'il était sûr de gagner la prochaine fois. C'est vrai ?

C'était à son tour de vouloir glaner des informations.

— Je ne sais pas, répondit-elle avec franchise. Ce n'est pas impossible, avec un bon candidat à la vice-présidence, et assez d'argent en réserve.

Sans compter qu'il avait une jolie femme, deux enfants en bas âge, et qu'en tant que meilleur ami de Bill Foster il était nimbé de son aura, même s'il n'avait pas le même charisme. Certains avaient gagné les élections avec moins que ça. Qui plus est, il avait pris soin de n'offenser personne depuis qu'il était vice-président. Et si les grands lobbies choisissaient son camp, ils l'achèteraient sans mal. Il vendrait son âme à quelques personnes influentes avant même de gagner les élections. En usant de leur ascendant et de leur argent, ces huiles pouvaient même gagner l'élection pour lui. Cela l'effrayait rien que d'y penser, étant donné ce qu'elle savait à présent. Clark était corrompu jusqu'à l'os, si les rumeurs qu'elle avait entendues aux États-Unis et les informations de Tarik étaient vraies. Alix eut soudain peur qu'il puisse gagner les élections. Ce ne serait qu'une parodie du souvenir de Bill Foster et de tout ce pour quoi il avait lutté. Elle ne put s'empêcher de se demander, une fois de plus, ce que Foster savait de cette histoire. Impossible qu'il ait eu des soupçons : il ne l'aurait jamais choisi comme candidat à la vice-présidence dans ce cas. Quelle catastrophe cela aurait été – et quelle catastrophe c'était toujours. Rien que d'y songer, elle en était malade.

— Je crois qu'il peut gagner, ajouta-t-elle. Ce serait vraiment très grave que le locataire de la Maison-Blanche soit corrompu et vendu aux Saoudiens.

— C'est pourtant ce qu'ils veulent, répliqua-t-il pour la mettre en garde. Il négocie avec des gens influents, et cela leur donnerait beaucoup de pouvoir aux États-Unis.

C'était bien le problème. Un Président en grande partie financé par les mauvaises personnes.

— C'est lui qui est allé les voir, précisa Tarik. Il a besoin d'argent, de beaucoup d'argent. Il savait qui contacter. Je dois partir maintenant, conclut-il. J'ai été ravi de retravailler pour vous.

Elle lui glissa à nouveau l'équivalent de trois cents dollars dans le creux de la main. Tarik était enchanté. Leurs transactions s'étaient toujours bien passées. Cela faisait longtemps qu'il ne l'avait pas vue, et il avait été surpris d'avoir de ses nouvelles. Il était content d'avoir pu lui fournir l'information qu'elle voulait. Il aimait à se dire qu'il contribuait à la paix dans le monde. Cela donnait un côté noble à ses agissements. Quelles que soient les motivations de Tarik, Alix était satisfaite elle aussi. À présent, elle devait trouver que faire de ce scoop, et dans quelle direction poursuivre son enquête. Elle avait besoin d'y réfléchir, et d'en discuter avec Félix à son retour à New York. Ils prenaient l'avion le lendemain.

Comme la veille, elle suivit Tarik hors du café, et il partit sur son vélo. Ben la rejoignit dans la rue et ils regagnèrent leur hôtel sans échanger un mot. Il voyait bien qu'elle n'avait pas envie de parler de ce qu'elle venait d'apprendre, et qu'elle était secouée par sa conversation. Ce n'était pas qu'elle ne lui faisait pas confiance. Simplement, pour l'instant, elle ne savait pas quoi lui raconter. C'était une nouvelle difficile à avaler, même pour elle.

Ils allèrent se promener après le dîner, et Alix finit par s'ouvrir à Ben.

— Selon ma source, Tony Clark a été soudoyé par les Saoudiens pendant des années. C'est de là que vient tout son argent, versé sur des comptes en Suisse. Il a cessé ces transactions en devenant vice-président, mais il tente désormais de passer un nouvel accord avec eux, sans doute pour financer sa prochaine campagne.

— En plus des lobbies ? s'exclama Ben, scandalisé. Il ne chôme pas, ce type. » Son jugement sur Clark se confirmait, à sa grande satisfaction. Derrière sa façade lisse, c'était un vilain personnage. « Qu'est-ce que tu vas faire de cette info ? lui demanda-t-il.

Alix était justement en train d'y songer.

— Je ne sais pas. Je vais le dire à Félix, mais je commence à me demander si nous ne devrions pas le signaler à une agence gouvernementale chargée de la lutte anti-criminalité. C'est une grosse affaire.

— C'est le moins qu'on puisse dire, approuva-t-il. J'ai de bons contacts à la CIA, et c'est exactement leur rayon. Ils ont des équipes spéciales pour ça. Une affaire pareille, ça relève du service des opérations clandestines, et ça finira dans les mains du DNI, le directeur du renseignement national, ou du DO, le directeur des opérations. Le chef de la CIA les tient au courant, quand il s'agit d'un problème aussi grave. Tu ne peux pas garder une telle info pour toi, comme si c'était juste un bon sujet de reportage. C'est une question de sécurité nationale, si ce que dit ta source est vrai. Tu lui fais confiance ?

— Oui, mais quelqu'un devrait vérifier. La CIA, ou le FBI. Imaginons que l'on garde ce scoop pour nous pendant un petit moment, le temps d'être sûrs que c'est vrai. C'est de l'obstruction à la justice ?

Elle avait l'air inquiet, et il réfléchit quelques secondes avant de répondre.

— Ça se peut. Mais je n'en suis pas sûr. Félix saura mieux que moi ce qu'il faut faire. Tu as une sacrée histoire sur les bras. Un peu comme une bombe à retardement. Et comme c'est une affaire internationale, puisque les Saoudiens sont impliqués, cela concerne la CIA, pas le FBI.

— Oui, moi aussi, je trouve ça risqué. » Elle semblait malheureuse d'avoir déniché ce scoop. « J'aimerais savoir si Bill Foster était au courant, ou dans quelle mesure. Sa veuve ne me dira jamais la vérité. Elle a beaucoup trop envie de les protéger, l'un comme l'autre. Foster était un type intelligent, j'ai du mal à croire qu'il ignorait tout. Du moins, qu'il ne soupçonnait pas quelque chose. Et en supposant qu'Olympia soit au courant, elle ne m'en parlera jamais.

— Tu crois qu'il touchait de l'argent, lui aussi ?

— Non, pas du tout. Je n'y crois pas une seconde. Mais je me demande s'il se doutait de quelque chose. C'était un type tellement droit, tellement estimable. Je ne l'imagine pas impliqué dans ce genre d'histoire.

— Moi non plus, reconnut Ben.

Ils n'auraient pas dit la même chose de Clark.

Après cette conversation, tous deux restèrent perdus dans leurs pensées, et ils regagnèrent leur hôtel en silence. Alix était épuisée par toutes les hypothèses qui se bousculaient dans son esprit. Chaque fois qu'elle retournait le problème dans sa tête, elle trouvait encore plus de questions, et encore moins de réponses. Elle était impatiente d'en parler à Félix, dès leur retour à New York. Avec un peu de chance, il saurait quoi faire. Et Ben avait raison : ils devraient aller voir la CIA, ou n'importe quelle agence chargée de ce genre d'affaire. Elle n'avait jamais eu à traiter un dossier aussi important ni aussi délicat, touchant la sécurité nationale et une personne aussi haut placée au gouvernement que le vice-président. Elle ne savait absolument pas ce qui allait se passer, une fois que la CIA mettrait le nez dans cette histoire. Mais elle était sûre d'une chose : le vice-président était corrompu, et ce depuis des années. La grande question,

à présent, était de savoir ce que Bill Foster avait découvert. Alix refusait de croire qu'il avait trempé dans ces
malversations, cela semblait tout simplement impossible.
Enfin, elle l'espérait. Mais que Foster eût été au courant
ou pas, ce qu'elle venait d'apprendre au sujet de Tony
Clark était absolument scandaleux.

5

Alix se rendit au bureau tôt le matin, une heure à peine après leur retour de Téhéran. Elle savait que Félix serait là et voulait lui parler de ce qu'elle avait appris, afin qu'ils puissent décider quoi faire. L'histoire était trop importante pour qu'ils y renoncent, mais elle était peut-être aussi trop énorme pour ne pas être confiée aux agences gouvernementales, puisque le vice-président était mouillé.

Félix était content de la revoir, et enchanté par sa couverture des émeutes de Téhéran. Il trouvait que Ben avait fait de l'excellent travail lui aussi. Comme d'autres reportages d'Alix, celui-ci méritait de recevoir un prix. Ils en parlèrent un petit moment, puis elle hésita, et il comprit qu'elle avait autre chose à lui dire.

— Quelque chose ne va pas ?

Il sentait bien qu'un gros problème la préoccupait.

— Sur le plan journalistique, tout va bien, répondit-elle de manière énigmatique. Moralement, c'est autre chose. J'ai appelé l'une de mes anciennes sources à Téhéran. Je n'avais pas repris contact avec lui depuis des années. Un type intéressant, il a des amis et de la famille haut placés et me file des infos fiables. Il m'a complètement sciée quand je l'ai vu. Cela fait des années que Tony Clark rencontre quatre Saoudiens influents dans le domaine du pétrole. Mon informateur m'a dit que, selon ses sources, Clark récupérait l'argent sur un compte en Suisse, à l'époque où le secret bancaire avait encore cours. On tombera peut-être sur un bon filon en explorant cette piste – nous ou les autorités compétentes. D'après lui, Clark a cessé de faire affaire avec eux il y a quatre ans, ce qui coïncide avec la victoire de son parti aux élections, mais il a récidivé récemment. Il est allé en douce à Téhéran il y a six mois, et il recommence à voir les Saoudiens, cette fois-ci à Dubaï. Il veut beaucoup d'argent, probablement pour sa propre campagne présidentielle. S'ils lui en donnent, il leur appartiendra corps et âme en arrivant à la Maison-Blanche. C'est un sacré scoop, mais toute cette histoire nous dépasse. C'est aussi un problème de sécurité nationale, de corruption. Le vice-président est un véritable escroc si cette histoire est vraie, ne serait-ce qu'en partie. Et Dieu seul sait à qui d'autre il soutire de l'argent, et ce qu'il leur doit en échange. Si tout cela est confirmé, le futur président des États-Unis n'est qu'un vendu.

— Et Bill Foster ? Il était dans le coup ? Tu t'es renseignée là-dessus ?

— Selon mon informateur, Foster n'est jamais allé à Téhéran, et il n'a jamais entendu son nom. Je me demande si Foster savait, ou s'il est mort sans se douter de rien.

— Foster n'était pas tombé de la dernière pluie, il a dû soupçonner quelque chose. Qui pourrait nous donner d'autres infos ?

— D'après la veuve de Foster, Clark n'a aucun lien avec les lobbyistes. Elle ne va certainement pas avouer que son mari était au courant de pots-de-vin des Saoudiens. Je ne pense pas qu'elle sache quoi que ce soit, et peut-être que Bill Foster ne savait rien non plus. Clark est très habile et, si l'argent allait sur des comptes numérotés en Suisse, personne ne pouvait être au courant. Cela explique les sommes qu'il a amassées au cours des dix dernières années – une fortune qu'il justifie par son incroyable talent pour placer son argent. S'il est à la solde des Saoudiens, cela explique plus facilement sa richesse que des investissements judicieux à Wall Street.

Félix, assis derrière son bureau, demeura silencieux quelques secondes. Puis il la regarda fixement, l'air grave.

— J'ai reçu un appel de l'une de mes sources pendant votre absence. Je ne voulais pas t'en parler par mail, ni par téléphone. Un de ses amis, qui travaille pour l'un des plus grands lobbies du gaz, lui a confié qu'ils ont filé de l'argent à Clark pour sa campagne, en échange de projets de loi qu'ils veulent voir passer en cas de victoire. Avec leur soutien financier, il pourrait très bien y parvenir. Et s'il leur soutire de l'argent à eux, il peut très bien en demander à d'autres.

— Bon sang. Il mange à tous les râteliers, c'est ça ?

C'était encore pire qu'ils ne l'avaient cru. S'ils réussissaient à prouver ces malversations, Clark serait démis de ses fonctions de vice-président et jugé – quant à gagner les élections suivantes, c'était évidemment exclu.

— Qu'est-ce qu'on fait, maintenant ? Ben pense qu'on devrait prévenir la CIA et la laisser s'occuper de cette histoire. Ils ont beaucoup plus de contacts que nous pour obtenir des infos.

Félix hocha la tête. Certes, elle avait raison, mais l'histoire était trop bonne pour qu'ils s'en privent tout de suite. Il voulait voir ce qu'ils parviendraient encore à trouver avant de prévenir la CIA.

— Et si on gardait tout ça pour nous encore deux ou trois semaines, en voyant ce qu'on arrive à dénicher ? Je peux appeler d'autres sources. Et puis on filera toutes nos infos – ou presque – à la CIA, et ils prendront le relais.

— Et s'ils découvrent qu'on est sur une grosse affaire ?

Elle semblait inquiète. Elle ne voulait pas fâcher la CIA.

— On leur dira qu'on voulait être sûrs. La seule chose qui me contrarie vraiment, dans tout ça, c'est de risquer d'apprendre que Foster trempait là-dedans lui aussi, ou qu'il était au courant des agissements de Clark. Il est mort en héros. Je n'ai pas envie de le voir traîné dans la boue et de découvrir que Clark et lui magouillaient ensemble. On ne sait jamais, c'était peut-être le cas.

— Je ne pense pas, murmura Alix.

Plus que jamais, elle se demandait ce que sa veuve savait – et ce qu'elle cachait, le cas échéant.

— Laissons-nous encore deux semaines avant de confier le dossier à la CIA, conclut Félix.

Sa décision était prise. Il était journaliste avant tout, et cette histoire était trop énorme pour qu'il abandonne, surtout compte tenu de ce qu'Alix avait découvert à Téhéran.

— C'est d'accord. Mais quinze jours, pas plus. Je dois payer les études de ma fille, je ne veux pas avoir d'ennuis.

Il acquiesça d'un air grave et contacta ses sources à Washington dès qu'elle quitta la pièce. Elle avait déjà fait le tour des siennes.

— Alors, il en pense quoi, Félix ? lui demanda Ben quand elle revint dans son bureau.

Il vit son visage soucieux. D'un point de vue journalistique, garder le secret encore deux semaines était logique, s'ils pouvaient faire toute la lumière sur cette affaire et remettre le dossier complet à la CIA. Mais s'ils n'y parvenaient pas, il serait difficile d'expliquer aux agents du gouvernement pourquoi ils n'étaient pas venus les voir plus tôt. Ils auraient l'air bien peu coopératifs, si ce n'est pire. Or ils avaient parfois besoin de l'aide de la CIA.

— Il veut deux semaines de plus pour voir ce qu'on peut trouver d'autre.

Ben hocha la tête, inquiet pour elle. Les types chargés des opérations clandestines et de la sécurité nationale ne plaisantaient pas quand il s'agissait de scandales d'une telle ampleur.

— Tu vas tenter de revoir Olympia Foster ?

Alix fit non de la tête. Elle avait renoncé à cette piste.

— Ce serait inutile. Elle ne me dirait rien, et je doute qu'elle sache quoi que ce soit de toute façon. Personne ne peut se douter que Clark est un pareil escroc. Il est allé directement voir les lobbies les plus riches, pour lesquels le soutien du Président est essentiel. Et s'il passe un accord avec les Saoudiens, il aura tout l'argent nécessaire pour sa campagne, sans même parler de celui de sa femme. Il a tout soigneusement organisé.

— Je suppose que ça ne peut pas faire de mal d'attendre encore quinze jours. Il ne va pas s'enfuir et n'a aucune raison de soupçonner qu'on va scruter ses faits et gestes. Et encore moins de savoir qu'on t'a parlé de ses rencontres avec les Saoudiens à Dubaï.

— Tout cela commence à me stresser un peu, lui avoua Alix. Il y a des gros bonnets impliqués dans l'histoire. Ils ne vont guère apprécier qu'on révèle les petits secrets du vice-président. Lui non plus, d'ailleurs. Ça pourrait mal tourner.

Ben acquiesça sans mot dire. Alix avait raison. Elle avait déjà couvert de grosses affaires avant celle-ci – et même dévoilé les agissements d'un parrain de la mafia, quelques années plus tôt –, mais jamais elle n'avait dû traiter un scandale aussi énorme. Et les conséquences de cette histoire seraient gigantesques. Tony Clark préparait son coup depuis des années, et Alix songea qu'il acceptait peut-être des pots-de-vin depuis le début de sa carrière. Maintenant que la campagne présidentielle se profilait à l'horizon, il avait de quoi monnayer son soutien s'il remportait les élections. Il pourrait approuver tous les projets de loi que ses complices souhaitaient voir passer.

À la fin de la semaine, l'une des sources de Félix répondit à sa demande. Un lobbyiste travaillant pour les jeux d'argent avait confirmé de manière confidentielle avoir versé à Clark une petite fortune. En échange de l'immunité, il était prêt à témoigner. Il n'avait pas envie de tomber à cause de Tony Clark. Félix attendait des nouvelles d'un autre lobbyiste influent avant d'aller voir la CIA. Mais ce fut la CIA qui vint à lui.

Une semaine après le retour d'Alix de Téhéran, deux agents haut placés se présentèrent à la chaîne et demandèrent à voir Félix. Il eut l'air surpris quand ils entrèrent dans son bureau quelques minutes plus tard. Se composant un visage aimable et détendu, il goba en douce trois antiacides d'un seul coup.

— Que puis-je faire pour vous aider, messieurs ? Voulez-vous un café ? proposa-t-il.

Ils déclinèrent son offre et s'assirent. Le plus âgé des deux prit la parole en premier. Il s'appelait John Pelham et était officier supérieur du service des opérations clandestines. Lequel était en première ligne dès qu'il s'agissait de crise internationale, de terrorisme ou de questions militaro-politiques. Ce corps d'élite chargé de protéger la sécurité nationale relevait directement du directeur du renseignement national, du chef de la CIA et du Président en personne.

— Vous vous intéressez beaucoup aux lobbies et aux activités du vice-président, lança-t-il sans prendre de gants. Nous voulons savoir pourquoi. S'agit-il d'une sorte de chasse aux sorcières visant à le dénigrer et le discréditer, ou avez-vous une piste que nous devrions connaître et que vous gardez secrète ? Je crois que je n'ai pas besoin de vous rappeler comment se nomme ce genre de procédé.

Les deux hommes conservaient un visage impassible, et Félix, qui leur souriait d'un air aimable, se sentit soudain parfaitement idiot. Il était temps de jouer franc jeu.

— On avait une ou deux pistes, en effet, concéda-t-il. Et on a suivi notre intuition. Ce n'était rien d'autre au début. On ne voulait pas en faire tout un foin, au cas où ces informations seraient fausses. On a voulu les vérifier, pour éviter de vous faire perdre votre temps.

Il faisait son possible pour les amadouer.

— Ça, c'est notre boulot, pas le vôtre, lui rappela l'officier Pelham d'une voix glaciale.

— Pas toujours, répliqua Félix. Vous deviendriez dingues et on perdrait toute crédibilité si on venait vous voir dès qu'on a une piste.

L'officier ne semblait pas convaincu.

— Et qu'avez-vous trouvé exactement ?

Il en voulait au producteur de ne pas les avoir contactés plus tôt, même si les conflits entre les médias et les agences gouvernementales étaient monnaie courante. Ce n'était pas la première fois que cela se produisait. Et c'était bien pour ça qu'il était venu. Il voulait récupérer leurs informations, et connaître le nom de leurs sources.

— Je crois que la situation est grave, et j'ai confiance en nos informateurs. Depuis hier, j'ai un lobbyiste prêt à témoigner en échange de l'immunité, lança Félix avant même qu'on l'interroge.

— Témoigner de quoi ? répliqua l'officier d'un ton brusque. Quant à l'immunité, c'est à nous de l'accorder, pas à vous.

— J'en ai bien conscience, mais dans ce cas précis c'est nous qui avons fait le travail de terrain à votre place, répliqua maladroitement Félix.

Il avait l'estomac en feu.

— C'est votre façon de voir les choses, rétorqua Pelham d'un air revêche. Alors, qu'avez-vous à me raconter ?

— Je ne peux pas vous le prouver, mais il semblerait bien que l'on ait versé au vice-président Clark plusieurs grosses sommes d'argent en échange de ses services s'il gagnait les prochaines élections, ou s'il pouvait faire passer un projet de loi sous la présidence actuelle.

Ce n'était pas encore assez clair.

— On dirait bien qu'il reçoit des pots-de-vin de deux lobbies importants.

Il révéla lesquels. Le visage de Pelham demeura de marbre.

— Comment le payent-ils ? finit-il par dire en fronçant les sourcils.

Il n'aimait pas ce qu'il entendait, mais alors pas du tout. Ni le fait que la chaîne leur ait caché cette info, tout en essayant d'obtenir un scoop par ses propres moyens.

— C'est à vous de le découvrir, nous n'en savons rien.

— C'est tout ? demanda Pelham.

Félix soupira.

— Malheureusement, non. J'ai envoyé un reporter à Téhéran il y a une semaine pour couvrir les manifestations concernant les droits des femmes. L'une de nos sources, qui nous a déjà donné des informations fiables par le passé, lui a révélé que Clark était en pleine négociation avec plusieurs magnats du pétrole saoudiens, avec qui il avait déjà fait affaire avant de devenir vice-président. Il cherche de l'argent en ce moment. Il a prévu de les revoir à Dubaï.

Pelham semblait ne pas croire un mot de ce qu'il racontait.

— Nous aimerions parler à ce reporter. Il est ici ?

— Il s'agit d'Alix Phillips, notre meilleure journaliste, comme vous le savez sûrement. Elle ne m'a jamais filé de mauvais tuyau jusqu'à présent, et elle fait confiance à son informateur.

— Je n'arrive pas à croire que vous ayez gardé ça pour vous pendant tout ce temps, lança l'officier d'un ton rageur.

— Vous préférez quoi ? Un scoop non vérifié fourni par un cinglé, qui ne vaut peut-être rien et vous fera vous agiter inutilement, ou qu'on enquête un peu pour être sûrs de ce qu'on affirme avant de vous appeler ? Personnellement, messieurs, à votre place, je préférerais une info béton qu'une vague hypothèse. On allait vous prévenir dans un ou deux jours, mais ce que je vous donne là est réglo.

Félix était immédiatement monté au créneau, ce qui n'avait pas l'air de les ravir. Mais ses propos étaient sensés.

— Nos agents ont plus d'expérience que vos journalistes pour vérifier ce genre d'information.

— Je crois que mes employés ont quand même fait du bon boulot et, entre parenthèses, le nom de Bill Foster n'a jamais été cité. Rien qui suggère qu'il ait été impliqué là-dedans, ni compromis en quoi que ce soit. On s'est déjà renseignés.

— On va vérifier tout ça, répliqua Pelham d'un air sombre.

On venait juste de lui refiler un problème politique de la plus haute importance. Pour Félix et la chaîne, ce serait un incroyable scoop qui ferait monter en flèche leur audience. Pour la CIA, c'était une possible catastrophe, qui pouvait avoir de graves répercussions au plus haut sommet de l'État et considérablement affaiblir le pouvoir. Ce n'était vraiment pas une bonne nouvelle pour eux.

— Qui d'autre est au courant ?

— Pour l'instant, personne. Mes sources, que je ne peux vous révéler. Alix Phillips, notre reporter, ainsi que son caméraman. Elle a mené l'enquête toute seule, à Téhéran comme ici.

— Elle est là ?

Félix acquiesça et l'appela pour lui demander de venir, sans préciser pourquoi. Elle fut donc surprise de voir les deux hommes en sa compagnie, mais comprit immédiatement la raison de leur visite quand il lui expliqua qu'ils travaillaient au service des opérations clandestines de la CIA. Ben lui avait tout expliqué pendant leur vol de retour de Téhéran.

Ils l'interrogèrent longuement en prenant des notes, puis se levèrent et annoncèrent qu'ils reprendraient contact avec elle s'ils avaient d'autres questions, et qu'ils espéraient que Félix, Alix et la chaîne coopéreraient pleinement à leurs investigations. Alix et Félix donnèrent leur parole, répétant qu'ils n'avaient pas cherché à usurper le rôle que jouait la CIA pour la sécurité nationale, mais à s'assurer que toute cette histoire était vraie. Pelham ne fit aucune remarque, mais ajouta qu'ils ne devaient en parler à personne pour le moment, ni le révéler au grand public. La CIA devait d'abord mener une enquête exhaustive. Lorsque, enfin, ils partirent, Alix jeta un coup d'œil fébrile à Félix et se laissa tomber sur une chaise.

— À ton avis, qu'est-ce qui va se passer maintenant ? demanda-t-elle.

— Je ne sais pas. Tu as fait le boulot à leur place. Je suis sûr qu'ils ne savent tout simplement pas quoi faire de cette information. Ce n'est une bonne nouvelle ni pour eux ni pour personne. S'ils parviennent à corroborer les faits, ils seront obligés de mettre Clark en examen – ce qui serait une sacrée épine dans le pied pour le Président actuel. J'espère juste que Bill Foster ne sera pas dénigré à titre posthume, il ne le mérite pas.

— J'espère qu'ils pourront prouver qu'il n'avait rien à voir avec tout ça, dit Alix d'un ton lugubre, en songeant à sa femme et à ses enfants.

— Beaucoup de gens vont se retrouver sur la sellette une fois qu'ils commenceront à fouiner partout. La veuve de Foster aussi, étant donné qu'elle est très proche de Clark en ce moment, et que c'était le meilleur ami de Bill. Je pense qu'elle est au courant de quelque chose, mais qu'elle refuse de le dire.

Alix avait la même impression, mais ne savait pas de quoi il pouvait s'agir. Les agents de la CIA pouvaient contraindre Olympia Foster à parler, en la menaçant de poursuites fédérales. Et s'ils l'assignaient à comparaître, elle serait contrainte de dire la vérité, que ça lui plaise ou non. Alix avait peur de la souffrance que cela causerait à cette femme perdue dans son monde, entourée des trophées et souvenirs de son mari, à écrire des livres sur lui, pendant que le meilleur ami du défunt se compromettait avec le premier venu. Le scandale serait planétaire, une fois que l'information serait divulguée. Mais les agents de la CIA avaient encore du pain sur la planche. C'était désormais leur problème et, d'une certaine façon, Alix se sentait soulagée. Elle aurait adoré révéler toute l'histoire, s'ils avaient trouvé des éléments probants. Malgré tout, elle préférait que ce soit la CIA qui prenne des risques plutôt qu'elle. C'est ce qu'elle expliqua à Ben quand il arriva au bureau.

— Je me disais bien qu'ils te rattraperaient un jour ou l'autre. Tu as assez creusé le sujet pour leur mettre la puce à l'oreille. Quelqu'un allait forcément leur en parler. Comment ça s'est passé ?

— La conversation a été très sérieuse, et ce n'était vraiment pas une partie de plaisir. Ils étaient furieux qu'on ne les ait pas appelés. Mais au moins, c'est leur problème maintenant, plus le nôtre.

Elle passait en revue son courrier tout en lui parlant, et s'interrompit soudain pour relire une lettre, sourcils froncés. Le courrier était arrivé dans une enveloppe blanche quelconque, sur laquelle l'adresse était tapée à l'ordinateur. La personne qui l'avait écrit ne mâchait pas ses mots.

« Ne t'approche pas de Washington. Et cesse de fouiner, si tu tiens à la vie. »

Le mot n'était pas signé, et il n'y avait aucun moyen de remonter jusqu'à son auteur. Le cachet de la poste indiquait New York. Alix le passa à Ben sans mot dire, puis elle appela Félix et lui demanda de les rejoindre. À son arrivée, elle lui tendit le bout de papier. Il poussa un soupir et s'assit en face d'elle.

— Je vais appeler Pelham. Il faut le prévenir. » Puis son visage s'éclaira. « Je crois qu'on a donné un sacré coup de pied dans la fourmilière, et j'aimerais bien qu'on prenne un peu le temps de laisser tout cela retomber. Il y a un bon sujet de reportage à Paris, de quoi te changer les idées. On vient d'apprendre que le Président a une liaison avec une strip-teaseuse. Elle a vingt-trois ans, il lui a payé son appart, et ils ont eu un bébé l'an dernier. Sa compagne actuelle est folle de rage, elle lui a fait une scène en public et s'est jetée sur la fille. Très français, tout ça. Ce n'est que du cinéma et tout le monde s'en fiche, mais ça fait les choux gras, et sa maîtresse est sublime. Le bruit court qu'il pourrait même l'épouser, alors qu'il a toujours obstinément refusé de se marier. Si la CIA secoue le cocotier, je n'ai aucune envie qu'une noix te tombe dessus. Et puisqu'on en est aux menaces de mort, ce serait bien que tu prennes le large. Quelques jours à Paris te feraient du bien. Qu'en penses-tu ?

Il supposait que la CIA aurait achevé ses investigations une semaine plus tard, et serait peut-être même prête, à ce moment-là, à enquêter officiellement sur Tony Clark.

— C'est une idée géniale. » Elle sourit, soulagée. Ce n'était pas la première fois qu'elle était menacée de mort, mais cela la perturbait toujours, même si ces avertissements ne se concrétisaient jamais. « J'aimerais qu'un agent de sécurité surveille ma fille à Duke pendant mon absence. Tout de suite, en fait.

— On demandera aussi au FBI de te protéger à ton retour, répondit Félix d'un ton grave.

— Et si ça ne te dérange pas, j'aimerais prendre quelques jours de congé pendant que j'y suis, pour aller voir ma mère en Provence.

— Autorisation accordée, répliqua-t-il d'un ton solennel, avant de se tourner vers Ben. Tu pourrais jouer le rôle de garde du corps en attendant. Je vous réserve un vol pour demain. L'histoire de la strip-teaseuse est à vous ! ajouta-t-il.

Alix se mit à rire.

— Ma mère sera furieuse si je donne une mauvaise image du Président français. Elle l'adore.

— Il n'a pas besoin de toi pour abîmer son image.

Son point faible, c'était les scandales sexuels impliquant de très jeunes femmes, et ce n'était pas la première fois qu'il était ainsi pris en défaut. Il n'y avait rien de très nouveau là-dedans.

— Peux-tu dormir ailleurs que chez toi cette nuit ? reprit Félix. Inutile de tenter le diable. Et j'informerai les types de la CIA que vous quittez la ville, en leur indiquant votre point de chute.

— Merci, répondit-elle.

Quand Félix les laissa pour aller planifier leur nouvelle mission, Alix jeta à Ben un regard sombre.

— Faye va être furieuse d'apprendre qu'elle va devoir se balader partout avec un garde du corps. » Ce ne serait pas la première fois, mais c'était toujours pénible pour elle. « La bonne nouvelle, c'est que je vais revoir ma mère. Cela fait huit mois que je ne lui ai pas rendu visite. Ne lui parle pas de cette menace de mort, c'est tout ce que je te demande.

— Pourquoi tu ne dormirais pas chez moi ce soir ? lança-t-il.

Elle prit quelques secondes pour réfléchir puis acquiesça à contrecœur.

— Je n'ai pas envie de te déranger, et je dois d'abord rentrer chez moi préparer mes bagages. Je peux dormir sur ton canapé, proposa-t-elle.

— Inutile. J'ai une chambre d'amis que je n'utilise jamais. Elle me sert de bureau, mais il y a un lit.

— Merci, répondit-elle, tout en se demandant qui lui avait envoyé cette menace de mort.

Ce pouvait être n'importe qui – mais en tout cas quelqu'un qui lui en voulait énormément. Peut-être Tony Clark en personne, qui sait, même si c'était difficile à croire. Il n'avait quand même pas pu s'abaisser à ça. L'un des lobbyistes, peut-être.

— Je dois appeler Faye, ajouta-t-elle.

Ben regagna son bureau. Ça ne le dérangeait pas qu'Alix dorme chez lui. Il regrettait qu'elle subisse cette pression – et peut-être pour longtemps. Elle s'attaquait à des gros poissons. Et ils avaient beaucoup à perdre.

Alix laissa un message à Faye, qui la rappela dix minutes plus tard, l'air affairée.

— Qu'est-ce qui se passe ? J'ai cours dans deux minutes.

— Je pars demain à Paris pour le scandale de la strip-teaseuse du Président. J'irai voir mamie pendant que j'y suis.

Elle tentait d'avoir l'air décontractée. Faye répondit d'une voix agacée :

— Pourquoi tu ne m'as pas envoyé un SMS, tout simplement ?

— Parce que ce n'est pas tout, annonça Alix d'une voix contrite. Je travaille sur une grosse affaire politique en ce moment, et j'ai reçu une menace de mort ce matin à la chaîne. C'est sans doute sans importance, et puis je serai en France pendant toute la semaine qui vient, mais j'ai demandé qu'on t'envoie un garde du corps à la fac.

Elle n'eut pas à attendre longtemps sa réaction.

— Et merde, maman, je vais avoir l'air d'une idiote si un cerbère me suit partout ! Qu'est-ce que je vais bien pouvoir raconter ?

Ça n'était pas arrivé depuis longtemps – pas depuis qu'elle était à Duke.

— Dis-leur que ta mère est complètement névrosée et qu'elle te surveille. Ou que c'est ton petit ami. Enfin bref, raconte ce que tu veux, mais je souhaite que tu sois protégée jusqu'à ce que ça se calme. C'est probablement un cinglé, mais autant ne pas prendre de risque.

— Je te hais, énonça Faye avec ferveur, sans en penser un traître mot. C'est exactement pour cela que je déteste ce que tu fais. Tu risques ta vie, et maintenant tu risques la mienne. Pourquoi tu te fourres toujours dans des situations pas possibles ?

Faye semblait exaspérée, et Alix avait les nerfs à vif. La journée n'avait pas été facile, et elle était préoccupée.

— Parce que c'est mon métier, répliqua-t-elle d'un ton sec. Sois gentille et cesse de te plaindre. Un type du FBI va venir s'occuper de toi, ajouta-t-elle.

Faye sembla choquée.

— Le FBI ? Mais qu'est-ce que tu fabriques ? Tu poursuis des espions ? Tu mets en danger le Président ?

Non, juste le vice-président, fut tentée de répondre Alix, qui se mordit la langue.

— C'est juste une question d'attribution des rôles, entre le FBI, la CIA et la police locale. Et dans ce cas précis, c'est le FBI qui s'y colle, parce que les menaces qui passent par la poste américaine sont considérées comme un délit fédéral.

Faye savait que sa mère avait déjà été menacée, mais elle ne parvenait pas à se faire à l'idée.

— Je t'appelle de Paris, promit Alix.

— OK, je t'embrasse. Préviens-moi avant que le cerbère se pointe, répliqua Faye avant de raccrocher.

Ben l'accompagna chez elle pour qu'elle puisse rassembler ses affaires pour Paris, puis ils gagnèrent Brooklyn. Ben leur prépara à dîner, puis Alix alla camper dans sa chambre d'amis. Elle se sentait stupide d'être chez lui. Elle était certaine qu'elle n'aurait rien risqué à passer la nuit dans son propre appartement, mais elle avait promis d'être prudente et de se montrer raisonnable. Dès qu'elle posa la tête sur l'oreiller, elle plongea dans un demi-sommeil. Ç'avait été une longue journée : la CIA, la menace de mort, et voilà qu'elle se rendait à Paris pour interviewer un Président et une strip-teaseuse. Parfois, sa vie lui semblait complètement dingue. Elle se demanda si sa fille n'avait pas raison. Peut-être ferait-elle mieux de couvrir des événements plus ordinaires. Les nouvelles locales, les histoires de chiens perdus, ou bien les célébrités de Los Angeles, pour « Entertainment Tonight ». Il y avait sans doute plus simple pour gagner sa vie que de traverser des champs de mines, tenter de prouver l'existence de transactions illégales liées au pétrole, ou faire tomber un vice-président. Mais comment rembobiner la pellicule et repartir de zéro ? Elle avait la nette impression que la suite de l'affaire Tony Clark lui en réservait encore des vertes et des pas mûres avant que le calme revienne. Et maintenant que la CIA avait été informée, il n'y avait plus moyen de faire marche arrière. Elle avait ouvert la boîte de Pandore – et même Faye en pâtissait.

Le « cerbère » était arrivé à sa résidence universitaire à 22 heures, après quoi elle avait envoyé un SMS à sa mère. Il était campé devant sa chambre, et la relève aurait lieu trois fois par jour.

« Il pèse 130 kilos et il a au moins deux cents ans. Suis-je censée le protéger ? Je te déteste. F. »

Alix éclata de rire en lisant ce message, et le montra à Ben. Au moins, elle savait que sa fille serait en sécurité. La concernant, elle avait son propre soldat pour la protéger. Elle espérait juste que toute cette histoire serait bientôt derrière elle. Ce serait sympa de revoir Paris. Et en prime, elle aurait droit à quelques jours en compagnie de sa mère en Provence. La cerise sur le gâteau, comme disaient les Français.

6

Olympia venait de finir le chapitre expliquant l'importance de rétablir les valeurs d'antan, et elle était assise à regarder le clair de lune. Elle se demandait parfois s'il n'était pas vain d'écrire cet ouvrage. Si elle avait évoqué l'essentiel des choix politiques de Bill dans son premier livre, elle souhaitait grâce au second faire connaître au lecteur ses principes et valeurs de manière plus intime. Il y avait tant de choses à dire au sujet de son mari ! Pourtant, l'intérêt que lui portaient les médias avait commencé à faiblir ces dernières années. Il appartenait au passé désormais, il n'était plus d'actualité – sauf pour elle. Elle avait du mal à trouver un éditeur pour ce nouvel opus, ce qui la dépitait. Elle voulait plus que tout que l'on se souvienne de lui. Il avait tant aimé les États-Unis, et tellement espéré pouvoir venir en aide à son peuple – un rêve qui s'était écroulé en un instant. Elle avait parfois l'impression d'être la seule à porter le flambeau.

Même ses enfants s'opposaient à ce qu'elle rédige un autre livre. Et puis, ils avaient leur propre vie à présent, leurs propres projets. Quant à Tony, l'ami d'enfance de Bill, il était vice-président et développait sa vision du monde personnelle, plus pragmatique. Ses buts dans l'existence n'étaient plus en rien liés au défunt.

Tony était avant tout un homme d'affaires, quand Bill avait été un visionnaire. Il avait formulé d'immenses rêves pour son pays et souhaité tous les accomplir. Olympia voulait que les gens aient conscience de ce qu'ils avaient manqué. Son mari ne devait pas tomber dans l'oubli. Elle avait l'impression d'avoir été épargnée pour pouvoir transmettre le message de son époux aux générations futures – pour rappeler aux législateurs et aux politiciens le brillant exemple qu'il avait été, et leur montrer comment ils pouvaient l'imiter. Elle était certaine que ce serait le cas de Tony s'il devenait Président ; mais en attendant, il devait s'inscrire dans les pas du Président pour lequel il travaillait, et attendre de gagner lui-même ce poste. Elle ne regrettait pas d'avoir refusé de devenir première dame à ses côtés. Elle préférait garder Tony comme ami. Qui plus est, après tout ce temps, elle était toujours profondément amoureuse de Bill. Écrire à son sujet et partager ses idées lui permettait de le garder vivant. Son existence n'était plus faite que des souvenirs qu'elle gardait de lui, de rares visites de ses enfants, et de ses dîners avec Tony quand il venait la voir à New York. Il disait être toujours amoureux d'elle, et elle le croyait ; mais elle était fidèle à son mari, même par-delà la tombe. Elle n'avait rien perdu de sa beauté, mais sa vie se drapait désormais d'un voile gris, marquée par une tristesse tenace à laquelle elle ne parvenait pas à échapper. Quand elle essayait, elle avait l'impression d'abandonner Bill. Depuis sa mort, elle restait figée dans le temps. C'était comme si elle était morte avec lui. Et elle se sentait toujours coupable d'avoir échappé aux balles de l'assassin.

Le téléphone de son bureau se mit à sonner au moment où elle rangeait son manuscrit dans un tiroir fermé à clé. Il était minuit passé, l'heure habituelle à laquelle il l'appelait. Elle savait que c'était Tony sans avoir besoin de regarder le numéro qui s'affichait, et avant même de saisir le combiné. Sa voix profonde et mélodieuse résonna à son oreille comme un chant familier. Elle était contente de l'entendre tard le soir, quand ses souvenirs la submergeaient.

— Je te dérange ? lui demanda-t-il poliment, comme il en avait l'habitude.

— Bien sûr que non. Je suis ravie de t'entendre. Comment s'est passée ta journée ?

— C'était long. Chargé. Vice-présidentiel. J'avais beaucoup trop de réunions, sinon je t'aurais appelée plus tôt.

Dès qu'il lui parlait, il se sentait plus détendu. Pour lui, c'était comme rentrer à la maison. Et elle éprouvait la même chose le concernant. Elle se sentait en sécurité en entendant sa voix : elle pouvait tout lui dire.

— Ton livre avance bien ?

C'était gentil de sa part de lui poser la question.

— Je ne sais pas. J'ai atteint un angle mort, et parfois je me demande si cela intéresse encore quelqu'un. Le monde est passé à autre chose, répondit-elle avec mélancolie.

Mais pas elle. Elle s'y refusait. Tourner la page reviendrait à accepter une fois pour toutes la mort de Bill. Grâce à ce projet de livre, il faisait toujours partie de son quotidien.

— Bill restera longtemps un héros aux yeux du public. Très longtemps, déclara Tony d'un ton rassurant.

Bill avait été une icône pour tous ceux qui l'avaient rencontré. Tony avait davantage été un homme de l'ombre, et l'était toujours. Mais il voulait plus à présent. Il y était prêt.

— Je l'espère, dit Olympia d'une voix douce. Comment vont les enfants ?

— Je ne sais pas. Je ne les ai pas vus aujourd'hui, je n'ai pas eu le temps, avoua-t-il.

L'aîné, un petit garçon, avait trois ans, et la cadette, dix-huit mois. Elle venait à peine d'apprendre à marcher et sa tête, comme celle de sa mère, était couverte de boucles blondes. C'était une magnifique enfant.

— Et comment va Megan ? demanda Olympia.

Elle parlait de sa femme. Tony soupira. Il pouvait être franc avec Olympia – elle était une bouffée d'air frais dans sa vie. Même si elle avait refusé de l'épouser, il la voyait toujours comme son âme sœur.

— Megan est jeune. Parfois je me dis que j'aurais dû l'adopter au lieu de l'épouser. Vingt-deux ans d'écart, ce n'est pas rien. Elle trouve amusant d'être mariée à un homme politique, tant que ça ne perturbe pas trop son existence. Je ne sais pas comment elle tiendra le coup pendant la campagne présidentielle.

Olympia aurait été impeccable, il le savait. Mais Megan avait des cours de tennis, de Pilates, son entraîneur personnel, ses chevaux, ses amis, diverses œuvres de bienfaisance auxquelles elle était attachée, et désormais leurs bébés. Sans compter qu'elle était enceinte du troisième. L'idée d'avoir un autre enfant l'épuisait par avance – or il avait beaucoup à faire pour préparer l'avenir. Olympia était la seule à savoir avec certitude qu'il allait briguer la présidence. Il n'était pas encore prêt à l'annoncer. Megan adorerait l'idée d'être première dame, mais ne semblait pas comprendre que cela impliquerait beaucoup de travail pour elle aussi.

— C'est elle qui voulait un autre enfant. Elle me harcelait pour en avoir un. Deux, ça me paraissait très bien. Quant à elle, elle s'en fiche, il lui suffit d'embaucher d'autres nounous. On en a déjà trois, une pour chaque enfant, et une pour prendre la relève en cas de problème.

Ce qui n'est pas du meilleur effet dans la presse, ajouta-t-il d'une voix inquiète.

Il n'oubliait jamais les médias, quoi qu'il fasse ou qu'il dise.

— Deux, ça me paraissait bien à moi aussi. Bill en voulait quatre, mais c'était trop à mes yeux. Je voulais les élever moi-même. Pendant les dix premières années, j'ai passé tout mon temps à m'occuper de Bill et des enfants.

C'était précisément l'image qu'il aurait voulu donner – même si ses bébés et sa superbe femme d'une vingtaine d'années le faisaient paraître plus jeune, ce qui lui plaisait aussi. L'essentiel, c'était la perception que les gens avaient de lui, et qui les électeurs avaient envie de voir à la Maison-Blanche. Il aurait aimé la maturité, l'élégance, la grâce, les compétences politiques et l'intelligence d'Olympia, mais avoir pour épouse une jeune femme à la beauté époustouflante servait bien ses intérêts. Et elle avait une sacrée allure quand ils se montraient en public. À ses yeux, Megan et leurs enfants étaient un peu comme des accessoires utiles à sa carrière. Dans son esprit, c'était à ça que servaient les épouses d'hommes politiques. Et Olympia représentait la perfection dans ce domaine.

— Des nouvelles des enfants ? lui demanda-t-il.

— Je dois appeler Darcy. On ne s'est pas parlé depuis deux semaines. Elle vit une sorte d'idylle avec un médecin là-bas. Il est français et travaille avec Médecins sans frontières. Elle semble très éprise. Quant à Josh, il fréquente toujours la même fille, dans la ferme où il travaille.

— Oh mon Dieu, une vachère ! s'écria Tony d'un ton taquin.

Elle rit, mais ce n'était pas faux. Le père de la jeune femme possédait l'une des plus grandes exploitations laitières de Californie, et sa fille était en stage dans la même ferme bio que Josh.

— Chaque fois que tu dis ça, je l'imagine avec des tresses, un costume bavarois et des sabots. Elle est très jolie, en vérité. On dirait un mannequin, et en plus elle a obtenu un master en sciences agricoles à Stanford. Je l'ai rencontrée par Skype, et elle semble très gentille. J'espère juste qu'il ne se mariera pas trop tôt.

Josh n'avait que vingt-quatre ans, mais il était mûr pour son âge. Perdre son père à l'âge de dix-huit ans l'avait fait grandir plus vite. Olympia faisait part à Tony de ses pensées les plus intimes, qu'il s'agisse de ses enfants comme de tout le reste. Elle n'avait personne d'autre à qui parler, puisqu'elle vivait en recluse depuis la mort de Bill. À en croire Tony, c'était mieux comme ça.

— Embrasse-les de ma part quand tu les auras au téléphone. Je vais essayer de venir te voir bientôt. Mardi, si cela te convient.

Il tentait de lui rendre visite au moins une fois par semaine, davantage s'il le pouvait. Pour Olympia, c'était le meilleur moment de la semaine. Cela lui donnait l'occasion de discuter avec lui, d'évoquer son livre. Elle l'écoutait parler de son travail, ce qui la passionnait. Mais elle ne regrettait pas de s'être retirée du monde politique. Elle avait déjà vécu tout cela aux côtés de Bill.

— Mardi, c'est parfait pour moi, dit-elle d'une voix douce.

Elle n'avait pas d'autres projets. Elle n'en avait plus aucun désormais, à part achever son manuscrit.

— As-tu eu des nouvelles de cette journaliste ? Cette Phillips ?

Sa voix se durcit quand il prononça ces mots.

— Non, pourquoi en aurais-je ?

— Je ne sais pas pourquoi elle t'a dérangée. À mon avis, c'était juste un prétexte pour te poser des questions à mon sujet.

— Elle m'a dit qu'elle admirait beaucoup Bill et qu'elle s'intéressait à mon nouveau livre, répliqua Olympia, tout à coup sur la défensive.

— Eh bien, ne la laisse pas revenir chez toi. Tu n'as pas besoin que des journalistes s'immiscent dans ta vie privée.

Olympia en convenait, mais n'avait pas vécu la visite d'Alix comme une intrusion. Elle avait apprécié la jeune femme, l'avait trouvée douce, intéressante – et intéressée par ce qu'elle écrivait. Tony semblait beaucoup plus sceptique.

— Je t'appelle demain, et je viens te voir mardi prochain, promit-il.

Elle raccrocha en souriant. Il parvenait toujours à la réconforter et, malgré ses avertissements, elle n'était pas inquiète. Elle était capable de gérer la journaliste toute seule. Alix voulait en savoir plus sur les liens de Tony avec les lobbies, un sujet dont Bill lui avait déjà parlé. Son mari avait eu l'impression que Tony courtisait certains lobbies, et il n'aimait pas ça. Mais personne n'avait plus besoin de le savoir désormais. Elle ne les trahirait ni l'un ni l'autre. En outre, elle savait que Tony préparait le terrain pour sa campagne présidentielle. Et quoi qu'il ait besoin de faire pour se lancer dans la bataille – et la remporter –, elle jugeait qu'il avait raison. Elle avait envie de le voir à la Maison-Blanche un jour. C'était le rêve de Tony, tout comme cela avait été celui de Bill. Et elle était sûre qu'il ferait un bon Président.

Elle pensait encore à lui quand elle contacta Darcy par Skype quelques minutes plus tard. Il était 6 heures du matin au Zimbabwe, et elle fut contente que sa fille réponde. Darcy adorait l'Afrique et cela faisait déjà un an qu'elle y vivait, depuis l'obtention de son diplôme. Elle avait l'air bronzée et en pleine forme quand elle apparut à l'écran. Sa longue tresse sombre lui retombait dans le dos, mettant en valeur ses yeux bleus. On eût dit sa mère en plus jeune. Josh était blond, et ressemblait davantage à son père.

Elles discutèrent un petit moment du travail de Darcy. Ils installaient des canalisations d'eau potable dans le village où elle avait été affectée, et cultivaient la terre à l'aide de machines agricoles obtenues grâce à des dons venus d'un peu partout dans le monde. Olympia était très fière de sa fille, ainsi que de Josh. Tous deux étaient bien résolus à améliorer le monde. Qui plus est, ni l'un ni l'autre ne s'intéressaient à la politique. Darcy avait déjà décidé de passer encore un an au Zimbabwe, et Olympia lui avait promis de venir la voir, même si elle ne savait pas quand. C'était un long voyage pour elle.

— Et toi, maman, que fais-tu en ce moment ? lui demanda Darcy, le visage calme et détendu.

— Je travaille toujours sur mon livre. Il n'avance pas vite. Comme je veux rendre justice à toutes les idées de ton père, il sera beaucoup plus long que le précédent.

— Ça ne te déprime pas trop ?

Darcy semblait inquiète. Mais Olympia lui expliqua que c'était le contraire. Elle était toujours heureuse quand elle écrivait sur lui. Personne ne venait la déranger, ni l'éloigner de son mari.

— Tu devrais sortir plus souvent, aller à des expos, faire du shopping. Et puis t'amuser un peu, voir des amis. Pourquoi est-ce que tu n'organises pas un petit dîner à la maison ?

Darcy venait d'énumérer tout ce que sa mère aimait faire autrefois et ne supportait plus.

— Tony vient dîner avec moi mardi, répondit Olympia pour l'apaiser.

— C'est gentil de sa part, maman, mais j'aimerais bien que tu aies d'autres projets.

Darcy le lui répétait depuis des années, et Josh était d'accord avec elle.

— J'écris mon livre, je vois souvent Tony, et j'ai Jennifer pour me tenir compagnie pendant la semaine. Que me faut-il de plus ? Si ce n'est vous voir de temps en temps, Josh et toi.

— Ce n'est pas du tout suffisant, maman. Tu as besoin d'avoir une vie à toi.

Darcy était contrariée. Elles avaient toujours la même conversation, et c'était en partie pour cela que ses deux enfants avaient quitté New York. Ils ne supportaient plus de voir leur mère cloîtrée ainsi, à vivre exclusivement dans le souvenir de leur père. Elle ne souhaitait qu'une chose : entretenir sa flamme.

— Il faut que tu sortes plus souvent, maman, ajouta Darcy d'une voix désespérée, tu es trop jeune pour renoncer à la vie. *Fais quelque chose.* Occupe-toi d'une œuvre de charité, fais du sport, adopte un chien. Pourquoi ne cesses-tu pas quelque temps d'écrire ce livre pour aller t'amuser un peu ? Quand est-ce que tu viens me voir ?

Elle savait que sa mère ne ferait jamais le voyage. Olympia ne profitait plus de l'existence, et ne le souhaitait plus.

— Je veux avancer un peu dans mon manuscrit avant d'aller en Afrique. Et avec ton médecin français, tout se passe bien ? demanda-t-elle.

Darcy répondit d'un air découragé :

— Oui. Mais je me fais vraiment du souci pour toi.

Elle savait que sa mère était déprimée et commençait à croire que cela ne changerait jamais. Elle avait compris des années plus tôt que Tony était amoureux d'Olympia. Mais celle-ci ne lui en avait jamais parlé, et Darcy ne comprenait pas pourquoi elle l'avait laissé filer et épouser une autre femme. Chaque fois que Darcy parlait à sa mère, elle avait l'impression de s'adresser à un fantôme. Olympia semblait heureuse de vivre dans sa grotte, cramponnée à ses souvenirs d'un homme disparu.

Darcy désespérait de trouver ce qui pourrait bien ramener sa mère dans le monde, et chaque fois qu'elle en parlait à son frère il disait ressentir la même impuissance. Olympia vivait de manière machinale, l'esprit ailleurs. Josh en pleurait parfois, quand il venait d'avoir une discussion avec elle. Quant à Darcy, elle tentait toujours de la secouer pour la tirer de sa torpeur, en vain. C'était tellement pénible de la voir dans cet état qu'ils n'avaient plus envie de lui rendre visite. Olympia faisait comme s'ils avaient une vie trop bien remplie pour venir la voir. Elle ne se rendait pas compte que le sombre regard qu'elle portait sur le monde les avait fait fuir. Elle avait non seulement perdu son mari, mais aussi ses enfants, ce qui ne faisait qu'aggraver sa solitude.

Elles discutèrent encore un peu par Skype, puis Darcy expliqua qu'elle devait la laisser. Elle avait du travail à finir dans le village, avant de partir en week-end avec Jean-Louis. Elle s'amusait bien en sa compagnie. Il avait dix ans de plus qu'elle. Elle lui avait parlé de sa mère et de la mort de son père, et il avait posé le même diagnostic : Olympia semblait extrêmement déprimée. Il trouvait que Darcy avait raison d'avoir pris ses distances, que c'était plus sain pour elle. Mais elle était peinée d'agir ainsi. Tout ce qu'elle voulait, c'était retrouver sa mère. Cela semblait peu probable désormais – et de moins en moins à mesure que le temps passait. Elle se demanda s'il n'était pas déjà trop tard. Peut-être qu'il ne lui restait plus qu'à se sauver elle-même. Parfois, elle avait l'impression que ses deux parents étaient décédés.

Après avoir raccroché, Olympia demeura assise à regarder par la fenêtre, en songeant à Darcy. Elle savait très bien ce que sa fille attendait d'elle ; mais Darcy était jeune, elle ignorait à quel point il était difficile de perdre l'amour de sa vie. Aux yeux d'Olympia, abandonner Bill était inimaginable, même à présent. Ses enfants avaient leur propre existence, leur propre chemin à suivre ; tout ce qu'il lui restait, à elle, c'était la mémoire de leur bonheur avant l'assassinat. Tony l'aidait à raviver ses souvenirs, quand il venait la voir. Il faisait partie de cette époque, et elle s'accrochait à lui comme à un radeau de sauvetage. Il était tout ce qu'il lui restait, en plus de ce livre qu'elle espérait ne jamais finir. Sa vie ne tenait plus qu'à un fil.

7

Ben et Alix se réjouissaient d'aller à Paris pour couvrir le scandale concernant le Président. Cela promettait d'être amusant : il n'y avait ni mort ni tragédie, et aucun risque de se faire tirer dessus. Certes, le Président s'était couvert de ridicule avec cette jeune strip-teaseuse, et les Français étaient furieux de son manque de retenue et de discernement ; mais c'était une jolie fille, aucun secret d'État n'avait été divulgué, et personne n'avait trop souffert dans l'histoire. Ce voyage ressemblait davantage à des vacances pour eux.

Ils devaient assister à une conférence de presse officielle où le chef de l'État allait tenter d'expliquer ce qui s'était passé – ce qui, aux yeux d'Alix, ne ferait qu'empirer les choses. Le bruit courait qu'il allait peut-être épouser sa maîtresse, ce qu'elle jugeait peu probable. Il se contenterait de raconter des âneries tant que le pays et la presse le couvriraient d'opprobre, puis les eaux de la disgrâce se retireraient, et il s'amuserait encore un peu avec elle avant d'en dénicher une autre, et de se comporter de manière plus discrète cette fois-ci, du moins fallait-il l'espérer. Tôt ou tard, la vie reprendrait son cours. La strip-teaseuse ne serait plus qu'un lointain souvenir, jusqu'à ce qu'il dérape à nouveau, comme d'habitude. Les hommes de pouvoir semblaient avoir un penchant pour ce genre d'aventures. Quant aux femmes, elles les trouvaient irrésistibles, aussi peu séduisants soient-ils. L'histoire était vieille comme le monde, et Alix avait eu du mal à prendre tout cela au sérieux. Ça allait être du gâteau. Ben avait hâte d'être en France lui aussi. Il lui avoua que Paris était sa ville préférée, et qu'il allait s'accorder une petite virée en voiture après l'avoir déposée chez sa mère en Provence.

Ils se présentèrent à l'hôtel choisi par la chaîne, puis dînèrent dans un bistrot du voisinage en partageant une bouteille de vin. Les origines françaises d'Alix se reflétaient dans ses choix culinaires quand elle revenait dans l'Hexagone. Elle adorait les rognons, la cervelle, le boudin, les pieds de cochon – et tous les plats qui faisaient grimacer Ben quand elle lui en donnait la description.

Il commanda un steak-frites et se sentit très audacieux de prendre des moules en entrée, tandis qu'elle se décidait pour les rognons sauce moutarde, l'air ravi. Le vin était bon, et ils n'avaient rien à faire jusqu'à la conférence de presse du lendemain à l'Élysée. Le Président allait tenter de justifier ses agissements, et admettre qu'il avait eu un enfant un an plus tôt avec une strip-teaseuse qu'on avait vue nue sur une double page détachable d'un magazine, et dont la vidéo porno était accessible pour le monde entier sur Internet. Les journalistes français affirmaient que cela ne ferait qu'aider la carrière de la jeune femme, qui pour l'instant se résumait à peu de chose. Les autres enfants du Président, plus âgés que sa maîtresse, avaient publiquement condamné leur père eux aussi. Il avait toujours refusé d'épouser leur mère, et ils étaient fous de rage à l'idée qu'il convole en justes noces avec sa strip-teaseuse. Toute cette histoire fit beaucoup rire Ben et Alix quand ils rentrèrent à l'hôtel.

Ben était tolérant de caractère.

— Au moins, il s'amuse, et il ne fait de mal à personne. Je ne sais pas pourquoi, mais les Américains veulent toujours que leur personnel politique soit vierge ou célibataire, et ils sont choqués de découvrir que ce sont tout simplement des humains. Les Européens se montrent plus réalistes envers les caprices de leurs élus. Les hommes politiques américains sont contraints de démissionner, et leur femme les quitte. Les accusés vont pleurer à la télévision et se confondent en excuses. Ici, les gens sont simplement agacés qu'il s'agisse d'une strip-teaseuse et star du porno. Ils trouvent qu'il aurait dû choisir quelqu'un de plus classe, ce qui est probablement vrai. Mais la semaine prochaine, tout le monde aura tourné la page et se fichera complètement de cette histoire. Imagine la même chose aux États-Unis. Le Président démissionnerait aussi sec. Alors que le chef de l'État français sera probablement au lit avec elle ce soir, et la retrouvera pour un petit cinq à sept demain après-midi.

Son analyse de la situation mit Alix en joie. Il n'avait pas tort, et en l'écoutant elle se sentait française à nouveau – enfin, au moins en partie. Quand elle le lui avoua, il lui rappela que les Britanniques pouvaient être assez licencieux eux aussi et avaient leur dose de scandales.

— Pourquoi tu restes aux États-Unis au lieu de revenir vivre en Europe ? lui demanda-t-il.

Alix avait grandi en Europe, elle parlait parfaitement le français, et sa mère vivait en Provence. Elle aurait pu sans difficulté s'installer en Angleterre ou en France. Elle-même se posait parfois la question et se demandait pourquoi elle ne l'avait pas déjà fait.

— Je suis allée à la fac aux États-Unis, c'est là-bas que j'ai eu un bébé, et j'ai trouvé un bon boulot dès la fin de mes études, ce qui n'aurait pas été aussi facile ici. Et puis, j'ai réussi à faire carrière en Amérique, ce qui n'aurait pas été le cas, du moins pas aussi vite, en Grande-Bretagne ou en France. En Europe, il faut montrer longtemps patte blanche avant d'être pris au sérieux. Ce qui est génial aux États-Unis, c'est qu'on laisse les jeunes tenter leur chance. J'ai fini par obtenir la carte verte quand j'ai épousé le père de Faye – j'avais l'impression d'avoir un vrai trésor entre les mains. Et n'oublie pas que ma fille est américaine. J'avais de bonnes raisons de rester. Alors j'ai fait carrière en Amérique, et j'ai trouvé ça très excitant. En plus, à ce moment-là, ma mère voulait retrouver ses racines, or je ne voulais pas vivre seule à Paris, ni m'installer en Provence avec elle.

— Alors tu as préféré vivre seule à New York. Je crois que j'aurais choisi Paris. J'ai toujours aimé cet endroit. Pour moi, c'est la plus belle ville du monde.

Il regardait autour de lui d'un air ravi.

— À mes yeux aussi, reconnut-elle.

Il était 22 heures, c'était la fin du mois de mai et la nuit n'était pas encore tombée. Le ciel s'emplissait peu à peu d'étoiles, les ponts enjambant la Seine étaient illuminés, et la tour Eiffel brillait de mille feux toutes les heures. On aurait dit un décor de cinéma, et Alix, comme toujours, sentit son cœur se gonfler de joie à l'idée de se trouver dans la capitale française.

— Faye souhaite venir habiter ici un jour mais, si elle s'inscrit dans une école de droit aux États-Unis, il y a peu de chances que ça arrive. C'est difficile de décider de l'endroit où l'on veut être et vivre, quand on a le choix entre plusieurs nationalités. Je me suis toujours sentie déchirée entre mon père britannique et ma mère française. Peut-être que je serais restée à Londres si mon père n'était pas mort quand j'étais petite. J'aime bien, aussi.

— Londres est une ville géniale, mais Paris c'est spécial, répondit-il, complètement sous le charme.

Ce séjour leur permettait d'oublier la réalité de leur travail et la menace de mort qu'Alix avait reçue. Elle aurait de nouveau à y faire face une fois de retour aux États-Unis, mais par cette chaude nuit de printemps, alors qu'ils rentraient tranquillement à l'hôtel, le monde était beau et le spectacle enchanteur, où qu'ils posent les yeux.

Ils logeaient dans un petit établissement pour hommes d'affaires, et leurs chambres étaient correctes. Ils se souhaitèrent bonne nuit dans le couloir et convinrent de se retrouver pour le petit déjeuner dans le hall le lendemain. Alix s'allongea sur son lit en songeant aux endroits qu'ils avaient parcourus et à tout ce qu'ils avaient vécu au cours des semaines précédentes. Elle se demanda quand l'affaire du vice-président allait éclater – à savoir quand la CIA leur donnerait le feu vert, après avoir mené sa propre enquête. Elle était contente de passer un petit moment au calme en France avant de devoir divulguer toute l'histoire. Ce serait un sacré scoop quand elle révélerait les malversations du vice-président. Elle s'endormit en y pensant et se réveilla le lendemain avant que l'alarme sonne. Elle était dans le hall en train de lire *Le Figaro* et de boire un café au lait quand Ben gagna le rez-de-chaussée et s'offrit deux pains au chocolat et une brioche, qui venaient d'une boulangerie voisine.

Ils prirent un taxi jusqu'au palais de l'Élysée, dans la rue du Faubourg-Saint-Honoré, et rejoignirent la longue file de journalistes accrédités pour la conférence de presse. Un silence respectueux se fit quand le Président entra dans la pièce et prit la parole. Son allocution fut brève : il évoqua sa dernière imprudence, sans toutefois s'en excuser, et assura à la presse française et internationale qu'il éprouvait le plus grand respect pour la fonction présidentielle. À aucun moment il ne promit – contrairement à ce qu'aurait fait un Américain à sa place – de ne pas recommencer. De toute façon il recommencerait, dès qu'une jeune femme au charme irrésistible croiserait son chemin. Cela ressemblait plus à une démarche obligatoire qu'à une confession sincère. Il répondit aux questions de deux ou trois journalistes triés sur le volet et ignora les autres. Alix était presque sûre que cela avait été déterminé par avance. Puis il les remercia d'être venus et descendit de l'estrade. Tout le monde se dirigea à contrecœur vers la sortie, en se plaignant de l'inutilité de ce discours et en lançant quelques plaisanteries. L'un des journalistes cria à la cantonade : « À la prochaine ! », ce qui déclencha des rires. C'était une simple formalité, et personne ne se souciait vraiment de savoir avec qui le Président couchait. Si la vidéo porno n'avait pas été diffusée, sa liaison aurait probablement été passée sous silence. Heureusement qu'on ne le voyait pas sur cette vidéo. La jeune femme était censée l'avoir tournée cinq ans plus tôt, quand elle était encore ado.

— Eh bien voilà, c'est réglé ! s'exclama Alix d'un ton désinvolte.

Ils se trouvaient dans la rue commerçante la plus élégante de Paris, à l'exception de l'avenue Montaigne. Elle souhaitait acheter deux ou trois cadeaux pour Faye, mais pas dans ce quartier. Ils marchèrent un moment, et elle lui proposa de déjeuner dans un bistrot de la rive gauche – où elle dévora un autre étonnant assortiment de plats que Ben refusa catégoriquement de goûter. Du boudin, entre autres. Pis encore, des tripes.

— Rappelle-moi de ne jamais te demander de me préparer un dîner à la française, déclara-t-il, solennel.

Elle éclata de rire. Elle lui avait suggéré un hachis Parmentier, précisant qu'il s'agissait de canard et de purée de pommes de terre, et il adorait ça. Tous les autres plats du menu qu'elle avait traduits, par contre, éveillèrent des craintes chez lui. Pour le soir, ils avaient réservé dans un restaurant de poisson de l'avenue

George-V dont elle lui avait dit des merveilles. Une atmosphère de vacances planait déjà dans l'air, et ils partaient pour la Provence le lendemain. C'étaient les premiers jours de congé qu'elle prenait depuis des mois – tout comme Ben, puisqu'on les envoyait toujours en mission ensemble, et qu'ils étaient unis comme les deux doigts de la main.

Ils avaient envoyé leur reportage sur la conférence de presse présidentielle, et Félix leur avait répondu avec humour par mail avant de leur souhaiter de bonnes vacances. Il n'avait reçu aucune nouvelle de Tony Clark, ni de la CIA. Alix fut soulagée. Elle n'avait aucune envie de penser à tout cela pendant quelques jours, et voulait profiter de son temps libre sans être interrompue par des coups de fil affolés de Félix. Elle priait pour qu'aucune crise ne se produise en Europe au cours des jours suivants. Elle avait vraiment hâte d'aller retrouver sa mère en Provence et de lui présenter le coéquipier dont elle lui parlait tant depuis quatre ans. Ils ne s'étaient jamais rencontrés, et Ben n'apparaissait jamais à l'écran, puisque c'était lui qui tenait la caméra. Mais sa mère savait qu'Alix appréciait de travailler avec lui, et que c'était un ancien militaire. Isabelle était rassurée par la présence de Ben auprès d'elle lorsqu'ils étaient envoyés dans des zones de guerre. Au moins, il était capable de la protéger.

Ils se promenèrent dans Paris tout l'après-midi, pour le plus grand plaisir de Ben, et contemplèrent le Louvre depuis un banc des Tuileries. Leur dîner fut excellent ce soir-là, concluant une journée parfaite. En roulant vers le Sud, ils parlèrent de leur enfance, ce qu'ils avaient rarement fait jusqu'alors. Celle de Ben, dans le Michigan, avait été 100 % américaine et assez banale. Celle d'Alix, à Londres, semblait plus intéressante aux yeux de Ben, mais elle lui expliqua qu'il se trompait. Pour elle, c'était partout pareil d'être un enfant. Il n'était pas du même avis.

— Pas quand on mange de la cervelle et du boudin au lieu de Big Mac, dit-il en grimaçant.

Elle lui jeta un regard moqueur.

— À part ça, c'est la même chose, insista-t-elle. Sauf que je n'avais pas de père, parce qu'il était aussi fou que nous le sommes, et qu'il s'est fait déchiqueter par une bombe de l'IRA en Irlande du Nord.

Ben était perplexe.

— Pourquoi as-tu choisi ce métier, dans ce cas ? Ça ne t'a pas servi de leçon ?

— Je voulais être comme lui. Intelligente et courageuse, à faire des reportages dans des endroits effrayants. Pour moi, c'était ça, vivre en héros, surtout quand on est une femme. Je ne me voyais pas écrivain, ni poète, ni enseignante ou secrétaire. Tout ça avait l'air terriblement ennuyeux. Et puis j'avais envie de voir le monde, tout comme lui.

— Qu'en a dit ta mère ?

Il supposait qu'elle avait protesté, mais il fut surpris de voir Alix hausser les épaules, de manière très française. Elle semblait davantage française ici qu'aux États-Unis.

— Ma mère m'a simplement dit de faire ce que je voulais. Elle trouve que travailler est beaucoup plus amusant quand on aime ce qu'on fait, et elle a bien raison. Elle-même était modéliste dans une maison de haute couture française avant d'épouser mon père, et cela ne lui plaisait pas, c'était un travail très difficile. Elle m'a quand même fabriqué de beaux habits quand j'étais petite, ainsi que pour Faye. J'étais l'enfant la mieux habillée de toute l'école. Puis on a déménagé, et je suis allée dans un établissement scolaire où il fallait porter l'uniforme. J'ai détesté ça. Ça ne l'a pas empêchée de créer toutes mes robes de soirée, et mes plus beaux vêtements avant que je parte à la fac. Elle travaillait pour Saint Laurent, précisa-t-elle avec fierté.

Il semblait impressionné.

Ils s'arrêtèrent pour déjeuner dans un restaurant de bord de route, et atteignirent la Provence en fin d'après-midi. Elle lui fit suivre une longue route de campagne à l'extérieur de la ville, jusqu'à tourner dans un virage et s'arrêter dans l'allée d'une jolie demeure repeinte de frais en jaune avec des volets blancs, dont le jardin était empli de couleurs vives. Sa mère, entendant le moteur, gagna la véranda en souriant et les salua de la main. Ses cheveux gris étaient rassemblés en queue-de-cheval, mais à part ça elle ressemblait beaucoup à Alix. Vêtue d'un jean, d'un pull rose vif et de ballerines, elle portait bien son âge et avait encore une belle silhouette. Alix avait expliqué à Ben qu'elle se déplaçait partout à vélo et ne se servait presque jamais de sa voiture, sauf par mauvais temps.

Dès qu'Alix descendit du véhicule de location, mère et fille se jetèrent dans les bras l'une de l'autre. Isabelle contempla Alix, le visage radieux, puis sourit à Ben. Lui tendant la main, elle se présenta et l'invita à entrer. Elle parlait couramment l'anglais, avec un accent britannique car elle avait longtemps vécu à Londres et été mariée à un Anglais. Ben emboîta le pas aux deux femmes qui se dirigèrent vers un salon douillet, orné de beaux meubles rustiques anciens et d'une imposante cheminée, derrière lequel se trouvait une vaste cuisine campagnarde. Ils y prirent place et Isabelle prépara du thé. Elle mit tout de suite Ben à l'aise, et leur annonça qu'elle leur avait préparé une sorte de ragoût français aux haricots nommé cassoulet.

— Ne t'inquiète pas, il n'y a rien d'effrayant là-dedans, le rassura Alix.

Il lui lança un regard plein de gêne.

Il était prévu qu'il passe la nuit à la maison – Isabelle jugeait que c'était le moins qu'elle pouvait faire pour lui –, et qu'il parte le lendemain.

Quand ils eurent fini leur thé, Ben alla faire un tour dans le jardin et se promener dans les alentours. Isabelle lui montra le carré d'herbes aromatiques qui faisait sa fierté et une grande cage derrière la maison, où elle élevait des poules qui, disait-elle, lui donnaient des œufs tous les jours.

— Ma grand-mère avait des poules quand j'étais petit, répondit-il d'un ton amusé, se sentant comme un enfant dans ce jardin.

Alix l'emmena en ville pour lui faire visiter les environs avant la fermeture des magasins à 19 heures, puis ils revinrent à la maison pour dîner. Il avait acheté en ville une excellente bouteille de vin, ce qui enchanta Isabelle. Ben lui plaisait bien. Ils prirent place à table et discutèrent jusqu'à minuit. Alix fut surprise de découvrir que Ben connaissait très bien l'art français et italien, ce qui impressionna Isabelle également. Elle lui dit qu'elle le trouvait fort sympathique quand ils rangèrent la cuisine après le repas. Puis il alla flâner dans l'air chaud de la nuit, Isabelle refusant qu'il l'aide à faire la vaisselle.

Ils montèrent tous se coucher quand il revint de sa balade. La demeure disposait de quatre chambres confortables, dont l'une transformée en atelier de couture. Isabelle fabriquait de magnifiques draps brodés dont elle faisait cadeau, « pour ne pas perdre la main, c'est tout », disait-elle. Elle en envoyait des cartons entiers à Alix et à Faye.

Isabelle était déjà dans la cuisine quand Alix gagna le rez-de-chaussée le lendemain matin. Ben apparut quelques minutes plus tard, douché et rasé de frais, en jean et chemise blanche. Pour le petit déjeuner, ils eurent droit à des croissants chauds accompagnés de confiture maison. Isabelle adorait s'occuper des tâches domestiques. Elle invitait régulièrement des amis à dîner, elle était heureuse. Et il y avait cet homme qu'elle voyait souvent, Gabriel, un médecin du coin qu'elle connaissait depuis des années. Il était veuf depuis longtemps lui aussi, et un peu plus âgé qu'elle. Alix l'avait déjà rencontré et l'aimait bien. Elle était contente de savoir que sa mère n'était pas seule, qu'elle avait des amis et un homme dans sa vie. Gabriel et elle avaient déjà envisagé de vivre sous le même toit et finalement décidé que non ; mais ils passaient souvent leurs week-ends ensemble. Il possédait un voilier sur la côte, à une heure ou deux de là.

Isabelle embrassa chaleureusement Ben sur les deux joues quand il partit, et lui dit de téléphoner au moindre problème. Il devait revenir trois jours plus tard, après avoir exploré la région. Il espérait descendre sur la côte jusqu'à Nice, et s'arrêter en chemin dans plusieurs châteaux dont lui avait parlé Alix. Il avait hâte de se lancer à l'aventure, tout comme elle était impatiente de passer quelques jours avec sa mère. Cela faisait un an qu'ils n'avaient pas eu autant de temps libre.

— C'est un type bien, dit sa mère tandis que la voiture s'éloignait, avant de poser sur elle un long regard inquisiteur. Rien de romantique entre vous ?

Alix fit non de la tête. Elle appréciait Ben, mais elle ne voulait pas de liaison avec lui. Ils n'avaient pas le temps pour ça. Et ça gâcherait tout entre eux.

— Je l'aime beaucoup, et on fait du beau boulot ensemble. Pourquoi détruire notre relation ? répondit-elle d'un ton détaché.

— Il a déjà été marié ?

Isabelle était curieuse d'en savoir plus à son sujet.

— Oui, il est divorcé. Et il n'a pas d'enfants. Un job comme le nôtre, après une carrière dans la marine militaire, ça ne laisse guère le temps de flirter.

Ce n'était pas la première fois qu'Isabelle entendait ça. Elle savait qu'Alix n'avait aucune confiance dans les hommes de son entourage depuis la mort de son père puis celle de son mari, à peine trois mois après leurs noces. Elle se méfiait des liens durables et avait choisi un métier qui ne lui permettait pas de s'attacher. Isabelle craignait qu'elle ne le regrette un jour, et soupçonnait Alix de se servir de son travail pour combler le vide de son existence, maintenant que Faye était partie.

— En tout cas, moi je l'aime bien, et il est très séduisant. C'est quand même dommage d'avoir un bel homme comme ça sous la main et de ne rien en faire, ajouta-t-elle d'un air espiègle.

— Si ça ne marchait pas entre nous, ça deviendrait très compliqué au boulot. C'est mieux comme ça, pour tous les deux. D'ailleurs, lui non plus ne s'intéresse pas à moi, ajouta Alix d'un ton assuré.

— On a l'impression que vous, les jeunes d'aujourd'hui, vous ne voulez pas de relations. Les gens ne se marient plus, notamment quand ils ont des enfants. C'est un peu le monde à l'envers, non ? Et on doit se sentir bien seul.

— C'est vrai, cela arrive, concéda Alix, souriant de se voir qualifiée de « jeune ».

Elle avait trente-neuf ans, et Ben trois de plus qu'elle. Ils n'étaient plus des gamins, et pour tous les deux les dés étaient jetés. Elle ne se voyait pas se remarier et lui non plus, à en croire ce qu'il lui avait raconté. Il disait toujours que son mariage s'était mal terminé. Quant à celui d'Alix, il avait à peine existé, juste le temps de légitimer la naissance de Faye. Dix-neuf ans après sa mort, elle se souvenait à peine de son époux.

— Peut-être que ma génération n'a pas la même foi dans le mariage que la tienne. On en a trop vu mal finir, dans la génération de nos parents comme dans la nôtre.

— Mon mariage avec ton père s'est très bien passé, répliqua Isabelle d'une voix ferme.

C'était ce qu'elle avait toujours raconté à Alix, mais elle n'avait jamais récidivé, elle non plus, et ne semblait guère en ressentir le besoin.

Elles déjeunèrent dans le jardin, de pain avec du fromage et du saucisson de la région, accompagnés d'une bouteille de vin, puis elles se rendirent en ville à vélo. Alix jeta un coup d'œil à sa mère et sourit. Elle aimait être avec elle. Cela lui faisait mesurer à quel point elle s'amusait rarement désormais, à toujours avoir le nez dans son travail. C'était la différence avec la France. La qualité de vie comptait beaucoup ici, alors qu'aux États-Unis tout tournait autour du travail et de la carrière. Les deux avaient leurs avantages, mais c'était tellement agréable d'être en Provence et de profiter de ces moments de complicité avec sa mère.

Le soir venu, elles papotèrent, lurent, et sa mère s'occupa de ses broderies. Ses amis passèrent saluer Alix et lui apporter de petits cadeaux – des objets qu'ils avaient fabriqués eux-mêmes, ou bien le fruit de leurs récoltes. Gabriel, l'ami de sa mère, vint les voir et les invita à dîner dans un excellent établissement. Alix eut l'impression que le film de sa vie avait défilé en accéléré quand elle vit la voiture de Ben remonter l'allée jusqu'à la maison, pour leur dernier soir en Provence. Bronzé et détendu, il leur raconta qu'il avait adoré découvrir les restaurants de la région et visiter ses églises et ses châteaux. Isabelle prépara un festin en leur honneur ce soir-là, et invita Gabriel à se joindre à eux. Alix était contente de voir qu'ils s'entendaient bien et riaient beaucoup ensemble. Ils étaient tous deux faciles à vivre et pleins d'esprit. Gabriel avait un grand sens de l'humour et leur raconta des histoires désopilantes. À l'âge de soixante-quatre ans, il pratiquait encore la médecine, et Isabelle expliqua que c'était un excellent médecin. La soirée se déroula à la perfection ; et quand Gabriel partit et que Ben alla se coucher, Alix avoua à sa mère à quel point elle avait apprécié de passer du temps avec elle.

— Tu devrais essayer de venir plus souvent. Cette maison sera toujours la tienne, répondit-elle tendrement en prenant sa fille dans ses bras.

Elles montèrent l'escalier bras dessus bras dessous, et Alix l'embrassa devant sa chambre. Elle savait qu'elle se souviendrait longtemps de cette visite. Isabelle ne parlait plus de Ben comme d'une possible idylle pour elle, puisqu'elle disait ne pas en vouloir. Mais Alix voyait bien que sa mère appréciait son coéquipier, et pourquoi. C'était un homme qui avait du cœur, et en dehors du travail il était drôle et facile à vivre lui aussi. Isabelle était surprise qu'il n'ait pas eu d'enfants. Alix lui avait répondu que certaines personnes n'en voulaient pas, et que dans ce cas c'était tout aussi bien comme ça. En outre, son mariage s'était mal fini, cela valait donc mieux. De cette façon, il n'était pas obligé de revoir son ex-femme, et de se chamailler avec elle tandis qu'un enfant grandissait entre deux parents qui se détestaient. Tout le monde n'était pas fait pour élever des enfants.

Cela l'attrista de faire ses adieux à sa mère le lendemain, après qu'ils eurent pris le petit déjeuner dans la cuisine. Ben descendit leurs bagages et les rangea dans la voiture, puis il revint remercier Isabelle pour son hospitalité. Elle le serra chaleureusement dans ses bras et l'embrassa sur les deux joues.

— Je compte sur vous pour la protéger, dit-elle en lançant un petit coup d'œil à Alix.

— Ne vous inquiétez pas pour ça.

Puis il alla attendre dans la voiture, pour permettre à Alix de dire au revoir à sa mère tranquillement.

Comme toujours, ce fut difficile pour Alix. Isabelle avait soixante-deux ans, elle commençait à entrer dans l'âge qui méritait qu'Alix prenne davantage soin d'elle.

— J'essaierai de revenir bientôt, promit-elle.

Elles savaient toutes deux que rien n'était moins sûr, étant donné les contraintes de son métier.

— Je serai là pour t'accueillir, dès que tu voudras rentrer à la maison. Et Faye m'a promis de venir cet été. Elle peut rester aussi longtemps qu'elle le souhaite.

Isabelle tint Alix un long moment dans ses bras, tandis que les larmes coulaient sur leurs joues.

— Je t'aime, maman, murmura Alix.

Sa mère hocha la tête, incapable de dire un mot, puis sourit à travers ses pleurs et contempla sa fille avec fierté.

— Je t'aime aussi, sois prudente, chuchota-t-elle tandis qu'Alix l'embrassait encore une fois, puis s'arrachait à son étreinte et courait vers la voiture.

Elle agita la main tandis qu'ils s'éloignaient, jusqu'à ce que la maison disparaisse de sa vue. Son visage ruisselait encore de larmes quand ils s'engagèrent sur la route. Ben lui tapota doucement la main.

— C'est une femme formidable, murmura-t-il.

Il était heureux d'avoir rencontré Isabelle. Cela lui avait permis de mieux connaître Alix. Ils faisaient peut-être un métier complètement dingue, mais elle avait les nerfs solides et elle était bien entourée. Sa mère l'aimait, la connaissait sur le bout des ongles, l'acceptait et la laissait être elle-même. C'était merveilleux pour un enfant de grandir dans pareil contexte, et il aurait aimé avoir eu une mère comme ça. Alix avait de la chance, et il espérait revoir Isabelle un jour.

— Merci de me l'avoir présentée et de m'avoir accueilli dans ta famille. Je ne voulais pas te déranger pendant que tu passais un peu de temps avec elle.

— Tu lui as bien plu, répondit Alix en séchant ses joues avec un mouchoir délicatement brodé que sa mère lui avait offert, finement orné de muguet et de ses initiales au fil d'argent.

Ses travaux de couture étaient plus beaux que jamais.

— Elle ne comprend pas pourquoi on n'est pas ensemble, ajouta-t-elle.

Il ne lui avoua pas que lui aussi, parfois, se posait la question. Mais c'était plus simple comme ça et, tout comme Alix, il ne voulait pas gâcher leur relation.

— C'est très français, comme remarque, répliqua-t-il en lui décochant un sourire. J'aime bien son ami Gabriel. Ils forment un joli couple.

Alix, qui était du même avis, acquiesça de la tête.

— Les Français ne sont jamais trop vieux pour l'amour. Il y a un dicton ici qui dit : *L'amour n'a pas d'âge*. Ils ont peut-être raison. Je crois que je vais le garder dans un coin de ma tête pour quand je serai vieille. J'ai trop de choses à faire pour l'instant.

Alix avait raison, mais il trouvait dommage qu'elle voie les choses ainsi. Elle avait beaucoup à offrir à un homme, si elle le souhaitait, et elle méritait de s'épanouir. Lui aussi, d'ailleurs. Même s'ils n'avaient tout simplement pas le temps de se consacrer pleinement à quelqu'un d'autre.

— Tu seras aussi belle qu'elle à son âge. On aurait dit deux sœurs.

— C'est gentil, dit-elle en souriant.

Tout lui semblait plus chaleureux en France. Elle songea qu'elle aurait peut-être envie de revenir y vivre un jour – au moment de la retraite, qui sait. Mais c'était encore à des années-lumière.

Ils roulèrent en silence un moment et, quand ils arrivèrent à Paris, elle fut triste de voir s'achever ces courtes vacances. Tout s'était passé exactement comme elle l'avait espéré, et elle était contente que Ben ait été là et qu'il ait pu rencontrer sa mère. Désormais, ils étaient de vrais amis, pas seulement des collaborateurs.

8

Quand Tony alla dîner chez Olympia le mardi soir, ils furent servis par la gouvernante de celle-ci, tandis que les gardes chargés de la protection du vice-président mangeaient dans la cuisine. Olympia avait choisi une salade de crabe, parce qu'elle savait qu'il adorait ça, suivie d'un steak pour lui seul, et ils arrosèrent le tout au champagne. C'était toujours un peu la fête pour elle quand il lui rendait visite, et elle s'efforçait de lui offrir ses mets de prédilection. Megan avait envie de sortir tous les soirs et détestait rester à la maison avec lui – il s'en plaignait souvent. C'était le problème d'être marié à une fille aussi jeune. Même l'arrivée des bébés n'avait pas calmé son rythme de vie trépidant. Olympia tentait donc d'offrir à Tony un havre de paix et un moment d'intimité quand il venait à New York. De son côté, il essayait de lui faire sentir qu'elle était choyée et protégée, tout comme l'avait fait Bill. Et même si les deux hommes étaient très différents.

Bill l'avait toujours encouragée à surmonter sa timidité naturelle et à s'engager dans le monde. Tony, à l'inverse, lui enjoignait de rester chez elle, loin des regards, loin des yeux indiscrets, et lui expliquait qu'après le traumatisme qu'elle avait vécu, en voyant Bill s'effondrer à son côté, il comprendrait qu'elle ne veuille plus jamais quitter la maison. Cela autorisait Olympia à vivre en recluse – et il le lui avait tellement répété qu'elle ne sortait presque plus. Elle était plus à l'aise chez elle de toute façon, entourée d'objets familiers. En outre, elle ne supportait pas la curiosité des étrangers, les murmures de compassion quand on la reconnaissait dans la rue. Elle ne quittait donc plus son foyer, même en compagnie de Tony. Cela faisait un an qu'elle n'avait pas vu son frère et sa famille. Celui-ci vivait dans le Connecticut et s'avérait trop occupé pour lui rendre visite ; et comme ils n'avaient jamais été proches, elle ne se donnait pas la peine d'aller chez eux.

Elle ne voyait donc jamais personne, à l'exception de Tony quand il était à New York et qu'il venait dîner chez elle, puis l'emmenait près du feu pour lui raconter sa journée et la questionner sur son prochain livre. Il pénétrait dans son monde comme s'il s'agissait d'un jardin secret, où elle demeurait cachée. C'était précisément ce qui inquiétait ses enfants, ainsi que son frère, même s'il ne venait jamais. Darcy et Josh avaient l'impression que leur mère avait été enlevée par des extraterrestres, et ils ne se rendaient absolument pas compte que Tony la persuadait de vivre cloîtrée et la voulait pour lui seul. Même son assistante, Jennifer, se faisait du souci pour Olympia. Depuis que celle-ci avait commencé la rédaction de son second manuscrit, elle ne quittait même plus le domicile pour se promener un peu et prendre l'air. Elle restait assise dans son bureau, entourée de photos et de souvenirs de Bill, complètement immergée dans un monde désormais disparu.

Ce soir-là, ils eurent droit à un soufflé au Grand Marnier pour le dessert – un autre des plats préférés de Tony. Les soirées qu'il passait avec Olympia se déroulaient pour lui comme dans un rêve. Il continuait à lui dire qu'il l'aimait et n'accepterait jamais qu'elle recommence à souffrir, comme s'il pouvait la protéger de la vraie vie. Mais elle n'avait plus de vie, sauf quand elle le voyait. S'il ne pouvait obtenir cette femme, il refusait de la laisser à quelqu'un d'autre, pas même à ses enfants. Et quand les proches d'Olympia l'encourageaient à sortir de sa coquille, il lui répétait qu'elle était encore trop fragile, que ce serait trop dur pour elle. Et elle le croyait.

Jennifer trouvait qu'il y avait quelque chose de sinistre dans la façon dont il l'incitait à vivre retirée du monde, mais elle savait à quel point Olympia lui faisait confiance et le respectait, et elle n'avait pas le courage de s'opposer à ce qu'il disait. Selon elle, cependant, il n'y avait rien de pire pour Olympia que de rester enfermée telle une invalide. Pour son bien, il fallait qu'elle retourne dans le monde, comme Darcy le lui répétait. Mais la voix de Tony était plus forte, plus proche, plus présente que celle de ses enfants, qui vivaient au loin et la voyaient moins souvent que lui. Olympia croyait chaque mot qui sortait de sa bouche, et l'acceptait comme parole d'évangile.

— J'essaierai de revenir, peut-être samedi, lui promit-il en partant. Megan participe à un tournoi de tennis, puis elle dîne avec quelques amies. Ça lui sera parfaitement égal que je vienne te voir. Je te dirai à quelle heure.

Non pas que cela eût tant d'importance : elle n'avait pas prévu de sortir de toute façon. Tout ce qu'elle aurait à faire serait de demander à la cuisinière de leur préparer à dîner, et de choisir le menu. Il l'embrassa doucement sur le front, la prit dans ses bras et la serra contre lui avant de s'en aller. C'était pour ces moments-là qu'elle vivait désormais, qui lui prouvaient que quelqu'un se souciait d'elle. Elle était comme plongée dans un éternel hiver, privée de tout contact humain, voire de toute parole, sauf avec lui au téléphone, ou avec Jennifer. Cela rendait Tony encore plus important à ses yeux, et elle se retrouvait encore plus dépendante de lui. Quant à ses enfants, ils continuaient à estimer que la présence de Tony était une bénédiction pour leur mère, et qu'il était son seul sauveur et ami.

Darcy disait souvent à Josh qu'elle ne savait pas ce qu'ils feraient sans lui, puisque Olympia refusait de voir ses vieux amis. S'ils avaient été plus âgés, et plus proches de New York, Jennifer aurait abordé le problème avec eux ; mais elle ne les jugeait pas assez mûrs pour comprendre que leur mère était méthodiquement maintenue à l'écart et surveillée, et que cela la détruisait. Plus le temps passait, plus Olympia se coupait du monde. Et les mots dont se servait Tony pour la définir – « fragile », « vulnérable », « traumatisée » – ne faisaient que renforcer la mauvaise image qu'elle avait d'elle-même. L'assistante d'Olympia avait envie de hurler quand elle l'entendait reprendre ces termes pour se désigner. Elle ne savait pas exactement à quoi Tony jouait, ni ce qu'il cherchait à obtenir, mais dans tous les cas c'était dangereux pour Olympia. Cela lui rappelait *Hantise*, le vieux film avec Ingrid Bergman, dans lequel son mari parvenait à la convaincre qu'elle était folle. Dans ce cas précis, Tony avait réussi à persuader Olympia qu'elle était trop ébranlée par la mort atroce de son mari pour recommencer à affronter le monde. Elle croyait tout ce qu'il lui disait, et il n'y avait personne pour le contrer. Jennifer n'osait rien dire. Elle savait que sa patronne ne l'aurait pas toléré.

Quand il quitta la maison ce soir-là, Olympia regagna son bureau pour travailler à son livre. Elle restait souvent assise là, à se souvenir de Bill et regarder de vieilles photos jusqu'à 3 ou 4 heures du matin, puis elle allait se coucher et ne se levait pas avant midi. Jennifer se sentait impuissante à l'aider ou la faire changer d'avis. C'était Tony qui gouvernait discrètement sa vie désormais. Elle ne l'avait peut-être pas épousé, mais elle lui appartenait complètement. Si elle avait perdu Bill de manière tragique, elle s'était aussi perdue elle-même, et ne s'en rendait même pas compte.

Le jour même où Ben et Alix rentrèrent de Paris après leurs brèves vacances, une autre lettre de menace arriva à la chaîne. Félix appela la CIA pour l'en informer. Le courrier, semblable au premier, quoique légèrement plus violent, reprochait à Alix de continuer à enquêter sur les lobbyistes. En vérité, c'était la CIA qui avait fait quelques recherches pour remonter la piste fournie par Félix, mais quelqu'un attribuait cette investigation à Alix. L'officier du service des opérations clandestines demanda à parler à la journaliste. Félix lui expliqua qu'elle ne serait pas de retour avant le lendemain, et qu'elle avait passé la semaine à l'étranger. Ils l'avisèrent qu'elle devait quitter son appartement et qu'elle aurait besoin de gardes du corps. Félix envoya à Alix et Ben un SMS qu'ils découvrirent après l'atterrissage. Il exhortait Alix à rester avec Ben ou n'importe qui d'autre jusqu'à nouvel ordre. Il ajouta que les agents de la CIA reviendraient la voir le lendemain au bureau. Et que le FBI avait été sommé de lui fournir une protection, qui commencerait dès le lendemain également.

— Bienvenue à la maison, marmonna-t-elle en fronçant les sourcils à la lecture du message.

Ils n'avaient même pas encore récupéré leurs bagages qu'elle avait déjà droit à une nouvelle lettre de menace et qu'on l'empêchait de rentrer chez elle.

— Je suis vraiment désolée, dit-elle à Ben. Je leur parlerai demain. Ils doivent me laisser accéder à mon appartement.

Il lui avait proposé de passer une fois de plus la nuit chez lui.

— Pas si cela te met en danger, répondit-il avec sagesse. Où est le problème ? Je suis content que tu viennes chez moi. Cela me fait de la compagnie.

Mais Alix avait envie de dormir dans son lit, entourée de ses propres affaires.

— S'ils me donnent un garde du corps demain, je ne vois pas pourquoi je ne pourrais pas rentrer chez moi, se plaignit-elle tandis qu'ils récupéraient leurs sacs et passaient la douane.

Ni l'un ni l'autre n'ayant rien à déclarer, ils se retrouvèrent sur le trottoir cinq minutes plus tard, puis dans un taxi. Elle allait à Brooklyn avec lui. Elle venait d'envoyer un SMS à Faye pour lui dire qu'elle était bien rentrée et qu'elle passerait la nuit chez Ben. Félix lui avait garanti que Faye continuerait à bénéficier d'une protection, jusqu'à ce qu'ils sachent d'où venaient ces menaces, ou qu'elles prennent fin.

— Je suis mieux formé que les types du FBI, dit Ben d'une voix posée.

— Certes, mais je ne peux pas emménager chez toi. Et puis, j'ai envie d'être dans mon appart.

— Elle te plaît pas, ma chambre d'amis ? demanda-t-il d'un ton faussement outragé.

Elle éclata de rire. L'appartement de Ben était très agréable, mais ce n'était pas chez elle.

— Merci de m'accueillir encore une nuit, c'est sympa de ta part, dit-elle en sortant du taxi.

— Ça me fait plaisir, répondit-il avec flegme.

Ils passèrent à l'épicerie faire quelques courses pour le petit déjeuner. Alix espérait qu'on la laisserait rentrer chez elle le lendemain. Elle ne pouvait même pas défaire ses valises chez Ben, ne sachant pas combien de temps elle y resterait. Elle se demanda si la CIA avait retrouvé l'auteur des menaces et l'en tiendrait informée.

Généralement, les agences fédérales ne racontaient pas tout aux victimes, et parfois même absolument rien.

Évidemment, quand l'officier Pelham vint la voir le lendemain matin, flanqué de deux de ses collègues, ils n'avaient aucune information à lui donner, ou bien refusaient de les partager avec elle. Tout ce qu'ils voulaient, c'était qu'elle reprenne contact avec Olympia Foster.

— Pourquoi n'allez-vous pas la voir vous-mêmes ? leur demanda Alix d'un ton sec.

Pelham lui fit remarquer qu'elle était déjà entrée en relation avec la veuve, et qu'ils avaient une opération délicate à lui confier. Ils avaient appris qu'Olympia recevait régulièrement le vice-président à dîner et ils souhaitaient qu'elle l'interroge sur des sujets sensibles, après l'avoir équipée d'un micro pour pouvoir l'écouter depuis une camionnette banalisée garée à l'extérieur.

— Oh, mon Dieu ! » s'exclama Alix. Elle jeta un coup d'œil à Ben. « Olympia n'acceptera jamais. Clark est le seul soutien qui lui reste, et elle a une confiance aveugle en lui. Elle refusera de le trahir en prenant part à ce stratagème, et elle ne croira jamais qu'il ait pu mal agir. J'avais à peine effleuré le sujet qu'elle a bondi pour le défendre. À mon avis, il n'y a aucune chance qu'elle participe. Et pourquoi ce serait à moi de la convaincre ?

— Elle pourrait s'imaginer qu'on essaye de le piéger.

— Et si elle refuse ?

— Son mari risque d'être accusé de malversations, tout comme Clark. L'affaire ne date pas d'hier, alors les gens risquent de penser que Foster était mouillé, même si personne ne peut le prouver désormais. Cette ombre pourrait planer sur sa mémoire à jamais. On le jugera tout aussi blâmable et coupable que Clark. Ils avaient l'intention de briguer ensemble la Maison-Blanche.

Alix, songeuse, demeura silencieuse un instant. Elle comprit que c'était la seule carte à jouer avec la veuve du sénateur. Car si Olympia souhaitait protéger Tony, elle tenait encore plus à la réputation irréprochable de son mari. Mais il serait difficile de la convaincre de duper Tony en le mettant sur écoute, et elle grimaça à cette idée. Sa mission s'annonçait particulièrement délicate, c'était le moins qu'on puisse dire.

— Vous voulez que j'aille lui proposer ça toute seule ? demanda-t-elle, espérant qu'au moins l'un des agents de la CIA l'accompagnerait.

— En effet, répondit Pelham, le visage froid. Elle vous connaît déjà, vous avez plus de chances d'y parvenir que nous. Nous voulons qu'elle l'interroge sans en avoir l'air sur les lobbyistes qu'il fréquente, ainsi que sur les Saoudiens.

Ces sujets n'étaient pas anodins, pensa Alix. Tony allait tiquer, à l'évidence. Tout ce stratagème lui paraissait complètement fou, et Olympia allait probablement la flanquer à la porte. Alix ne pourrait lui en faire le reproche.

— Je ne l'ai vue qu'une seule fois, leur rappela-t-elle. C'est peu, pour lui demander une chose pareille.

— Posez-lui la question, c'est tout ce qu'on peut faire pour l'instant. Mais j'étais sérieux, concernant son mari. Il pourrait être associé à cette affaire, et sa réputation en sortirait définitivement ternie.

Il avait raison, bien sûr. Le problème était de savoir si Olympia la croirait, et si elle accepterait de piéger Tony lors d'un dîner. La CIA partit une demi-heure plus tard, et Alix s'installa dans son bureau avec Ben et Félix.

— Pourquoi c'est toujours moi qui fais le sale boulot ici ? soupira-t-elle, songeant que les vacances étaient bel et bien finies.

Les agents de la CIA lui avaient annoncé qu'elle n'avait pas le droit de rentrer chez elle, à moins d'être accompagnée d'un garde du corps. Peu importait qu'il soit missionné par le FBI ou qu'elle en embauche un elle-même, elle devait rester sous surveillance en raison des menaces qu'elle recevait. Même Faye ne se déplaçait pas à Duke sans un agent du FBI. Et voilà qu'Alix devait contraindre une femme adorable à coopérer avec la CIA pour piéger l'homme qu'elle considérait comme son meilleur ami – son seul ami – depuis six ans. Elle était dans de beaux draps.

Elle téléphona à Olympia dès que Félix et Ben furent partis. Elle n'avait pas envie qu'on entende leur conversation. Lorsque Jennifer décrocha, Alix demanda à parler à Olympia, et fut soulagée quand la veuve du sénateur prit le combiné. Jennifer lui avait répondu d'une voix méfiante et semblait farouchement protectrice envers Olympia.

— Navrée de vous déranger, commença Alix d'un ton contrit. Je me demandais si je pouvais passer chez vous pour discuter un peu.

— Maintenant ?

Olympia était interloquée. Elle ignorait ce qu'Alix pouvait bien lui vouloir et n'avait pas oublié les mises en garde de Tony.

— Quand vous voulez, mais le plus tôt possible.

Il y avait une urgence dans la voix d'Alix. Olympia comprit que c'était important.

— Il y a un problème ? demanda-t-elle, sur le qui-vive.

— Peut-être bien, répondit Alix avec franchise. Je crois que nous devrions parler. J'ai des informations à vous révéler qui vous intéresseront, j'en suis sûre.

Alix sentit le dégoût l'envahir en prononçant ces mots, et elle était certaine qu'Olympia ressentirait la même chose en l'écoutant. Elle détestait l'idée de lui imposer cette épreuve, mais elle n'avait plus le choix. Au moins se montrerait-elle moins brutale que la CIA.

— Vous pouvez venir tout de suite, si vous le souhaitez, répondit Olympia d'une voix songeuse.

Elle se demanda si elle devait prévenir Tony de cette nouvelle visite, mais quelque chose lui dit de ne pas le faire. Elle pourrait toujours lui en parler plus tard, si cela avait quelque chose à voir avec lui. Elle raccrocha et informa Jennifer qu'Alix passait les voir.

— Pensez-vous que ce soit une bonne idée ? s'exclama l'assistante, alarmée.

— Tout à fait, répondit Olympia d'une voix ferme.

Vingt minutes plus tard, Alix frappait à sa porte. Félix avait demandé à l'un des agents de sécurité de la chaîne de l'escorter et de l'attendre à l'extérieur.

Jennifer la fit entrer et la conduisit jusqu'au bureau d'Olympia. Celle-ci était assise dans l'un des grands fauteuils confortables et se leva quand Alix franchit le seuil. Les deux femmes échangèrent un long regard grave et attendirent presque sans un mot que Jennifer s'en aille. Olympia ne lui proposa pas de café, impatiente de connaître la raison de sa venue. Elles s'installèrent l'une en face de l'autre, et Alix prit une grande inspiration avant de se lancer.

— Je ne sais pas par où commencer. La dernière fois que je suis venue vous voir, je vous ai interrogée sur le vice-président et ses liens avec les lobbyistes. Certaines de nos sources se posaient des questions à ce moment-là, mais nous avons dépassé ce stade depuis lors. La CIA, qui voulait en savoir plus, a mené sa propre enquête, et je suis à peu près sûre qu'il sera accusé d'avoir soutiré de grosses sommes à l'un des lobbies les plus influents du pays, voire à deux ou trois autres, afin de préparer le financement de sa campagne, en échange de services et de projets de loi qu'il pourrait faire passer s'il remportait les élections. Au moins deux personnes sont aujourd'hui prêtes à témoigner contre lui en échange de l'immunité.

Cela fait longtemps qu'il agit ainsi, semble-t-il, même avant la mort du sénateur Foster. Il a tout arrêté pendant un moment, mais il a besoin de grosses sommes d'argent désormais, alors il recommence.

Alix n'avait pas l'air de plaisanter, et Olympia était visiblement bouleversée par ce qu'elle entendait.

— Je voulais vous l'annoncer en personne.

— J'apprécie votre geste. Mais êtes-vous sûre de ce que vous dites ? Cela ne lui ressemble pas.

Olympia était plus pâle que d'habitude, et Alix sentait ses paumes devenir moites de sueur. Elle détestait devoir lui parler ainsi.

— Ne serait-ce pas un coup monté contre lui ? reprit Olympia.

— Ce n'est pas impossible, mais le service des opérations clandestines de la CIA se trompe rarement. Ce n'est pas tout. Clark est en lien avec des Saoudiens, depuis des années. Il reçoit des pots-de-vin sur les transactions pétrolières qu'il les aide à obtenir, et ça fait longtemps que cela dure. Il négocie avec quatre Saoudiens très influents, qu'il rencontre à Téhéran et à Dubaï. Ce sera un énorme scandale quand le grand public en sera informé.

À ces mots, Olympia eut l'air écœurée, et elle détourna les yeux. Alix ne parvenait pas à savoir si elle avait déjà eu vent de l'affaire, mais elle était visiblement très affligée.

— Pourquoi me racontez-vous tout cela maintenant ? Et pourquoi vous, et pas la CIA ?

Elle avait peur et était sur ses gardes. Elle ne savait plus à qui se fier.

— Ce sont les officiers de la CIA chargés du dossier qui m'ont demandé de vous parler. Le sénateur Foster était-il au courant ? Soupçonnait-il quelque chose ? A-t-il jamais dit quoi que ce soit au vice-président Clark à ce sujet ? Je ne suis pas ici pour obtenir un scoop, je suis venue vous voir parce que je ne veux pas que la réputation de votre mari soit traînée dans la boue. C'était un homme extraordinaire, à mon avis. Les agents de la CIA voudront vous parler, mais ils souhaitaient que je vous voie d'abord, de manière informelle. Je crois qu'ils espèrent eux aussi que le sénateur Foster ignorait tout de cette histoire. Personne n'a envie de voir votre mari compromis ou accusé des crimes du vice-président.

Olympia demeura silencieuse un long moment, les yeux fixés sur la cheminée, comme si elle entendait la voix de son mari lui parler. Puis elle tourna la tête vers Alix. Son angoisse, ses craintes se lisaient sur son visage. Elle venait, en toute conscience, de décider de se montrer honnête avec Alix, dans l'intérêt de Bill. La journaliste avait bien fait son travail : Olympia avait compris que la réputation sans faille de son mari était en jeu.

— Oui, il était au courant, dit-elle d'une voix à peine audible. Pas de tout ce que vous venez de me raconter, mais de certains agissements. On en avait discuté. Il était furieux que Tony s'acoquine avec des lobbyistes. Tony parlait de simples relations de courtoisie, mais Bill trouvait que c'était louche – ou que cela en aurait l'air si cela se savait. Il lui a demandé de prendre ses distances avec eux. Ils ont eu une terrible dispute à ce sujet. Puis Bill a appris qu'il partait à l'étranger pour rencontrer des Saoudiens. Tony lui a dit qu'il ne leur demandait pas d'argent, qu'il se contentait de leur faciliter la vie, en échange de services ultérieurs.

« C'était précisément le genre de petits arrangements que Bill exécrait. Il ne s'était jamais vendu à qui que ce soit et ne se livrait pas à ce genre de tractations. Et Tony, à ses yeux, devait se montrer aussi intègre que lui. D'après lui, Tony ne comprenait pas à quel point c'était dangereux, que cela pouvait leur coûter l'élection.

« Tony est un négociateur dans l'âme, et il est doué pour ça. Trop pour son propre bien, selon Bill. Mon mari ne voulait pas que leur passé soit hanté par des secrets quand leur parti les a choisis comme candidats à la Maison-Blanche.

— Des sources fiables indiquent que d'énormes sommes d'argent ont été déposées au profit de Tony Clark dans une banque suisse, sur un compte numéroté, dit Alix. La CIA enquête, et j'ignore ce qu'ils ont bien pu trouver. Mais s'il est effectivement coupable de tels agissements, il entraînera Bill dans sa chute. Peut-être même qu'il le trahira et fera tout retomber sur lui pour sauver sa peau. Il y a au moins un lobbyiste qui avoue l'avoir soudoyé, et plusieurs Saoudiens qui lui versent des fortunes. La réputation de votre mari est en jeu. Vous seule pouvez le protéger désormais, en révélant ce que vous savez sur Tony Clark.

Alix n'avait pas pris de gants, et Olympia sembla choquée. Ce qu'elle venait d'entendre l'avait frappée de plein fouet. Elle décida alors de lui révéler ce que personne n'avait jamais su, ni même soupçonné, au sujet de Clark.

— Deux semaines avant sa mort, commença-t-elle d'une voix rauque et emplie d'émotion, Bill en savait assez, même s'il restait des zones d'ombre, pour annoncer à Tony qu'il ne voulait plus de lui comme colistier. Ils avaient beau être les meilleurs amis du monde, Tony trempait dans de sales histoires et Bill ne voulait pas y être mêlé. Cela aurait ruiné leur campagne. Il avait l'intention d'annoncer publiquement qu'il ne souhaitait plus le voir devenir vice-président. Tony a répliqué que dans ce cas il se présenterait contre lui, mais il n'avait pas suffisamment de poids politique pour cela. Bill pouvait gagner la présidence, pas Tony. Il avait besoin de Bill pour accéder à la Maison-Blanche. Même si cela le peinait énormément, Bill lui a répondu qu'en aucun cas il ne voulait de lui s'il gagnait les primaires. Mon mari était convaincu que Tony avait renié ses principes. Tony jurait le contraire. Mais Bill a fini par en avoir des preuves, je ne sais pas lesquelles exactement. Tony a essayé de le convaincre de le garder malgré tout comme colistier – mais c'était trop tard, il était corrompu. Ce fut une terrible décision pour Bill. Si quoi que ce soit était découvert, il aurait coulé avec Tony.

« Bill n'a jamais eu l'occasion de révéler leur rupture. Tony lui avait demandé de prendre le temps de réfléchir. Bill est demeuré intraitable, mais il a été tué avant de pouvoir l'annoncer en public. Il avait prévu d'expliquer que leur duo prenait fin à cause de divergences personnelles, pas de le dénoncer. Je ne voulais pas vous le dire quand vous m'avez posé la question, parce que Tony a été merveilleux avec moi et mes enfants depuis la mort de Bill. Je n'aurais pas survécu sans lui. Et je croyais que toute cette histoire de lobbyistes relevait du passé. J'ai supposé qu'il était honnête désormais, étant donné qu'il est vice-président et veut briguer les plus hautes fonctions de l'État. Je ne m'imaginais pas qu'il prendrait le risque de poursuivre ce genre d'activités. Peut-être est-ce faux, d'ailleurs. Peut-être que la CIA et vos sources se trompent, et qu'ils n'ont déterré que ses égarements passés. Mais si tout cela est vrai, je ne peux pas le laisser ternir l'image de Bill, pas maintenant, alors que Bill n'est plus là pour se défendre.

« Bill était très attaché à Tony, en dépit de ses erreurs. Il ne voulait pas se présenter aux élections à ses côtés, mais il tenait profondément à lui, et moi aussi. C'est un homme merveilleux. Mais je ne peux pas le laisser détruire la réputation de Bill, après tout ce que mon mari a eu tant de mal à mettre en place. C'est exactement ce qu'il craignait avant sa mort, et c'est pour cela qu'il a exclu Tony de la course à la présidence. Mais Bill est demeuré loyal envers lui jusqu'au bout, et Tony est mon meilleur ami. Que lui arrivera-t-il si tout cela, voire une partie seulement de cette affaire, est vrai ? s'exclama-t-elle, l'air extrêmement inquiète.

Malgré tout, son dévouement et sa fidélité allaient en priorité à l'homme qui avait été son époux. Elle ne laisserait rien ni personne abîmer son image.

— Ce n'est qu'une hypothèse, mais je suppose qu'il sera démis de ses fonctions et ira en prison. Ces agissements sont très graves, répondit Alix. Comment votre mari les a-t-il découverts ?

— Je l'ignore. Par hasard, à mon avis. Un informateur, une rumeur. Il ne détenait pas de preuve formelle, mais avait assez d'éléments pour se convaincre que c'était vrai, et il n'avait aucun doute. Cependant, Tony ignore que Bill m'en a parlé, et j'ai moi-même toujours du mal à y croire. Tony est un homme bien, vous savez.

Et persuasif, pensa Alix sans le dire.

— Ils étaient comme des frères, ils se connaissaient depuis l'enfance. Mais Bill ne pouvait pas prendre le risque que Tony accepte des pots-de-vin – et il était convaincu qu'il le faisait. L'argent compte beaucoup aux yeux de Tony, beaucoup plus que ce n'était le cas pour Bill. Mon mari n'avait rien à voir avec ces malversations. C'était un homme de principes.

— Je sais, murmura Alix.

— Je n'ai jamais rien dit parce que je ne voyais pas l'intérêt de nuire à la carrière de Tony. J'ignorais qu'il était encore corrompu et concluait des accords avec les Saoudiens. Je ne savais pas qu'il se comportait de manière encore plus malhonnête qu'avant. Que va faire la CIA ?

— Vous devriez le leur demander. Très franchement, je n'en sais rien, répondit Alix, qui inspira longuement avant de poursuivre : Mais ils veulent que vous les aidiez.

— Comment ça ? » Olympia semblait prise de panique. « Qu'attendent-ils de moi ?

L'idée de trahir Tony la rendait malade, mais elle avait le cœur brisé à l'idée qu'il puisse ternir la réputation de Bill, en l'associant à ses mauvaises actions. Il fallait qu'elle l'en empêche.

— Les agents de la CIA savent qu'il vient souvent dîner chez vous. Ils veulent que vous l'invitiez ici en portant un micro sur vous, que vous lui posiez quelques questions bien placées, et que vous attendiez de voir sa réaction. Ils seront dehors à l'écouter, dans un camion.

Alix n'aurait pas aimé être à sa place, et elle se désolait que son interlocutrice doive trahir une amitié aussi importante pour elle. Les yeux d'Olympia s'embuèrent et tout son corps sembla s'affaisser. Des larmes coulaient sur ses joues quand elle releva les yeux vers Alix. Elle n'avait pas peur, mais elle était accablée par le chagrin.

— Ils veulent que je lui tende un piège, résuma Olympia.

Alix acquiesça de la tête. Il n'y avait pas d'autre façon de l'exprimer.

— Cependant, Tony ignore que je suis au courant. Bill ne voulait pas m'entraîner là-dedans. Mon mari ne l'a jamais avoué à Tony, mais il me racontait tout. Je savais bien qu'il avait rompu avec Tony mais, comme il n'a jamais eu l'occasion de l'annoncer publiquement, Tony doit s'imaginer qu'il avait gardé l'information pour lui.

— Et si vous lui disiez que vous êtes tombée sur des papiers de votre mari, en faisant des recherches pour votre livre ? Vous pourriez faire allusion aux lobbies et au monde arabe, voire à la décision du sénateur de ne pas

161

le prendre comme colistier, et étudier sa réaction. Vous n'avez pas besoin de l'accuser ou d'être trop directe avec lui, inutile de vous mettre en danger ; mais vous pourriez montrer que vous êtes troublée par ce que vous avez découvert, et voir comment il se comporte. Il va probablement nier en bloc et tenter de minimiser l'affaire. Cela m'étonnerait qu'il se confie à vous, mais les agents du service des opérations clandestines veulent l'entendre s'expliquer. Étant donné l'état du monde actuellement, ils considèrent qu'il représente une menace pour la sécurité nationale, et ils ont besoin de votre aide. Désolée de vous dire ça, mais si j'étais vous je le ferais, pour préserver Bill.

Elle avait de nouveau pris la liberté d'appeler le défunt sénateur par son prénom, mais Olympia ne sembla pas lui en tenir rigueur.

— Je n'ai pas le choix, murmura-t-elle d'un air désespéré.

Même si elle devait sacrifier son meilleur ami par loyauté envers son mari, elle savait très bien à qui allait sa fidélité. Elle était dévouée à Bill, depuis toujours. Tony s'était comporté de manière stupide, elle était vraiment peinée de l'apprendre. À l'époque, Bill avait confié à sa femme qu'il ne pouvait plus se permettre de conserver des amis comme Tony, et que cela lui brisait le cœur. Et voilà qu'il brisait le sien. Sa trahison était impardonnable. Mais il n'y avait pas d'autre solution, et elle savait que Bill aurait souhaité qu'elle agisse ainsi. Il en aurait fait de même, s'il avait eu entre les mains des preuves de ces malversations. Tony avait joué un jeu très dangereux, et il allait tomber de haut. Sa carrière politique et son rêve d'accéder à la présidence allaient prendre fin. Il avait tout eu à portée de main, et tout perdu par sa propre faute. Il finirait probablement en prison. Olympia était anéantie.

— À votre avis, il s'agit de combien d'argent ? demanda-t-elle à Alix.

— Je n'en ai aucune idée. Des milliards ? Des millions, sans aucun doute. De grosses sommes, en tout cas.

— Bill s'est toujours demandé d'où venait l'argent de Tony. Il a réuni une fortune importante en très peu de temps et nous disait toujours qu'il gérait bien ses placements financiers.

Sauf qu'il ne s'agissait pas de placements, mais de pots-de-vin à grande échelle.

— Je suis désolée d'avoir dû vous parler de tout cela, madame Foster. Je sais que cela va être très difficile pour vous.

Olympia hocha la tête sans mot dire pendant quelques secondes, puis releva les yeux.

— Merci d'être venue me voir. Je préfère l'avoir appris de votre bouche que de celle d'un agent de la CIA. Je sais que vous respectiez mon mari.

Olympia avait raison de le penser. Et Alix l'admirait elle aussi. C'était une femme loyale, qui avait des principes.

— Je pense que la CIA ne tardera pas à vous contacter, répondit Alix d'une voix posée. Ils vous demanderont si vous êtes prête à porter un micro la prochaine fois que vous verrez Tony Clark. C'est à vous de décider.

— Il faut que je réfléchisse, dit-elle d'une voix rauque. Je ne sais pas si j'y arriverai. Il me connaît trop bien. Pourquoi ne demandent-ils pas à quelqu'un d'autre ?

— Parce qu'il vous connaît et vous fait confiance. Il se montrera plus franc avec vous. Il ne vous dira pas tout, évidemment, ce serait trop dangereux. Mais il n'est pas impossible qu'il se trahisse si vous lui affirmez que vous avez trouvé des documents, dans les affaires personnelles de votre mari, qui mentionnent des lobbyistes et des transactions avec les Saoudiens. Comme il ne saura pas exactement de quels papiers il s'agit, il devra bluffer pour s'en sortir. Et c'est alors qu'il risque de dévoiler son jeu, ou de tenir des propos compromettants. À mon avis, c'est ce que la CIA espère.

— J'aimerais ne pas avoir à faire ça, insista Olympia.

Alix la plaignait sincèrement.

— Il vient dîner bientôt, probablement samedi soir, ajouta-t-elle d'un ton lugubre.

Après ce qu'elle venait d'apprendre, ce serait la dernière fois. Tony n'aurait jamais dû continuer à mettre ainsi la réputation de Bill en danger. Elle avait supposé, à tort, que toutes ces tractations louches relevaient du passé, sans se douter qu'il persévérait dans l'erreur. Il avait juré à Bill qu'il ne s'agissait pas de transfert d'argent, seulement d'un échange de bons procédés. Ce qui était déjà grave en soi – mais là, cela dépassait les bornes.

— Accepterez-vous de porter un micro ? lui redemanda Alix.

Olympia, bouleversée, semblait plongée dans la confusion.

— Il faut que je réfléchisse, répéta-t-elle. Vous pouvez leur dire que je donnerai ma réponse après cela.

Alix lui tendit la carte de visite de Pelham et lui demanda de les contacter directement. Elle avait transmis leur message, elle ne pouvait rien faire de plus. La suite dépendait d'Olympia et des agents de la CIA. Alix était tirée d'affaire, contrairement à la veuve du sénateur – et à Bill Foster lui-même. Olympia venait en outre de perdre son seul ami. Alix était vraiment désolée pour elle.

9

Le lendemain, Alix reçut une nouvelle lettre de menace au bureau. Le contenu était le même que pour les deux premières : si elle n'arrêtait pas de se mêler de ce qui ne la regardait pas et de fouiner dans le monde politique, elle finirait par être tuée. C'était clair comme de l'eau de roche. Pourtant, cela faisait des semaines qu'elle n'avait pas enquêté sur Clark et les lobbyistes. Pourquoi continuait-on à tenter de lui faire peur ? Elle en parla à John Pelham, qui lui garantit qu'ils avaient mené leurs investigations avec la plus grande discrétion. Mais les menaces se poursuivaient. Qu'est-ce que cela cachait ? Quelle révélation redoutaient-ils ? Et qui était l'auteur de ces lettres ?

Trois gardes du corps se relayaient chaque jour à Duke auprès de Faye. Alix en avait un elle aussi et vivait toujours chez Ben. Elle avait hâte de rentrer chez elle, où elle ne pouvait se rendre qu'accompagnée, pour prendre quelques vêtements. Elle avait dû insister pour pouvoir rester sans protection chez Ben. En tant qu'ancien militaire, celui-ci possédait un permis de port d'arme, et il savait tirer. Il sortait désormais avec son flingue quand ils devaient marcher dans la rue, ou quand il l'amenait au travail le matin. Ça la mettait mal à l'aise de le savoir armé, surtout la nuit dans son appartement. Pendant la journée, le garde du corps restait non loin d'Alix au cas où quelqu'un débarquerait dans les bureaux de la chaîne.

À ce moment-là, Olympia avait déjà contacté Pelham. Elle avait accepté de porter un micro quand Tony viendrait dîner chez elle le samedi soir. Alix n'avait jamais douté qu'elle donnerait son accord, par amour pour Bill. Olympia avait rencontré l'équipe du service des opérations clandestines pour savoir ce qu'elle devait dire et quelles questions poser. Elle allait feindre la plus grande innocence et suivre leur scénario à la lettre. Elle avait l'impression d'être un monstre ; mais si Tony était coupable, il risquait de nuire à Bill. Elle se demandait s'il irait vraiment en prison. Cela semblait difficile à croire. Quant à Josh et Darcy, ils seraient accablés de chagrin eux aussi. Tony était leur idole, et sa jeune épouse était de nouveau enceinte. Tout le monde allait souffrir de ses agissements – y compris des enfants innocents, comme ses deux tout-petits, et un bébé encore dans le ventre de sa mère. Au lieu de prendre soin d'eux et de Megan, Tony serait derrière les barreaux, et probablement pour un bon bout de temps.

Félix voulait qu'Alix et Ben soient repartis à la fin de la semaine. Les menaces pesant sur Alix rendaient sa présence à New York trop stressante, pour elle comme pour tout le monde. Ben ne la lâchait plus d'une semelle, sauf quand elle était dans la salle de bains. Il était devenu son garde du corps personnel. Et un agent du FBI était à sa disposition dès qu'elle en avait besoin.

Un barrage avait de nouveau cédé à La Nouvelle-Orléans et il y avait eu de gigantesques inondations. Les dégâts n'étaient pas aussi importants qu'après l'ouragan Katrina, mais la ville avait été classée zone sinistrée par le gouvernement fédéral, et l'état d'urgence déclaré. Félix préférait savoir Alix en Louisiane plutôt qu'à New York.

La situation devenait trop tendue avec l'affaire Tony Clark.

Après en avoir discuté avec Félix, les agents de la CIA acceptèrent de la laisser quitter la ville, tant qu'elle restait en contact avec eux, et ils conseillèrent à Ben de garder son arme sur lui. Olympia Foster était toute prête à les aider, même si la perspective du dîner avec Tony la terrifiait, ainsi que le fait de porter un micro. La CIA lui avait promis qu'il ne se passerait rien de grave au cours de ce repas. Elle lancerait quelques remarques désinvoltes, puis attendrait sa réaction. Il se contenterait probablement de mentir et de donner quelques réponses vagues. La panique viendrait plus tard, une fois qu'il serait reparti, quand il tenterait de savoir d'où venait la fuite, et dans quelle mesure il était menacé. Il ne soupçonnerait jamais Olympia de coopérer avec la CIA pour le piéger. Et quand il l'apprendrait, ils l'auraient coffré. Un jury d'accusation attendait déjà d'obtenir les preuves nécessaires pour pouvoir délibérer à huis clos et le mettre en examen ; et un juge était prêt à signer un mandat d'arrêt à n'importe quelle heure du jour ou de la nuit. Tous les rouages de la machine judiciaire étaient en place, prêts à s'activer en fonction de ce qu'il raconterait le samedi soir et de ses agissements ultérieurs. Clark n'avait aucune idée de ce qui se tramait, le service des opérations clandestines en était certain. Quant au directeur du renseignement national, il avait été tenu au courant des derniers événements. Jamais dans l'histoire du pays un vice-président n'avait risqué pareil scandale.

Ben et Alix s'envolèrent pour La Nouvelle-Orléans le jeudi matin. Elle était soulagée de quitter New York et lui aussi. La tension était devenue insupportable : tout le monde attendait ce fameux dîner pour voir si

Olympia jouerait son rôle, savoir ce que Clark répondrait, et découvrir comment il se comporterait par la suite. Quant aux menaces de mort visant Alix, c'était la goutte d'eau qui faisait déborder le vase. Elle était ravie de repartir en mission, même s'il s'agissait de couvrir une catastrophe naturelle. Ils prirent des chambres dans un motel de l'aéroport, louèrent une voiture, puis s'approchèrent autant qu'ils purent de la zone inondée et montèrent à bord d'un bateau de la police, leur carte de presse autour du cou. Ben filma tout du long, pour bien montrer les dégâts ; et ils coupèrent le moteur en chemin pour récupérer des gens qui pataugeaient dans l'eau ou tentaient de s'enfuir à la nage, ainsi que plusieurs gros chiens. La soirée avait été longue et éprouvante, et ils étaient épuisés et trempés, malgré leurs bottes et leurs cirés, quand ils regagnèrent le motel à 4 heures du matin.

Ils se réveillèrent à 7 heures et avaient fini de se préparer à 8. Alix alluma la télé tandis que Ben allait chercher des cafés dans un Starbucks du voisinage. Il revint avec deux cappuccinos et des roulés à la cannelle, qu'ils mangèrent en regardant les infos. Il y eut soudain un flash spécial en provenance de Caroline du Nord. Un chaos total apparut à l'écran : des étudiants s'enfuyaient en hurlant, des coups de feu éclataient, et la vidéo prise par un téléphone portable commençait à danser en tous sens tandis que la personne qui filmait se mettait à couvert. Il ne leur fallut qu'une seconde pour comprendre ce qui se passait. Il y avait une fusillade sur un campus. Le présentateur ainsi qu'un bandeau de texte défilant annoncèrent que quatorze étudiants avaient été tués et vingt-deux autres blessés au cours des premières minutes. Trois autres étudiants et un enseignant étaient morts dans l'ambulance qui les conduisait à l'hôpital, et le tireur s'était suicidé. On dénombrait dix-neuf morts depuis que le massacre avait commencé à Duke, une demi-heure plus tôt.

Des équipes de journalistes étaient arrivées sur les lieux, et l'on voyait les étudiants et les professeurs s'étreindre en pleurant. La même vidéo fut diffusée une nouvelle fois tandis que Ben et Alix contemplaient la télé en silence, les yeux emplis d'horreur. Où se trouvait Faye pendant le drame ? Alix posa son gobelet sur la table et garda les yeux rivés sur l'écran, sentant la panique l'envahir. Le présentateur expliqua qu'on ne savait presque rien du tireur, si ce n'est qu'il avait quitté l'université à cause de troubles psychiatriques six mois plus tôt, qu'il avait été brièvement hospitalisé, puis autorisé à sortir, et qu'il était revenu à la fac pour y travailler comme employé, chargé de l'entretien des jardins. Le scénario était classique : un jeune homme manifestant depuis longtemps des problèmes mentaux qui avait disparu des radars. Selon un ancien camarade de classe, le meurtrier avait évoqué l'idée de fabriquer une bombe dans son appartement en suivant un mode d'emploi trouvé sur Internet. Son camarade avait cru qu'il plaisantait et ne l'avait jamais signalé à personne. On n'avait pas encore réussi à contacter les parents du tueur pour connaître leur réaction, et son ex-petite amie, blessée, se trouvait dans un état critique à l'hôpital. Alix appela immédiatement Faye sur son portable. Cela sonna dans le vide, personne ne répondit. Et si elle était morte ?

Sa terreur était palpable, et elle se mit à parler toute seule.

— Chaque fois, ça paraît tellement évident, bon sang. Tout le monde sait qu'ils sont dingues et personne ne fait rien, et d'un seul coup il y a dix-neuf morts et vingt-deux blessés, et puis...

Elle s'arrêta net en voyant une étudiante couchée sur une civière, entourée de secouristes qui se hâtaient à ses côtés. La jeune fille pleurait, hurlait, et son visage était maculé de sang – il ne fallut à Alix qu'une seconde pour comprendre que ce visage ensanglanté était celui de sa fille. La civière fut installée dans l'ambulance puis le véhicule démarra en trombe, toutes sirènes hurlantes, et l'on revint aux images des élèves qui s'embrassaient et pleuraient. Alix se redressa d'un bond, glacée d'effroi.

— Oh, mon Dieu !... Oh, mon Dieu, Ben... C'était Faye !

Soudain, la tragédie prenait une tout autre signification. Elle posa sur Ben des yeux agrandis par l'angoisse.

— Il faut que j'y aille... Mon Dieu, Ben, c'était Faye !

Ben la saisit par les épaules pour tenter de la calmer.

— Elle est en vie. Tu viens de la voir à la télé. Tout va bien se passer.

Il voulait transpercer la brume qui enveloppait Alix. Il n'y avait qu'une mère pour reconnaître ce visage couvert de sang. Et où était donc passé le garde du corps du FBI ?

— On va appeler les hôpitaux tout de suite, ajouta-t-il pour la rassurer.

Mais Alix le repoussa, prit son sac et se précipita vers la porte.

— Il faut que je la voie !

Ben lui agrippa le bras et la força à s'asseoir sur le lit.

— Appelons d'abord l'hôpital. Elle est vivante, Alix, répéta-t-il d'une voix ferme, pour calmer son angoisse.

Elle acquiesça sans mot dire et se mit à sangloter tandis qu'il se renseignait auprès des hôpitaux les plus proches de l'université. Mais Faye n'était encore enregistrée nulle part et les services d'urgence étaient en proie à un désordre indescriptible. Les journalistes continuaient à diffuser des images du campus, revoyant à la hausse le nombre de victimes. Ben appela Félix à New York pour lui expliquer ce qui s'était passé et lui annoncer qu'Alix devait immédiatement rejoindre sa fille.

— Je ne peux envoyer personne pour vous remplacer avant ce soir, répondit Félix d'un ton contrit. La fille d'Alix va bien ?

— Elle fait partie des blessés. Ça avait l'air grave, on vient juste de la voir aux infos, ajouta-t-il à voix basse. Alix est dans tous ses états.

— Vous pourrez partir dès ce soir, répondit Félix, se demandant qui pourrait bien les suppléer.

Comme toujours en situation de crise, il manquait de personnel ce jour-là. Ses meilleurs éléments étaient déjà en reportage sur le terrain, et il ne parviendrait pas à les faire revenir assez vite pour relayer Alix. Un incendie particulièrement difficile à maîtriser avait tué six pompiers à Brooklyn, et le chef de la police venait de démissionner après une querelle avec le maire. C'était toujours pareil.

Ben raccrocha et expliqua que Félix avait promis de les faire remplacer le soir même. Alix lui décocha un regard furieux et se releva d'un bond.

— Eh bien, Félix, je l'emmerde ! Je n'attendrai pas jusqu'à ce soir. Ma fille est blessée, peut-être même morte à l'heure qu'il est. Je prends le prochain avion, je me fiche complètement de ces inondations.

Ben voyait bien qu'elle ne plaisantait pas et se sentait pris entre deux feux. Mais il ne pouvait pas la laisser partir seule. Elle n'était pas en état d'agir de manière sensée, ni de faire face à tout ce qui risquait d'arriver une fois qu'elle aurait retrouvé sa fille. Le bruit de fond monotone de la télévision disparaissait derrière les cris d'Alix, de plus en plus paniquée.

— On ne peut pas partir d'ici comme ça, Alix, dit-il d'une voix apaisante.

Cela ne servait à rien. Elle avait dépassé le stade de la négociation, ce qu'il n'avait pas de mal à comprendre.

— Regarde-moi bien ! dit-elle d'un ton courroucé. Je ne reste pas ici une minute de plus.

Elle appela la compagnie aérienne et découvrit qu'il n'y avait pas de vol pour Raleigh-Durham avant 18 heures ce soir-là, ce qui lui fit toucher le fond du désespoir. Ben prit rapidement une décision. Ils savaient tous deux que Félix pourrait utiliser les infos locales pour illustrer le sujet sur les inondations s'il le fallait. Ce n'était pas idéal, et pas très bon pour l'audimat, mais l'événement ne faisait plus l'ouverture des JT de toute façon. Le sujet le plus brûlant, c'était la fusillade à Duke.

— Je vais rappeler Félix. Il n'aura qu'à utiliser les reportages des journalistes du coin, dit Ben d'une voix posée.

Il était plus important qu'ils aillent à Duke. Pour Faye, comme pour la chaîne.

— Mais comment veux-tu que je parte d'ici, bon sang ? s'écria Alix en pleurant de plus belle. Et il est passé où, le type du FBI qui devait la surveiller ?

Ben se demanda s'il avait été blessé lui aussi.

— Je t'y emmène en voiture. Prépare tes affaires, dit-il d'un ton n'admettant pas de réplique.

À en croire son téléphone, ils en avaient pour treize heures de route – impossible d'aller plus vite pour l'instant. Il eut une conversation houleuse avec Félix, lui expliquant que c'était la seule solution. Alix refusait de rester, et lui refusait de la laisser partir seule. Félix savait reconnaître quand il avait perdu et renonça à convaincre Ben d'attendre jusqu'au soir. Il était furieux, mais il ne pouvait les contraindre à rester en Louisiane dans de telles circonstances. Dix minutes plus tard, leurs bagages se trouvaient dans la voiture. La télévision était toujours allumée quand ils quittèrent la chambre, payèrent l'hôtel et prirent place dans leur véhicule. Alix lui jeta un regard reconnaissant.

— Merci, dit-elle tandis qu'ils rejoignaient l'autoroute. On va se faire virer ? ajouta-t-elle.

Ben roulait vite, et elle se calmait peu à peu.

— On s'en fiche, non ? répliqua-t-il en tournant la tête vers elle.

Elle lui sourit, mais ses yeux étaient froids.

— Oui, on s'en fout. Enfin, moi, je m'en fous. Je suis désolée si je t'ai attiré des ennuis, dit-elle d'un ton sincère.

— Oublie ça. Je suis navré que ta fille soit blessée.

Ils atteignirent l'autoroute vingt minutes plus tard, en roulant un peu au-dessus de la vitesse maximale autorisée, tandis qu'Alix rappelait les hôpitaux. Au bout d'une heure, ils avaient trouvé où l'on avait emmené Faye, mais Alix ne put pas lui parler. Tout ce que l'infirmière du service de traumatologie daigna lui dire, c'était qu'elle était blessée à la tête et se trouvait dans un état grave.

— Oh, mon Dieu, elle a dû recevoir une balle dans la tête, murmura Alix, à nouveau submergée par la panique.

Elle songea à appeler sa mère, mais ne voulait pas l'effrayer. Elle en savait trop peu pour pouvoir contrebalancer ce qu'elle venait d'apprendre, et décida de téléphoner à Isabelle quand elle serait sur place et aurait vu Faye. Elle espérait que la presse française n'évoquerait pas la fusillade, du moins pas tout de suite, ce qui lui laisserait le temps d'en savoir plus avant de contacter sa mère.

— Elle était consciente quand on l'a vue, lui rappela Ben.

Il gardait le pied sur l'accélérateur et regrettait de ne pas avoir loué de meilleure voiture. Il poussait la leur au maximum, mais elle avait ses limites. Alix appelait l'hôpital toutes les demi-heures, sans rien apprendre de nouveau. On se contentait de lui redire ce qu'elle savait déjà, et l'hôpital était complètement débordé par l'arrivée de tous ces blessés. Ben avait réglé la radio sur une chaîne d'info en continu : le président de l'université venait de répondre aux questions des journalistes, et le nombre de morts s'élevait désormais à vingt et une personnes. Dieu merci, ils savaient que Faye ne faisait pas partie du décompte pour l'instant. Alix gardait les yeux fixés sur la route, l'air sombre.

— Est-ce que ça va ? lui demanda Ben.

Elle acquiesça en silence. Voyant qu'il avait les yeux emplis de compassion, elle le remercia à nouveau. C'était un bon compagnon en cas de crise, il gardait la tête froide et agissait vite, sans céder à l'affolement. Après un long moment, il reprit la parole.

— Je sais ce que tu endures, murmura-t-il. J'avais un fils qui aurait un an de moins que Faye aujourd'hui.

Elle demeura stupéfaite. Cela faisait quatre ans qu'ils travaillaient ensemble et c'était la première fois qu'il en parlait. Cet homme avait décidément de multiples facettes, et recelait nombre de secrets qu'il ne partageait pas facilement.

— Que s'est-il passé ?

Elle avait peur de la réponse, mais elle était obligée de poser la question, après ce qu'il venait de lui dire.

— Il s'est noyé quand il avait trois ans. J'étais en mission, comme d'habitude. En Libye. Il y avait une prise d'otages à l'ambassade. Il s'appelait Christopher. Ma femme l'a emmené chez un ami, il y avait beaucoup d'enfants dans le jardin, et il est tombé dans la piscine, ou alors il a sauté dedans. C'était un brave petit gars, et ils l'ont repéré trop tard. Il était mort depuis quinze jours quand ma femme a enfin réussi à me joindre. Je n'ai même pas pu assister à son enterrement. J'ai été assez dur avec elle par la suite. Elle adorait rendre visite à ses amis, et j'imagine qu'ils étaient en pleine discussion, et que tout s'est passé très vite. Les services de secours ont essayé de le ranimer, mais en vain. Ils ont dit que lors de leur arrivée sur les lieux Christopher était de toute façon déjà en état de mort cérébrale. Notre mariage était fini après ça. Elle m'a reproché mon absence, mes éternelles absences, et je lui ai reproché de ne pas l'avoir surveillé correctement. Elle était enceinte à ce moment-là, et elle a perdu le bébé à cause du choc. Notre couple ne s'en est jamais remis, et on a divorcé un an plus tard. Elle a deux autres enfants maintenant. Moi, je n'en ai jamais voulu après Chris. C'était le petit garçon le plus mignon qu'on puisse imaginer. Je me suis dit que je ne pourrais pas subir ça une fois de plus – avoir un fils et puis le perdre. J'adorais Chris. Alors les enfants, c'était fini pour moi.

Il savait exactement, ou pensait savoir, ce qu'Alix ressentait à cet instant. Incapable de répondre, elle posa la main sur son bras. Des larmes roulèrent sur les joues de Ben après cette confession. Ils gardèrent le silence pendant quelques minutes, trop émus par ce qu'il venait de dire.

— Ce n'était pas ta faute, Ben. Tu faisais ton travail. Et peut-être n'était-ce pas sa faute à elle non plus.

— Sans doute que non. Il n'avait peur de rien, et il adorait l'eau. Je lui avais appris à nager, mais il a sauté dans le grand bassin, et je suppose que c'était trop profond pour lui. Mais bon sang, pourquoi elle ne gardait pas un œil sur lui au lieu de discuter avec ses copines ? Ça fait quatorze ans que je me pose la question. J'ai longtemps été en colère. J'ai accepté les pires missions qu'on me confiait, espérant me faire trouer la peau pendant le service. Et puis je me suis senti fatigué de tout ça. J'ai cessé de la haïr et de m'apitoyer sur mon sort. C'est le destin, je suppose. Tout cela est écrit quelque part, comme ce qui est arrivé à Faye aujourd'hui. Elle va s'en sortir. Elle était consciente quand on l'a vue à la télé. Et les blessures à la tête, même superficielles, ça saigne toujours énormément.

Alix hocha la tête. Elle ne retira pas sa main, même quand Ben cessa de pleurer.

— Merci de m'avoir parlé de Christopher.

Elle se sentait profondément émue et peinée pour lui. Elle voyait à quel point ce souvenir était encore douloureux. Et elle ne pouvait rien y changer. Même le temps n'avait pas guéri sa souffrance, et il la garderait toujours au fond de son cœur.

— Je ne parle jamais de lui, ça me fait trop mal. J'avais toujours peur qu'il lui arrive quelque chose, tellement j'étais attaché à lui. Et c'est bien ce qui a fini par se passer.

— C'est exactement ce que je ressens pour Faye. Et je continue à culpabiliser de ne pas être restée près d'elle pendant les cinq premières années de sa vie. J'étais tout le temps en voyage, comme aujourd'hui. Mon mariage n'a pas changé grand-chose à la situation. Si nous nous sommes mariés, c'était seulement pour que le bébé naisse de manière légitime. On se connaissait à peine. Ses parents ont immédiatement voulu qu'on divorce. Et puis il est mort, dans un accident. Mais j'ai fini par adorer Faye plus que tout. C'est parfois terrible d'aimer quelqu'un à ce point. Moi non plus, je ne voudrais pas d'autre enfant. Je m'inquiète tout le temps pour elle, et elle déteste mon travail. Elle a toujours peur que je sois tuée. Et voilà que c'est elle qui se fait tirer dessus sur un campus, alors qu'on passe notre temps dans des zones de guerre. C'est absurde, tu ne trouves pas ? Quand je pense qu'un garde du corps était censé veiller sur elle.

— Tu as raison, c'est absurde, approuva Ben. Quand j'étais dans l'armée, certaines missions étaient vraiment dangereuses. Un jour, au Soudan, j'ai été le seul à m'en sortir vivant. Et mon fils de trois ans se noie dans une piscine, avec sa mère à un mètre de lui. Moi aussi, j'ai toujours trouvé ça aberrant. Même quand tu lis ce genre d'histoires dans les journaux, tu restes convaincu que ça ne t'arrivera jamais. Et le jour où tu découvres que c'est pourtant possible, la vie n'est plus jamais la même.

Alix hocha la tête. C'était exactement ce qu'elle ressentait elle aussi.

— Dans mes cauchemars, elle mourait d'une méningite, ou elle avait un accident pendant mon absence. Mais maintenant qu'elle a grandi, je me croyais plus tranquille. Je suppose qu'on ne l'est jamais vraiment, quel que soit l'âge de son enfant. C'est une question de chance, ou bien de hasard. Pense à ce que tous ces pauvres parents doivent ressentir, ou à ces horribles fusillades dans les jardins d'enfants. Tu les déposes à l'école avec leur petit sac Fée Clochette ou leurs chaussures Spider-Man, et puis quelqu'un les tue pendant que tu es au travail et que tu les crois en sécurité. Ils ne sont jamais en sécurité, et nous non plus. Regarde ce qui est arrivé à mon père.

— Tu crois qu'on est fous de faire ce métier ? lui demanda-t-il franchement. Parfois, je me pose vraiment la question. Même si ça n'a pas réellement d'importance dans mon cas. Mes frères viendront à mon enterrement, s'ils ont le temps, et puis c'est tout. Personne ne pleurera mon absence. Ni femme, ni enfant, ni petite amie.

— Félix et moi, on viendra, dit-elle pour alléger la conversation.

Il lui lança un petit sourire.

— Je te remercie. Peut-être que tu devrais te trouver un boulot un peu plus calme un de ces jours, pour le bien de Faye, poursuivit-il d'un ton grave.

La fusillade du matin leur avait rappelé à quel point ce n'était pas une question anodine.

— Un jour, peut-être. Mais pour l'instant, tout plutôt que de périr d'ennui pendant les trente prochaines années. On ne peut pas vivre dans la peur. Et il ne m'est encore rien arrivé, dit-elle pour se justifier.

Elle adorait son travail et aurait du mal à y renoncer avant longtemps.

— Tu prends beaucoup de risques, Alix, lui rappela-t-il.

Elle sentit la culpabilité l'envahir. Elle ne pouvait nier qu'elle agissait en tête brûlée.

— Mais tu es toujours là pour veiller sur moi, répliqua-t-elle.

Ils savaient tous deux que c'était vrai.

— C'est pas facile de te courir après dans le feu de l'action.

Elle acquiesça en silence.

— Au moins, on ne nous envoie pas à chaque fois dans des zones de combat, ajouta-t-il d'un air sombre.

Pour tuer le temps, ils évoquèrent alors le vice-président et les risques inconsidérés qu'il avait pris par le passé, et auxquels il n'avait jamais vraiment renoncé. Cet homme était guidé par sa cupidité.

— Il a le parfait profil du sociopathe, je t'assure, lança Ben. Il serait capable d'arnaquer n'importe qui, sa femme, son pays, son Président, son meilleur ami, ses gosses. Il ne s'intéresse qu'à son propre désir, et à ce qu'il doit faire pour obtenir ce qu'il veut. J'espère qu'ils le coinceront, il le mérite bien. Et j'espère qu'il n'entraînera pas Bill Foster avec lui, en débitant une flopée de mensonges pour sauver sa peau.

— Je pense qu'Olympia Foster fera tout son possible pour empêcher que cela ne se produise.

Son dîner sur écoute avec Tony Clark devait avoir lieu le lendemain.

— Cette femme ne profite pas assez de l'existence. Elle aurait tout aussi bien pu mourir elle aussi, quand Bill a été tué. Peut-être que ça va la secouer et la sortir de sa torpeur. Parfois, on est trop attaché aux gens, comme elle avec son mari. C'est dangereux, comme sentiment, poursuivit Alix.

Elle ressentait une fois de plus de la peine pour Olympia.

— Pour moi, c'est la culpabilité du survivant. Elle était à côté de lui quand on lui a tiré dessus. Peut-être qu'elle aurait préféré que ce soit elle. Ou qu'elle ne comprend pas pourquoi c'est lui, non elle, qui a été tué. Mais ce genre de décision n'est pas de notre ressort. Autrefois, j'aurais voulu être mort à la place de Chris. Ça ne dépend pourtant pas de nous, n'est-ce pas ?

Leur discussion était entrecoupée de silences. Il roulait toujours à vive allure, et il était presque 22 heures quand il se gara sur le parking de l'hôpital. Ils ne s'étaient même pas arrêtés pour prendre un café ou grignoter un morceau. À leur arrivée, ils remarquèrent immédiatement l'héliport du service de traumatologie. C'était le meilleur hôpital de la région, et il accueillait la plupart des victimes grièvement blessées et dans un état critique. L'aire de stationnement était pleine de voitures, de véhicules de police et d'ambulances. Alix bondit et se précipita vers le bâtiment, suivie par Ben deux minutes plus tard. Elle demanda des nouvelles de Faye à l'accueil : une fille de salle épuisée consulta ses papiers et l'envoya vers une salle de soins. Les lèvres d'Alix articulèrent une prière silencieuse pour remercier le ciel d'avoir sauvé la vie de sa fille. Elle n'eut pas de mal à la trouver, après s'être frayé un chemin entre les lits à roulettes encombrant le couloir, flanqués d'infirmières et d'urgentistes.

La plupart des visages étaient jeunes, et il y avait de tous côtés des parents paniqués et en pleurs. De petits groupes de gens parlaient avec des médecins et il était évident, à leurs sanglots, que certains avaient reçu de mauvaises nouvelles. Alix trouva Faye dans une grande salle abritant une dizaine de lits séparés par des rideaux. Sa tête était couverte d'un gros pansement et elle avait l'air hébété. Elle éclata en sanglots dès qu'elle vit sa mère. Alix la prit dans ses bras et la serra contre elle, pleurant elle aussi. Ni l'une ni l'autre ne remarquèrent Ben, qui se tenait juste derrière Alix. Lui aussi avait le visage baigné de larmes.

— On m'a tiré dessus, maman, dit Faye d'une voix de petite fille.

— Je sais, mon bébé, je sais... Je suis là... Tout va bien...

Elle tentait autant de se rassurer que de réconforter sa fille. Un médecin les rejoignit quelques minutes plus tard et leur annonça que Faye avait eu énormément de chance. Une balle lui avait éraflé la tempe en ne causant que des dommages superficiels.

— Un centimètre de plus, et ç'aurait été une autre histoire », précisa-t-il en regardant les deux femmes. Il avait été le témoin de bien des tragédies ce jour-là, et Faye, par miracle, y avait échappé. « On la garde en observation pour la nuit, mais vous pourrez la ramener à la maison dès demain matin.

Il ajouta qu'elle avait une légère fièvre, probablement due au traumatisme de la blessure, et qu'ils voulaient s'assurer que sa plaie ne s'infecterait pas. Faye murmura qu'elle entendait encore le bruit de la balle sifflant près de son oreille tandis que les élèves s'effondraient autour d'elle. Elle ajouta que deux de ses camarades de classe, ainsi que sa colocataire, étaient morts. L'agent du FBI qui l'accompagnait avait tenté de la protéger dès le début de la fusillade. Il avait fait deux pas dans sa direction avant d'être touché à la jambe et de s'effondrer à côté d'elle. Elle venait juste de tourner la tête vers lui quand la balle l'avait effleurée. Faye ne parvenait toujours pas à croire à ce qui s'était passé. Elle expliqua que l'agent du FBI avait été transporté par avion à Washington, et qu'il était apparemment dans un état stable. Son remplaçant se trouvait déjà dans le couloir de l'hôpital à l'arrivée d'Alix et de Ben, et il se présenta à eux quand ils laissèrent Faye se reposer quelques minutes. L'une des infirmières dit à Alix que les habitants de la région se rendaient en masse sur le lieu de la fusillade pour déposer des gerbes et des bouquets de fleurs. Ils ne pouvaient rien faire de plus désormais.

Le médecin les quitta quelques minutes plus tard pour s'occuper d'autres patients et, quand ils retournèrent voir Faye, Ben s'approcha prudemment de son lit.

— Tu nous as fait une peur bleue, Faye, dit-il d'une voix profondément émue.

Cela toucha Alix, surtout après ce qu'il venait de lui révéler concernant son fils.

— Moi aussi, j'ai eu peur, murmura-t-elle.

Elle grimaça en reposant la tête sur l'oreiller. Sa blessure continuait à lui faire mal, et ils ne voulaient pas lui donner trop de sédatifs pour pouvoir régulièrement vérifier son état.

— Vous voulez manger quelque chose ? leur demanda Ben.

Elles refusèrent. Mais Faye releva la tête pour lui sourire, reconnaissante car il lui avait amené sa mère.

— Comment avez-vous fait pour venir ici ? lui demanda-t-elle.

— On a quitté La Nouvelle-Orléans dès qu'on a appris la nouvelle. On était en reportage là-bas, répondit Ben.

— Je veux rentrer à la maison, maman, lança Faye d'une voix lasse.

L'université avait annoncé que ses portes resteraient closes pendant quinze jours – en hommage aux victimes, mais aussi pour renforcer les mesures de sécurité, mettre en place de nouveaux systèmes d'alarme, et laisser à chacun le temps de reprendre ses esprits. Alix préférait ne pas lui dire que les menaces proférées contre elle, à cause de l'enquête en cours sur les liens troubles entre le vice-président et les lobbies, les empêchaient de rentrer dans leur appartement, et qu'elle-même vivait toujours chez Ben. Elle aurait le temps de tout lui expliquer une fois qu'elle serait sortie de l'hôpital. Alix s'abstint aussi de lui demander si elle voulait retourner à Duke, après ce qui s'était passé. Même si cela aurait pu arriver n'importe où, ce genre d'événement étant devenu bien trop fréquent depuis quelque temps. Les fusillades sur les campus étaient désormais presque banales.

Faye raconta que trois de ses amis étaient venus la voir un peu plus tôt, et qu'ils avaient discuté de sa colocataire fauchée par une balle. Ses funérailles devaient avoir lieu à Atlanta, d'où elle était originaire. Quand l'infirmière vint enfin donner à Faye un léger tranquillisant pour l'aider à s'endormir, Alix et Ben allèrent manger un morceau. Ils repassèrent devant le garde du FBI, qui hocha discrètement la tête. Étant donné la confusion qui régnait à l'hôpital, personne ne remarquait sa présence. Alix était à la fois soulagée et épuisée quand ils s'installèrent dans la cafétéria. Ben aussi. Il avait prié pour que tout se passe bien tandis qu'ils roulaient pour rejoindre Faye et connaître la gravité de ses blessures. Elle avait été incroyablement chanceuse, par rapport à d'autres. Le nombre de victimes était toujours de vingt et un. Et les journaux télévisés venaient de révéler que la fille d'Alix figurait parmi les blessés. Elle fut surprise de recevoir un appel d'Olympia sur son portable au moment où ils quittaient la cafétéria.

— Pardonnez-moi de vous déranger, je voulais simplement vous dire que je suis navrée de ce qui est arrivé à votre fille, murmura-t-elle de sa douce voix un peu rauque, qu'Alix reconnut immédiatement. Comment va-t-elle ?

— Elle va bien. Une balle lui a éraflé le crâne, la blessant de manière superficielle. Ça aurait pu être bien pire.

Tandis qu'elle prononçait ces mots, une famille passa devant elle, se tenant par l'épaule, plongée dans le deuil. Leur fils n'avait pas survécu à ses blessures, et le nombre de morts s'élevait désormais à vingt-deux.

— Je suis tellement soulagée d'apprendre qu'elle va bien. C'est terrible, ce qui vient de se passer.

Alix savait que cela la touchait au vif, car elle-même avait vu un tireur fou tuer quelqu'un qu'elle aimait.

— Il nous faut un meilleur système d'alerte, et un meilleur programme de soins pour tous ces malades mentaux non soignés qui s'engouffrent dans les failles de notre société. Et des lois sur les armes plus adaptées, pour éviter qu'elles tombent entre les mains de déséquilibrés. On les laisse sortir de l'hôpital psychiatrique, et voilà qu'ils commettent des actes pareils.

D'innombrables vies avaient été détruites ce jour-là – celles de parents, d'enfants, d'amis. Ils ne seraient plus jamais les mêmes, tout comme la mort de Bill l'avait changée à jamais.

— Je suis contente qu'elle aille bien. J'ai pensé à vous dès que j'ai appris la nouvelle.

— Merci de m'avoir appelée, répondit Alix, sincèrement touchée.

Olympia était vraiment une femme bien. C'était horrible de la voir traîner comme une âme en peine, alors que ses enfants vivaient à l'autre bout du monde.

— Et bonne chance pour demain, ajouta-t-elle d'une voix sincère.

Elle savait à quel point ce serait éprouvant de servir d'appât pour piéger Tony – en supposant qu'ils y parviennent.

— Cela ne me réjouit guère.

Le cœur d'Olympia se souleva à ces mots. Elle avait commandé le dîner préféré de Tony et se sentait aussi traîtresse que Judas.

— Vous vous en sortirez très bien, répondit Alix en espérant avoir raison. Nous serons de retour en ville demain soir, si Faye est suffisamment en forme pour faire le voyage. Ils la gardent en observation ce soir.

— J'espère qu'elle se remettra vite, dit Olympia avec chaleur.

Elles raccrochèrent peu après. Les deux femmes, de toute évidence, avaient des atomes crochus et se vouaient un grand respect mutuel. Alix aimait beaucoup Olympia, et elle était sûre qu'elle aurait apprécié le sénateur également. Elle confia cette pensée à Ben.

— C'était un grand homme, convint Ben. Tu connais le frère d'Olympia, le sénateur du Connecticut ?

— Je sais qui c'est. Il est plutôt insipide, très conformiste, hyper sérieux. Il a une femme ennuyeuse, six enfants, et il n'y a rien de spécial à en dire. De braves bourgeois, c'est tout. Elle, c'est différent, répondit Alix.

— C'est vrai, reconnut Ben. J'aurais vraiment préféré que les Foster occupent la Maison-Blanche, à la place du Président actuel. Ou plutôt de Tony Clark et sa jeune mariée, le ciel nous en préserve. Il est avec elle pour l'argent, et elle l'a épousé parce que le pouvoir, ça l'excite. C'est pas vraiment ma définition du grand amour.

Il avait l'air cynique, mais Alix était sur la même longueur d'onde.

— C'est un vrai politicien, dans le pire sens du terme.

— Je suis surpris qu'il n'ait pas tenté d'épouser la veuve de Foster. Cela aurait été parfait pour lui, sur le plan politique comme pour son image. Et c'est exactement le genre de choses qu'il est capable de faire pour gagner les élections, ajouta Ben d'un ton écœuré.

— Je ne crois pas qu'elle aurait accepté. Elle est trop fidèle à la mémoire de son mari. Trop pour son propre bien, quand on y pense. À mon avis, elle a l'intention de passer le reste de sa vie à le pleurer.

Le livre qu'elle avait écrit à son sujet en témoignait, tout comme le fait qu'elle ait disparu de la vie publique et se soit retirée du monde. Elle ne s'était même pas montrée quand son frère avait gagné sa dernière campagne sénatoriale, comme elle le faisait auparavant. Épouser Tony Clark et l'accompagner à la Maison-Blanche ne cadrait pas avec le reste de son existence.

Ils regagnèrent le box de Faye et la trouvèrent endormie. Alix la regarda, et une nouvelle bouffée de reconnaissance l'envahit à l'idée qu'elle était en vie. Ils repartiraient le lendemain, si Faye était en état de voyager, et Alix avait prévu de dormir sur une chaise près d'elle cette nuit-là. Elle voulait pouvoir garder un œil sur sa fille.

Le lendemain matin, quand elles commencèrent à remplir les papiers de sortie, Faye lança à sa mère un regard inquiet.

— Je ne sais pas si j'ai envie de retourner à Duke, maman », murmura-t-elle. Elle avait mal à la tête et sa blessure l'élançait. « Je crois que j'aimerais bien passer un moment avec mamie en France.

Elle se sentirait en sécurité là-bas, loin des événements traumatisants qui venaient de se produire et avaient tué ses amis. Elle avait déjà prévu de passer une partie de l'été en France de toute façon. Peut-être qu'elle y resterait.

— Tu peux prendre un semestre de congé, si tu veux, ou changer de fac, répondit Alix d'une voix douce. Quoi que tu fasses, tu n'as pas besoin de te décider maintenant.

Elles appelèrent Isabelle un peu plus tard pour lui raconter ce qui s'était passé, lui expliquer que Faye allait bien, et lui annoncer qu'Alix était avec elle. Isabelle avait vaguement entendu parler de la fusillade aux informations, mais elle n'avait pas fait le lien avec Duke – elle aurait paniqué sinon, et appelé Alix sur-le-champ. Elle fut bouleversée d'apprendre que Faye avait été blessée, mais soulagée que ce ne soit pas pire. Gabriel se trouvait près d'elle, et elle lui expliqua tout alors qu'elle était encore au téléphone avec Alix.

— J'ai envie de venir te voir, mamie, dit Faye quand elle saisit le combiné.

— Mais bien sûr, quand tu veux. Une fois que tu auras terminé ton semestre, ajouta-t-elle d'un ton détaché, tu pourras passer tout l'été ici.

Faye demeura interloquée. Sa grand-mère, qui était de la vieille école, jugeait qu'il fallait se remettre en selle et finir son semestre même quand on venait de se faire tirer dessus. Alix éclata de rire quand Faye lui raconta sa conversation, après avoir raccroché.

— Je reconnais bien là ma mère. Avec elle, les études, c'est du sérieux.

Ben rit lui aussi et partit chercher trois petits déjeuners à la cafétéria. Le service de cantine était perturbé et les plateaux arrivaient en retard. Qui plus est, la nourriture de l'hôpital était atroce, même si aucun d'eux ne s'en souciait. Les plats de la cafétéria étaient légèrement meilleurs, et Alix fut contente de voir Faye manger un peu après le traumatisme de la veille. Ben et Alix la laissèrent pour aller parler à l'agent du FBI alors en service et lui annoncer qu'ils partiraient dans la matinée. L'agent répondit qu'il les accompagnerait jusqu'à l'aéroport. D'autres gardes seraient affectés à la protection de Faye à leur descente de l'avion, et il allait informer le bureau de New York de leur itinéraire. Après cette discussion, Ben et Alix allèrent marcher quelques minutes sur le parking. Alix avait l'air épuisée, elle avait à peine fermé l'œil de la nuit. Elle n'avait cessé de se réveiller en sursaut pour voir si Faye allait bien.

— C'était une sacrée journée, hier, dit Alix en poussant un long soupir las.

Ben passa le bras sur ses épaules.

— Tu as été très courageuse, la félicita-t-il. Elle leva les yeux pour lui sourire.

— Toi aussi. Merci d'avoir géré Félix et de nous avoir permis de venir ici aussi vite. Je n'aurais jamais pu rester à La Nouvelle-Orléans jusqu'à la tombée de la nuit.

— Moi non plus.

Les journalistes qui les avaient remplacés à La Nouvelle-Orléans étaient déjà à l'antenne aux infos de 22 heures : Félix avait bien eu son reportage. Il avait demandé à Ben de couvrir les événements de Duke, mais celui-ci avait une fois de plus refusé. Il avait expliqué qu'Alix n'était pas en état de travailler, et qu'il fallait envoyer une autre équipe sur le campus. Il fallait savoir marquer les limites de temps à autre, et c'était exactement ce qu'ils avaient fait. Ils regagnèrent la chambre de Faye. Un médecin était en train de l'examiner, et il leur annonça qu'elle pouvait partir si elle s'en sentait capable. Faye répondit que oui. Elle avait hâte de rentrer chez elle. Tout ce qu'elle voulait désormais, c'était s'éloigner de Duke, et de ces scènes de carnage qu'elle n'oublierait jamais, elle le savait. Ce souvenir était à jamais gravé en elle. Alix le lut dans les yeux de sa fille tandis qu'elle l'aidait à s'habiller. Ses mains tremblaient chaque fois qu'elle songeait que Faye avait été à deux doigts de mourir, et sa tête couverte de bandages leur rappelait qu'il s'en était fallu de peu. Alix ne s'était jamais sentie aussi chanceuse de toute son existence. Elle prit Faye dans ses bras et la serra contre elle.

— Allez, on rentre à la maison, dit-elle d'une voix étranglée.

Faye acquiesça en silence, les joues mouillées de larmes.

10

Le samedi, pendant le vol de retour vers New York, Alix expliqua à Faye qu'elles devaient vivre chez Ben à cause des menaces qu'elle recevait. Le FBI avait prévu trois gardes du corps. Faye grogna un peu, mais ne parut pas étonnée.

— J'avais envie de dormir dans mon lit, dit-elle d'une voix plaintive.

Alix, cependant, ne voulait pas prendre de risque. Trois menaces de mort, c'était bien assez pour la convaincre qu'elles n'étaient peut-être pas en sécurité chez elle, et Ben serait capable de les protéger dans son appartement de Brooklyn. Les menaces allaient de pair avec ses enquêtes et ses reportages pour dénoncer les agissements criminels. Et ce qu'elle avait découvert sur le vice-président était très grave, même si elle ne pouvait en parler avec sa fille. Faye ne discuta pas, car elle sentait que c'était sérieux, mais elle était déçue de ne pouvoir se déplacer sans escorte ni rentrer chez elle. Mère et fille devraient partager le lit de la chambre d'amis de Ben, et il n'était pas large. Sa chambre à lui n'était pas plus grande, sinon il la leur aurait cédée. Alix lui était reconnaissante de leur offrir l'hospitalité, même si Faye était contrariée. L'agent du FBI n'étant pas encore arrivé, celle-ci devrait patienter avant de pouvoir sortir. Elle appela donc plusieurs de ses amies une fois en sécurité chez Ben, et deux d'entre elles promirent de venir la voir à Brooklyn – elles étaient très contentes de savoir qu'elle allait bien. Le temps qu'elle passe ses coups de fil, le garde du corps du FBI avait pris son poste devant l'appartement de Ben.

— Merci de nous laisser squatter chez toi, dit Alix à Ben d'un air embarrassé. Si tu veux, on peut aller à l'hôtel.

— Je suis ravi que vous soyez ici, répondit-il, d'un ton qui semblait sincère.

Il rangea la pièce du mieux qu'il put, puis Alix et lui allèrent faire quelques courses pendant que Faye restait au fond du lit à envoyer des SMS à ses amis et à regarder des films sur son ordinateur portable.

Alix se sentait plus proche de Ben après les épreuves qu'ils venaient de traverser. Ils n'avaient plus parlé de Chris, son fils, mais Alix était touchée qu'il se soit confié à elle, et elle remarqua sur une étagère la photo d'un petit garçon, à laquelle elle n'avait jamais prêté attention auparavant. Elle était certaine que c'était lui, mais ne posa pas de question. Elle ne voulait pas aborder une fois de plus ce douloureux sujet.

Le médecin avait recommandé à Faye de se ménager pendant quelques jours, puis elle pourrait reprendre une vie normale, à condition de faire examiner sa blessure au bout d'une semaine. Alix lui changeait ses pansements, et sa plaie, déjà très propre, était en voie de cicatrisation. Mais les reportages télévisés sur les conséquences de la fusillade étaient à fendre le cœur. Les photos des victimes et de leurs proches passaient en boucle, et les funérailles, dans les diverses villes où les défunts avaient vécu, étaient prévues pour le mardi suivant. Alix et Ben étaient en congé jusqu'au lundi, avec la bénédiction de leur patron.

Ce soir-là, ils dînèrent dans la cuisine : une grande salade préparée par Alix, des plats chinois réclamés par Faye, et un poulet rôti acheté chez un traiteur du voisinage. À peine avaient-ils fini leur repas que les amies de Faye sonnèrent à la porte. Les jeunes filles se retirèrent dans la chambre d'amis, pour s'allonger sur le lit et discuter, tandis que Ben et Alix buvaient un verre de vin dans la cuisine. L'ambiance, quoique feutrée, était à la fête. Cela ressemblait à un vrai foyer, même aux yeux d'Alix. Ben se montrait hospitalier et chaleureux avec elle, tout comme avec sa fille.

— Merci encore de nous avoir invitées, murmura-t-elle tandis qu'il lui servait un autre verre.

Il avait déniché la bouteille au fond de son placard. C'était du vin espagnol bon marché, mais il était étonnamment savoureux, tout comme l'avait été leur petit dîner improvisé.

— Grâce à vous deux, mon appartement est plus joyeux, lui dit-il en souriant. La plupart du temps, c'est beaucoup trop silencieux. Mais c'est vrai que je ne suis presque jamais là, sauf pour dormir.

La présence d'Alix et de sa fille changeait tout.

— Je ressens la même chose quand je suis chez moi et que Faye n'est pas là. Ça fait toute la différence, même si les allées et venues de ses copines à n'importe quelle heure du jour et de la nuit me font parfois tourner en bourrique. Mais c'est devenu trop déprimant, maintenant qu'elle est à la fac. Je déteste rentrer chez moi.

Il acquiesça de la tête et garda le silence quelques secondes avant de répondre :

— Au début, quand j'ai quitté l'armée, j'ai vraiment adoré vivre dans la paix et la solitude. Maintenant, ça me paraît un peu trop calme parfois. Je me demande si je ne vais pas m'installer dans le centre. En même temps, on est si souvent en vadrouille que ça n'a peut-être pas tellement d'importance, en fait. De toute façon, je n'ai jamais le temps de sortir. Je me dis toujours que j'irais au musée et au théâtre si j'emménageais à Manhattan, mais ce ne serait sans doute pas le cas.

Elle sourit d'un air compréhensif.

— C'est dur de prévoir quoi que ce soit quand on travaille autant que nous et qu'on voyage tout le temps.

— C'était très agréable, ces quelques jours de congé en France », répondit-il. Il se souvenait des châteaux qu'il avait visités, et du temps qu'il avait passé en Provence avec Alix et sa mère. « Je devrais faire ça plus souvent, parcourir un peu l'Amérique.

Elle hocha la tête, tout en songeant qu'elle-même n'avait de temps pour rien quand elle était aux États-Unis, à part faire sa lessive, préparer ses valises, et compulser des documents pour le reportage suivant. Cela lui rappela qu'au même moment Olympia était en train de dîner avec le vice-président. Elle aurait bien aimé savoir comment la soirée se déroulait.

Comme toujours, Tony était arrivé exactement à l'heure prévue. Olympia l'attendait dans la bibliothèque, vêtue d'une robe noire toute simple rehaussée d'un collier de perles, ses cheveux noirs bien lissés. Un coiffeur passait la voir à domicile dorénavant, et il était venu l'après-midi même en prévision de ce dîner. Elle était toujours impeccable quand elle recevait Tony. C'était une vraie beauté, aussi élégante que gracieuse.

— Tu es superbe, lui lança-t-il d'un ton élogieux.

Il déboucha la bouteille de champagne qui l'attendait dans un seau à glace en argent posé sur la table basse, accompagné de deux flûtes. Le micro était dissimulé sous la robe d'Olympia, et elle se sentait nerveuse, mais il ne remarqua pas son anxiété. Un agent féminin de la CIA était venu deux heures plus tôt mettre en place le micro pendant qu'elle s'habillait. Ce n'était qu'un mince fil courant sur sa peau, et un dispositif très efficace. Trois officiers du service des opérations clandestines étaient en planque dans une camionnette garée quelques dizaines de mètres plus loin, à écouter chacun des mots que Tony prononçait depuis qu'il était entré.

Il lui demanda ce qu'elle avait fait de sa journée, et elle répondit qu'elle avait travaillé sur son livre. Ils burent du champagne, et elle lui demanda poliment comment allaient Megan et les enfants, comme d'habitude. Il répondit que la petite avait la grippe, et que Megan était ravie d'être de nouveau enceinte.

— Trois gamins, ça présentera sans doute mieux pendant la campagne, dit-il avec un sourire crispé. Un bon père de famille.

C'était la seule chose qu'Olympia, contrairement à Megan, n'aurait pu lui offrir : des enfants, ainsi que l'argent de son père pour financer sa campagne. À part ça, il continuait à penser qu'Olympia aurait été de loin le meilleur choix. Elle avait un charisme qu'une fille de l'âge de Megan ne pouvait posséder, un passé lié à la politique, et tout le pays l'adorait. Il n'avait jamais cherché à convaincre Olympia qu'il était fou amoureux de sa femme, et elle se demandait à chaque fois qu'elle le voyait si son mariage durerait. Il avait plusieurs fois trompé sa première épouse, qui s'était lassée de lui et avait divorcé peu avant la mort de Bill. Cela n'avait guère brisé le cœur de Tony. Des années plus tôt, il avait avoué à Olympia et Bill, pour justifier ses infidélités, que son mariage était mort depuis longtemps, et que dès les premiers moments de vie commune ils s'étaient tous deux rendu compte qu'ils n'étaient pas faits pour être ensemble. En outre, elle ne pouvait pas avoir d'enfants, et il n'avait aucune envie d'adopter. Pour parfaire son image d'homme politique, Megan était un bien meilleur choix que sa première épouse. Elle était intelligente et cultivée, en plus d'être belle, et elle lui avait donné des enfants. Mais Olympia aurait fait de lui une véritable légende, de la stature de Bill. Il exprima tout cela très clairement au cours du dîner, et les trois agents de la CIA cachés dans la camionnette comprirent que son ambition politique motivait le moindre de ses faits et gestes – même son choix d'une épouse. Prenant conscience de sa vraie personnalité, ils écoutèrent la suite sans faire de commentaire, un casque sur les oreilles pour ne pas rater une miette de la conversation.

Ils avaient déjà dégusté la moitié de l'excellent dîner qu'Olympia avait fait préparer en son honneur quand elle aborda le sujet qui importait à la CIA. Jusqu'alors, ils avaient parlé de la fusillade sur le campus de Duke, de la conversation qu'Olympia avait eue la veille avec Darcy au sujet de son petit ami médecin, et de certaines des activités de Tony à Washington cette semaine-là, dont aucune n'intéressait particulièrement les agents cachés dans la camionnette.

Puis Olympia indiqua enfin de manière désinvolte qu'elle avait parcouru d'autres documents appartenant à son mari au cours des derniers jours, afin d'étoffer par des citations plusieurs chapitres de son manuscrit, et de faire revivre Bill aux yeux des lecteurs. Cela faisait longtemps qu'il n'était plus de ce monde, et elle craignait que l'on n'oublie à quel point il s'était investi et passionnément engagé dans diverses causes.

— Je suis tombée sur des notes que je crois n'avoir jamais vues auparavant, écrites de sa main, ainsi que sur un journal intime. Rien de tout cela n'est très intéressant. Il se contente de dire que tu es très populaire et apprécié, que tu comptes des amis parmi les lobbyistes, et que tu connais du monde dans tous les secteurs d'activité, dit-elle d'une voix neutre, en le regardant avec de grands yeux innocents.

Pour quelqu'un qui ne la connaissait pas, elle aurait presque pu passer pour naïve et stupide. Tony fronça les sourcils.

— Je ne fricote pas avec les lobbyistes et ne l'ai jamais fait, dit-il d'un ton brusque et dédaigneux. J'ai joué une seule fois au golf avec deux ou trois d'entre eux, et cela a mis Bill dans tous ses états. Il était un peu trop chatouilleux sur ce point, et c'était un puriste, tu le sais comme moi. Tu as trouvé autre chose dans ses notes ? Où as-tu déniché ces papiers ?

— Dans des cartons que l'on m'a fait parvenir de son bureau après coup. Comme ils ne m'ont jamais paru très importants, je ne m'en étais pas servie pour le premier livre.

Rien n'était plus faux. Elle avait lu le moindre bout de papier sur lequel Bill avait griffonné quelques mots, et exploré l'intégralité des cartons au cours des six dernières années. Elle s'exprimait cependant de manière à rendre son mensonge parfaitement plausible, et les agents de la CIA furent impressionnés. Elle avait parlé avec exactement la touche de désinvolture qu'il fallait.

— Mais je manque de documentation pour le second, alors je vais devoir creuser davantage.

Cette dernière phrase avait de quoi inquiéter, si l'on avait quelque chose à cacher. Aux yeux d'un innocent, cela ne semblerait qu'une démarche un peu vaine, ou simplement normale quand on rédigeait un livre – d'autant plus que son mari était mort depuis six ans, et qu'elle commençait à manquer de matière pour son nouveau projet.

— Y avait-il quoi que ce soit de remarquable dans ses notes ?

En écoutant attentivement, il était possible de percevoir une légère tension dans la voix de Clark, et les agents regrettèrent de ne pas voir l'expression de son visage.

— Pas vraiment, répondit-elle d'un air vague tout en lui souriant. Quelque chose à propos d'un voyage que tu as fait en Arabie saoudite, ce qui ne rimait pas à grand-chose non plus. Tu y es déjà allé ? Je me suis dit que Bill avait dû s'embrouiller dans ses notes. C'était plus une sorte de griffonnage rapide accompagné de quelques dates qu'un journal intime en bonne et due forme. Il semblait y avoir un ou deux voyages, peut-être trois, ainsi que la mention d'un séjour en Iran. Peut-être que tu voulais y aller avec lui et qu'il a noté des dates possibles. À ma connaissance, tu ne t'y es jamais rendu, et je suis certaine que Bill n'a jamais mis les pieds là-bas. » Elle écarquilla à nouveau les yeux et lui lança son plus beau sourire. « Bill parlait toujours de voyages qu'il ne faisait jamais. Il était trop occupé pour partir au loin, et le Moyen-Orient n'a jamais été une priorité pour lui, pas plus que pour toi. Je crois que je suis condamnée à ne trouver que des cartons remplis de papiers insignifiants désormais. J'en ai encore quelques-uns à parcourir, mais j'ai l'impression qu'on m'a envoyé absolument tout ce qui se trouvait dans son bureau, y compris le contenu de sa poubelle. Beaucoup de ces documents ne riment à rien, répéta-t-elle. Ces dates de voyages à Djeddah et Riyad, par exemple. Tu es déjà allé là-bas ? demanda-t-elle poliment, comme si la réponse lui était égale.

— Non, bien sûr que non, mentit-il. Je me suis rendu une fois à Téhéran quand j'étais sénateur, lors d'un voyage organisé avec des fonds publics. Je n'ai pas aimé, et je n'y retournerai jamais. Le monde arabe n'est vraiment pas fait pour moi – sauf si j'étais contraint d'y aller en tant que Président, bien sûr. Mais dans la vie civile, je ferai tout pour l'éviter. Je n'aime pas les pays ni les peuples qui maltraitent les femmes, précisa-t-il pour l'amadouer. Il y a vingt-cinq ans à peine, les Saoudiens étaient encore des nomades vivant dans le désert. Il n'y a rien d'attirant là-bas.

— À part le pétrole, répliqua-t-elle sans se départir de son sourire. J'ai vu un groupe de Saoudiennes chez Bergdorf il y a quelques années. Chacune achetait plusieurs sacs en croco, elles devaient en avoir une centaine en tout en quittant la boutique. Difficile de se représenter autant d'argent.

Elle tentait d'avoir l'air naïve et crédule. C'était exactement ainsi qu'il voulait qu'elle soit, et elle comprenait à présent que c'était probablement ainsi qu'il la voyait. Mais il avait tort.

— Je ne savais pas que tu y étais déjà allé, conclut-elle. Peut-être que tu pourrais jeter un coup d'œil à cette dernière fournée de documents un jour ou l'autre, et me dire si j'ai raté quelque chose qui concernerait la politique de Bill et sa vision du monde. C'est le cœur du sujet de mon livre – ce en quoi il croyait, ce pour quoi il vivait. Je sais qu'il souhaitait sincèrement que l'on puise dans nos propres ressources naturelles et que l'on évite d'importer du pétrole. Les magnats de l'or noir ne l'intéressaient pas.

— Et moi pas davantage, répondit Tony d'un ton ferme, lui mentant une fois de plus. Nous étions parfaitement d'accord sur ce point, et je trouve qu'il avait raison de vouloir promouvoir nos ressources.

Elle n'arrivait pas à croire qu'il lui ait menti tout au long de leur conversation. Elle se demanda soudain combien de fois il avait déjà cherché à la duper. De toute évidence, il pensait qu'elle était idiote et crédule. C'était un choc de s'en apercevoir, après tout ce temps.

Elle changea alors de sujet, mais il revint à la charge quelques minutes plus tard.

— Où ranges-tu les cartons de notes que tu n'as pas encore parcourues ? Je devrais peut-être les faire envoyer à mon bureau et les feuilleter à ta place. Je pourrais m'en occuper un de ces jours, en fin de semaine, quand j'aurai un peu de temps devant moi.

— Je ne voudrais vraiment pas t'ennuyer avec ça, répondit-elle d'une voix douce. J'ai bien l'impression qu'ils ne contiennent que de vieux papiers sans intérêt, et c'est fastidieux de tout passer en revue. Il me reste une dizaine de cartons à fouiller, mais je crois bien que j'ai déjà exploité toute la documentation utile dans mon premier livre. Je ne pense pas trouver grand-chose de plus. Et puis, c'est tellement pénible de déchiffrer tout cela. J'ai trouvé quelques adorables photos des enfants que j'ai l'intention de faire encadrer, ainsi qu'une belle de lui, et une autre de vous deux, mais c'est tout pour l'instant. Je vais sans doute archiver le reste, étant donné que je ne jette aucun de ses papiers.

Tony demeura silencieux quelques secondes et parut irrité en reprenant la parole.

— Dieu sait à quel point j'adorais cet homme, presque autant que toi, mais c'était un tel puriste, un tel extrémiste, à sa façon. Tout était toujours noir ou blanc à ses yeux. Tu avais raison ou tort, tu étais bon ou mauvais. Il n'y avait pas de zones grises avec lui, pas d'ombres, pas de compromis, aucune compréhension des nuances de la politique et des ajustements nécessaires pour faire avancer les choses. J'ai tenté de le lui expliquer, mais il était têtu comme une mule. » Il poursuivit et, pendant quelques secondes, sembla presque féroce : « C'était bien ou mal simplement parce qu'il le croyait. Le monde ne fonctionne pas comme ça.

— Son monde à lui, si, répondit Olympia, presque dans un murmure. Il n'aurait jamais fait quelque chose d'immoral à ses yeux, et ne nous aurait pas autorisés à le faire. C'était vraiment quelqu'un de bien. » Sa voix s'éteignit. « Je crois que c'est pour ça que les gens l'aimaient tant, parce qu'il était d'une intégrité sans faille, ajouta-t-elle au bout de quelques secondes. On ne peut qu'admirer les hommes comme lui. Il ne transigeait pas sur ses convictions, et il avait tant de compassion pour les gens. C'est d'ailleurs pour ça que tu l'aimais, toi aussi, lui rappela-t-elle.

Le plus proche ami de Bill n'avait pas l'air de l'aimer beaucoup à cet instant. Tony Clark se souvenait des disputes qui éclataient entre eux quand il tentait de le convaincre de se montrer moins inflexible. Et il s'inquiétait des cartons dont avait parlé Olympia. Dieu seul savait ce qui pouvait bien être rangé là-dedans. Il était soulagé qu'Olympia, selon toute apparence, ignore tout de leur contenu.

— Aux yeux de tous, c'était un véritable héros, reprit-elle.

Tony hocha la tête.

— Oui... C'est vrai... D'une certaine façon, ce n'est pas surprenant qu'il ait été tué. Tout au long de l'histoire, les hommes aux grands idéaux et à la morale inflexible ont fini en martyrs, tel Jésus, et beaucoup d'autres jusqu'à l'époque moderne. Le type qui a tué Bill ne le connaissait pas, mais les hommes comme Bill, qui dégagent une telle aura, attirent presque la tragédie sur eux.

C'était la première fois qu'il exprimait ainsi devant elle cet étrange point de vue. Pour un peu, il semblait croire que c'était le destin de son mari d'être assassiné. Cette pensée la fit frissonner.

La gouvernante débarrassa les assiettes et apporta le dessert. La tarte Tatin était magnifique. Faite maison, elle était accompagnée de crème fouettée. Olympia savait que c'était l'un des desserts préférés de Tony. Tandis que la gouvernante en coupait deux parts, Olympia songea à tout ce que Tony venait de dire sur l'homme censé être son meilleur ami. Certains de ses propos la laissaient perplexe. Il semblait presque considérer la mort de Bill comme inéluctable. Aux yeux de Tony, elle en avait conscience désormais, la fin justifiait les moyens – même si cela signifiait lui mentir, à elle. Et elle était sûre que ce n'était pas la première fois.

Elle semblait lasse à la fin du repas. Cela lui avait été pénible de paraître désinvolte et enjouée tout en orientant la conversation vers des sujets intéressant la CIA. Mais elle voyait bien à présent que Tony n'aurait eu aucun mal à trahir Bill, à le faire passer pour un homme déraisonnable et trop strict, à faire croire que Bill était d'accord avec ses idées quand ce n'était pas le cas. C'était effrayant de songer à ce qu'il risquait de raconter pour sauver sa peau. Elle le croyait capable de tout à présent – n'importe quel mensonge qui servirait ses intérêts. Il était complètement égocentrique. Et les agents de la CIA dans la camionnette l'avaient sans doute bien compris eux aussi. Olympia voyait désormais beaucoup trop clairement que Tony n'était pas l'homme qu'elle croyait, et elle était certaine que Bill avait eu raison de couper les liens l'unissant à son vieil ami. Six ans plus tard, celui-ci était plus corrompu que jamais, exactement comme Bill l'avait craint.

Tony resta encore un peu avec elle après le dîner, le temps de boire un café, puis il partit prendre l'avion pour Washington. Juste avant de s'en aller, il lui rappela de lui faire parvenir les derniers cartons de Bill afin qu'il puisse y jeter un coup d'œil et lui épargner cette corvée.

— Je ne veux pas t'imposer ça, répondit-elle d'un air embarrassé. Tu as plus important à faire.

— Cela me ferait plaisir, au contraire, j'aurai l'impression d'être près de lui en lisant ses notes.

C'était exactement ce qu'elle ressentait quand elle fouillait dans les archives de son mari. Tony avait cependant d'autres raisons d'agir et ne se rendait pas compte qu'elle l'avait percé à jour. De toute façon, les cartons qu'elle avait évoqués n'étaient que pures chimères, ils n'avaient jamais existé. Elle avait inventé leur existence pour pouvoir aborder les sujets importants, et la ruse avait fonctionné. Elle aurait été fière d'elle, si ce qu'elle venait de découvrir n'était pas aussi décevant. Soudain, tout ce que Tony lui avait dit au cours des six années ayant suivi la mort de Bill lui parut creux et faux. Elle eut envie de pleurer en refermant la porte derrière lui, une fois qu'il l'eut embrassée sur le front en lui répétant qu'il l'aimait. Elle voyait bien à présent qu'il n'aimait personne d'autre que lui.

Les agents cachés dans la camionnette attendirent un quart d'heure avant de sonner à sa porte, de manière à être sûrs qu'il ne reviendrait pas pour une raison quelconque. Ils lui retirèrent son micro, ravis de ce qu'ils avaient entendu. Clark n'avait cessé de lui mentir, au sujet des lobbyistes qu'il fréquentait, de son amitié avec eux, de ses voyages en Arabie saoudite et en Iran, ainsi que des hommes qu'il connaissait là-bas – et même de ses convictions concernant l'achat de pétrole étranger. En outre, il était manifestement soucieux d'en savoir plus sur les notes de son défunt ami, et avait tout fait pour la convaincre de les lui envoyer.

Quand les agents de la CIA s'en allèrent, Olympia savait que Tony ne reviendrait pas chez elle. Même s'il le souhaitait, elle ne pourrait plus jamais le laisser franchir sa porte. Elle avait la même conception de la vérité que son défunt mari. Et Tony Clark était un menteur. Ce n'était plus qu'une question de temps avant que la CIA resserre son étau et l'envoie en prison. Elle espérait qu'on ne lui demanderait plus de jouer les appâts pour faciliter son arrestation.

Elle monta dans sa chambre le cœur lourd, n'ayant plus qu'un seul désir en tête : fuir cette maison et partir prendre l'air. Elle voulait rencontrer du monde, voir ses enfants, ses anciens amis. Elle était lasse de ce projet de livre et de devoir porter le message de Bill à travers le monde. Elle avait besoin de faire une pause, et de s'éloigner le plus possible de Tony Clark. Elle s'aperçut que son souhait le plus cher à cet instant était de retrouver ses enfants. Son fils était tout près, dans l'Iowa, mais il ne venait plus jamais à New York et elle ne l'avait pas revu depuis des mois. Quant à Darcy, elle vivait beaucoup plus loin, au Zimbabwe, ce serait donc pour une autre fois.

Elle envoya un mail à Jennifer avant de se coucher, lui demandant de lui réserver un vol pour Chicago le lendemain, puis un SMS à Josh pour lui proposer de passer quelques jours avec lui, s'il avait le temps. Elle avait envie de le serrer dans ses bras et l'embrasser. Elle en avait assez de passer sa vie dans le deuil. Quelque part au milieu de tous les mensonges de Tony ce soir-là, le charme avait été brisé, tout autant que son cœur. Elle avait perdu un ami – en supposant qu'il l'ait jamais été, pour elle comme pour Bill, ce dont elle doutait à présent. Mais elle avait enfin commencé le long voyage qui la ramènerait à la vie. Il était temps. Apprendre la vérité au sujet de Tony l'avait libérée de ses chaînes.

11

Jennifer parvint à trouver un billet pour Chicago dès le lendemain matin. Olympia voulait passer la journée à revoir ses lieux préférés. C'était dans cette ville que Bill et elle avaient passé les premières années de leur mariage, quand il s'était lancé en politique. Le moment venu, ils avaient déménagé à Washington, mais ils avaient conservé pendant plusieurs années un appartement à Chicago, qui donnait sur le lac, et où le père de Bill habitait toujours. Il avait quatre-vingt-douze ans à présent. Olympia ne l'avait pas revu depuis un an, quand il était venu lui rendre visite à New York, mais ils se parlaient au téléphone de temps en temps. Elle était profondément attachée à lui et sa présence lui avait manqué. Elle était impatiente de le revoir à présent. Elle l'avait appelé avant de quitter New York, et il était prévu qu'elle dîne avec lui ce soir-là.

Elle descendit au Four Seasons, puis alla flâner dans la ville qu'elle avait tant aimée, admirant les changements récents, souriant en retrouvant des panoramas familiers. Son cœur se serra lorsqu'elle passa devant leur ancienne adresse et contempla longuement le lac. C'était pour elle un véritable voyage dans le temps, avec les souvenirs de Bill et des années heureuses passées dans ces lieux qui lui revenaient en mémoire. Elle avait toujours été heureuse à Chicago, et leurs deux enfants y étaient nés. C'était une ville complexe, mais plus petite et moins violente que New York, où elle avait grandi. Elle avait suivi Bill à Chicago au moment de leur mariage, et adoré la vie qu'elle y avait menée à ses côtés.

Elle avait l'intention d'aller voir Josh dès le lendemain, dans le village de l'Iowa où il résidait désormais. Il avait été surpris par son SMS de la veille et son appel le matin même, mais il se réjouissait de la voir et s'était arrangé pour dégager un peu de temps libre. Il n'arrivait pas à croire que sa mère était finalement sortie de sa tanière et recommençait à voyager. Elle lui avait aussi expliqué qu'elle dînait avec son grand-père à Chicago ce soir-là. Josh appela Darcy pour lui annoncer la nouvelle, et elle fut aussi interloquée que lui.

— Peut-être qu'elle prend des médocs, suggéra Darcy. Oncle Tony l'accompagne ? Si ça se trouve, c'est lui qui l'a convaincue de cesser de se cloîtrer.

— Je ne crois pas. Elle n'a pas parlé de lui.

La raison de cette visite demeurait une énigme pour l'un comme pour l'autre, mais cela semblait plutôt de bon augure. Quant à leur grand-père, il était tout aussi soulagé et surpris de ce changement. Ils avaient tous perdu l'espoir de voir Olympia renoncer à sa vie de recluse. Elle n'avait livré aucune explication, et leur avait simplement signalé qu'elle venait, comme ça, sur un coup de tête.

Olympia retrouva son beau-père ce soir-là, et il en était ravi. Charles Foster était un homme robuste et à l'esprit alerte, qui avait commencé sa carrière comme avocat avant de pénétrer, cinquante ans plus tôt, dans les coulisses du monde politique de Washington, et d'en devenir une personnalité importante. Véritable boule d'énergie, il avait d'incroyables qualités. C'était lui qui avait convaincu Bill de se présenter au Sénat et de viser la présidence un jour, et il était très attaché à sa belle-fille, en plus de l'admirer profondément. Comme elle, il avait été anéanti à la mort de Bill, mais il s'était remis du choc de manière plus saine, en reprenant son travail, qui l'occupait beaucoup, et en s'investissant pleinement dans le monde. Même à son âge, il siégeait encore dans divers conseils d'administration américains et britanniques. Considéré comme une éminence grise, il avait encore beaucoup d'influence à Washington. Comme son fils, il était vénéré par tous ceux qui le connaissaient. Bill et lui étaient des hommes charismatiques nourris par des idéaux puissants, de formidables rêves et des valeurs solides.

Charles emmena Olympia dîner aux Nomades, un restaurant chic très à la mode. Il se tenait au courant des nouveautés qui sortaient en librairie aussi bien que de l'actualité la plus récente, connaissait la musique et les arts, et fréquentait les principaux acteurs politiques du pays – et même les étoiles montantes. C'était une véritable légende vivante qui avait plus l'allure d'un homme de soixante-cinq ans que d'un nonagénaire. Il avait encore toutes ses facultés, continuait à jouer au tennis et au golf, assistait à des soirées mondaines et passait beaucoup de temps avec ses amis, jeunes ou vieux, qui vivaient aux quatre coins du monde. On eût dit son fils défunt, en beaucoup plus âgé. Il rendait visite à son petit-fils dans l'Iowa au moins une fois par mois, et avait été profondément peiné de voir sa belle-fille tourner le dos au monde.

— Je suis si heureux de te voir, dit-il à Olympia avec un plaisir manifeste une fois qu'ils furent installés à leur table.

Cela faisait vingt-cinq ans qu'il était veuf, mais il avait choisi de croquer la vie à belles dents. Depuis la mort de Bill, il s'inquiétait pour Olympia et se souciait de son incapacité à aller de l'avant sans son mari. Mais il savait aussi que la décision de rebondir ne pouvait venir que d'elle. Personne ne pourrait le faire à sa place, ni la contraindre à profiter à nouveau de l'existence. Il avait bien conscience que ce voyage à Chicago était un premier pas important aux yeux d'Olympia, et le signe d'espoir qu'ils attendaient tous.

— Je me suis dit qu'il était temps que je sorte de mon cocon, murmura-t-elle timidement.

Il acquiesça en silence. Cela faisait des années qu'il espérait ce moment.

— Je vais voir Josh demain. Et j'ai envie de rendre visite à Darcy bientôt. Elle a un nouveau petit ami, un médecin français.

Charles fut ravi de l'entendre et de voir une étincelle nouvelle briller dans ses yeux. Il tenait beaucoup à elle.

— C'est ce qu'on m'a dit. » Il se tenait au courant des nouvelles familiales et était toujours resté en contact avec ses deux petits-enfants. « Et toi, Olympia ? lui demanda-t-il d'un ton grave, une fois qu'ils eurent commandé à dîner. Qu'est-ce que tu vas faire maintenant ?

— Je ne sais pas. Je travaille sur un autre manuscrit au sujet de Bill.

Charles sembla mécontent.

— Est-ce vraiment une bonne idée ? » Il était convaincu que non. « Cela te fige dans le passé et t'empêche d'aller de l'avant. Je ne crois pas que Bill aurait voulu cela pour toi. Le premier livre était formidable et lui rendait hommage de manière extraordinaire. Je ne suis pas sûr qu'un second ouvrage soit nécessaire. Après tout, il ne se présentera plus jamais aux élections, ajouta-t-il avec un sourire nostalgique.

Il avait accepté la réalité de cette perte beaucoup mieux qu'elle.

— Je sais. Moi aussi, je commence à douter de la nécessité de ce livre », avoua-t-elle avec franchise. Elle était soulagée qu'il l'ait exprimé à voix haute. « Mais je ne sais pas quoi faire d'autre. Les enfants sont partis... Et Bill...

Elle le regarda, une lueur de panique dans les yeux, mais il voyait bien qu'elle tentait de remonter la pente. C'était ce que tout le monde lui souhaitait, et écrire un nouveau livre sur son mari semblait contre-productif. Charles espérait de tout cœur qu'elle trouverait un autre centre d'intérêt pour occuper ses journées.

— Tu es diplômée en droit, lui rappela-t-il. Pourquoi n'en profites-tu pas ? Suis des cours pour te mettre à niveau et trouve-toi un travail.

Elle fut d'abord choquée, mais l'idée ne lui déplaisait pas. Charles avait toujours été de bon conseil. Il était passionné par la vie et ses potentialités, et il s'engageait à fond dans tout ce qu'il faisait. Une leçon qu'avait retenue son fils.

— Je n'ai pas exercé depuis la naissance des enfants et notre installation à Washington, répondit-elle d'un air songeur.

Elle ne se voyait plus pratiquer le droit, après tant d'années.

— En six mois ou un an, tu peux rattraper ton retard. Et même si tu n'exerces plus le droit, tu peux trouver un emploi dans lequel utiliser tes compétences. Je crois que c'est important pour tout le monde de travailler.

Comme Bill, il ne s'était jamais reposé sur ses lauriers. Et Olympia n'avait plus l'excuse de devoir élever de jeunes enfants.

— Tu as tellement à offrir au monde. Tu pourrais faire tant de choses, insista-t-il.

Elle n'y avait jamais songé, et il voyait bien qu'elle avait perdu foi en elle et dans le monde. Elle avait l'air craintive, ce qui ne lui ressemblait pas. La vie sans Bill s'était avérée encore plus difficile qu'elle ne le craignait. Charles n'avait pas été stoppé dans son élan par la perte de sa femme, mais les circonstances choquantes de la mort de Bill, tué alors qu'il se tenait à côté d'Olympia, avaient complètement paralysé celle-ci. Elle se sentait embarrassée maintenant : Charles était si impliqué dans la vie, si enthousiaste. Il avait tant de projets, aidait tellement les gens autour de lui.

— Peut-être bien que je reprendrai des études, répondit-elle d'un ton pensif.

Il espérait que ce serait le cas. Et qu'après cela elle retournerait sur le marché du travail ou s'occuperait d'un projet philanthropique. Il avait les relations nécessaires pour l'aider et le ferait avec plaisir. Il le lui avait déjà proposé, mais elle était absorbée par l'écriture de son livre à l'époque. Il n'avait aucune envie qu'elle recommence à perdre son temps avec un second.

— Tu peux voyager, proposer une aide juridique bénévole, travailler pour une fondation. Tu peux faire plein de choses. Tu es libre maintenant.

Il prononça ces derniers mots pour souligner le potentiel de son existence, non comme un arrêt de mort. C'était pourtant ainsi qu'elle avait envisagé sa vie pendant six ans – une impression que Tony n'avait fait que renforcer. Elle s'abstint de mentionner ce dernier, parce qu'elle savait que Charles ne l'avait jamais apprécié. Il l'avait déjà à plusieurs reprises traité de dépravé et d'opportuniste qui tentait de profiter de Bill, et il avait eu raison. Charles ne lui avait jamais fait confiance et, si Tony était mis en examen pour ses activités illégales, il le saurait bien assez tôt – comme tout le monde, d'ailleurs, y compris ses enfants. Pour l'instant, elle ne voulait en parler à personne. Elle savait que Josh et Darcy seraient anéantis. Quant à Charles, cela faisait trente ans qu'il se méfiait de lui.

Ils bavardèrent avec animation pendant tout le repas, et Olympia rentra à son hôtel pleine d'enthousiasme. La vitalité et l'entrain de Charles étaient contagieux. Elle était contente d'être venue le voir à Chicago. Elle avait eu raison de suivre son instinct et regrettait de ne pas l'avoir fréquenté davantage au cours des années précédentes. C'était merveilleux d'être de retour à Chicago, d'être à nouveau dans le monde. Et elle avait hâte de retrouver Josh le lendemain. En la quittant, Charles lui fit jurer de ne pas perdre ce bel élan, de commencer à se chercher des activités nouvelles, et de suspendre pour quelque temps l'écriture de son second livre. Elle promit de suivre ses conseils.

Le lendemain, Olympia passa les trois heures qui la séparaient de l'Iowa dans une voiture de location, ce qui lui laissa le temps de réfléchir à ce que lui avait expliqué Charles la veille au soir. La ferme où travaillait Josh était juste à la sortie de Davenport. Elle le trouva chez lui, bronzé et apparemment en pleine forme. Ses cheveux blonds étaient presque blancs à cause du soleil. Il semblait très content de la voir. Quant à la jeune fille rougissante qui se tenait à ses côtés, elle aurait pu être sa jumelle. C'était Joanna, sa petite amie. Olympia ne l'avait jamais rencontrée, même si cela faisait deux ans qu'elles discutaient par Skype. Joanna était une fille intelligente et gaie qui portait un regard optimiste sur la vie. Josh et elle vivaient ensemble et travaillaient dans la même ferme. Joanna avait grandi en Californie, puis obtenu un master à Stanford, et Josh avait très vite annoncé à sa mère que c'était sérieux entre eux. Il trouvait qu'il était encore trop tôt pour l'épouser, mais il comptait bien le faire un jour. Olympia l'étudia donc avec attention. La jeune fille semblait intimidée, mais Olympia était si naturelle, si modeste, bien loin de la légende impressionnante qu'elle s'était figurée, que Joanna se détendit vite.

Ils dînèrent d'un simple hamburger dans un petit restaurant de la ville, et Olympia raconta en détail à Josh le dîner qu'elle avait partagé avec son grand-père la veille au soir. Elle s'était bien amusée, conclut-elle avec un pétillement dans les yeux.

— Il nous a invités à lui rendre visite en Europe cet été, lui apprit Josh. Il a loué une maison dans le sud de la France, ajouta-t-il, en souriant exactement comme son père, ce qui déchira le cœur d'Olympia. On a l'intention d'aller le voir, et on va aussi passer un peu de temps avec la famille de Joanna à Santa Barbara.

Olympia songea, une fois de plus, que tout le monde avait continué à vivre après la mort de Bill, sauf elle.

— Et toi, maman, qu'est-ce que tu fais cet été ?

Josh estimait qu'il pouvait se permettre de poser la question, maintenant qu'elle avait enfin décidé de profiter de la vie et de cesser de se terrer chez elle. Il ignorait toujours la raison de ce changement, et ne voulait pas l'interroger tout de suite. Mais dans tous les cas, ce ne pouvait être que positif.

— Je ne sais pas.

Elle avait l'air déroutée par sa question, songea Josh. Cela faisait des années qu'elle n'avait pas pensé aux vacances d'été. Les saisons n'existaient pas dans son monde fermé. Elle avait beaucoup à rattraper.

— Je devrais peut-être louer une maison en bord de mer quelque part, fit-elle, ce qui lui sembla tout à coup une excellente idée. Vous viendrez me voir ? leur demanda-t-elle.

Ils hochèrent la tête avec un grand sourire. Il fallait qu'elle cesse de se voiler la face, même si c'était triste de l'admettre : elle s'était éloignée de ses enfants, à force de ne les voir que par Skype. Elle ne vivait pas dans le réel. Cela faisait six ans qu'elle n'était plus qu'une mère virtuelle, au prétexte qu'elle avait subi un traumatisme – un épisode de sa vie que Tony ne cessait de lui rappeler, comme pour la séparer d'eux. Il n'avait cherché qu'à la garder sous sa coupe. Elle ne s'en était pas rendu compte sur le moment, mais la vérité commençait à poindre.

— Ton livre avance bien ? lui demanda Josh poliment au cours du dîner, puisqu'elle ne parlait généralement que de ça.

Une lueur de chagrin passa dans ses yeux, tel un nuage occultant le soleil, et elle poussa un soupir.

— Je crois que je vais le laisser de côté pendant un moment. Ton grand-père estime que je devrais prendre des cours et recommencer à exercer le droit. Il me l'a suggéré hier soir, et l'idée me plaît bien. J'ai un peu perdu la main, mais ce serait amusant de me remettre à jour. J'aimerais bien travailler pour une association défendant les droits des femmes.

— Bravo, maman ! l'encouragea son fils, le visage rayonnant de joie.

Joanna sourit en regardant la mère et le fils. Quant à Josh, il avait hâte d'annoncer à sa sœur que leur mère revenait à la vie. Il espérait juste que cela durerait. Elle leur manquait depuis trop longtemps. Et Joanna, avec qui il avait longuement évoqué le problème, ne savait que trop bien à quel point il avait pu se sentir peiné et impuissant par le passé.

Olympia les déposa chez eux après le dîner et regagna son hôtel, à savoir une modeste chambre d'hôte. Ils avaient prévu de passer la journée du lendemain ensemble. Elle aimait beaucoup Joanna et avait l'impression que Josh était heureux avec elle. Il appréciait son travail et son mode de vie, qui correspondaient à son vœu de mener une existence simple et une carrière dans l'agriculture. Il aimait le grand air et la nature, connaissait bien le bétail et les nouvelles techniques d'élevage, et avait déjà beaucoup appris à la ferme biologique. Joanna partageait ses objectifs et centres d'intérêt, et ils semblaient vraiment faits l'un pour l'autre. Josh lui avait dit qu'il voulait avoir sa propre ferme un jour, mais qu'il avait encore beaucoup à apprendre. Joanna, de son côté, était très calée dans le domaine, grâce à son expérience dans la laiterie de son père. Olympia souriait en songeant à Josh, tout en se préparant à aller se coucher. Tout à coup, son portable sonna. C'était Jennifer, à qui elle fut contente de parler. Elle commença à évoquer ses visites chez son beau-père et chez Josh, mais Jennifer l'interrompit d'une voix tendue :

— La maison a été mise à sac la nuit dernière, annonça-t-elle, manifestement sous le choc.

— Quelle maison ? La mienne ? Qu'est-ce que tu veux dire ? » Cela lui paraissait absurde. « Pourquoi quelqu'un voudrait fouiller chez moi ? Quelque chose a été volé ?

Elle avait bien hérité de ses parents deux ou trois coûteuses œuvres d'art et possédait quelques objets de valeur, mais saccager sa maison lui semblait complètement fou.

— Rien de précieux n'a été dérobé, répondit Jennifer. Mais tes papiers étaient éparpillés partout quand je suis arrivée, et je crois que certains ont disparu. Celui qui a fait ça s'est contenté de voler des cartons au hasard.

— Mes papiers ? Mais pourquoi ?

Soudain, elle se souvint de ce qu'elle avait raconté à Tony. Tous les cartons imaginaires qu'elle avait inventés à son intention, pour susciter une réaction et voir ce qu'il en dirait.

— Ils en ont volé un certain nombre, ainsi que ta chaîne hi-fi, pour faire bonne mesure. Et il manque un petit tableau dans le hall d'entrée. Je crois qu'ils essaient de faire passer ça pour un cambriolage, mais ce n'est pas pour cette raison qu'ils sont venus. Ils n'ont pas touché à l'argenterie, aucun autre tableau n'a disparu. Tu avais laissé un collier de perles sur ta coiffeuse et il est toujours là.

Jennifer savait qu'elle avait rencontré la CIA à plusieurs reprises, mais Olympia ne lui avait jamais dit pourquoi. Et son assistante ne savait rien du micro qu'elle portait lors du dîner le samedi soir, ni des raisons de ce stratagème.

— J'ai téléphoné à la compagnie d'assurances et à la police pour le leur signaler. Y a-t-il quelqu'un d'autre que tu souhaiterais que j'appelle ? reprit Jennifer.

Olympia réfléchit un instant avant de répondre, et comprit qu'elle devait absolument contacter John Pelham. Et si son dîner avec Tony et son allusion aux papiers de Bill étaient la cause de cette intrusion ?

— Je m'en occupe. Quand est-ce arrivé ? répondit Olympia, paraissant plus calme qu'elle ne l'était en vérité.

— Ce devait être dimanche, un peu après ton départ. Ils ont désactivé le système d'alarme comme des pros, selon la police, mais ils ont semé une sacrée pagaille dans ton bureau, et l'escalier est jonché de papiers. J'ai appelé le commissariat dès mon arrivée, et les forces de l'ordre sont restées ici toute la journée. Je n'ai pas eu l'occasion de t'appeler plus tôt. Dis-moi si je peux faire quelque chose d'autre.

Olympia la remercia et appela immédiatement l'officier Pelham.

— J'ai écouté l'enregistrement de votre dîner avec le vice-président samedi soir. Il a manifestement peur de ce que contiennent les documents dont vous lui avez parlé. Vous avez fait du bon travail, ajouta-t-il d'un ton élogieux.

Tous deux savaient très bien qui avait orchestré ce cambriolage. Tony voulait récupérer la moindre pièce à conviction en possession d'Olympia – du moins le croyait-il – avant qu'elle la lise. Mais il n'y avait rien à découvrir. La preuve à charge n'existait pas, et les papiers qu'il avait dérobés ne valaient rien, comme il s'en apercevrait en les parcourant. Elle se demanda s'il oserait revenir chercher le reste.

Avant qu'elle puisse le lui demander, Pelham lui annonça qu'il affecterait deux agents à sa protection et à celle de sa demeure. Elle lui expliqua qu'elle se trouvait dans l'Iowa, en visite chez son fils, mais qu'elle prévoyait de rentrer le mercredi.

— J'enverrai deux agents chez vous ce soir, lui promit-il. J'ai le numéro de votre assistante, nous verrons tout cela avec elle. On dirait bien que Clark commence à paniquer. Le vol d'un tableau et d'une chaîne hi-fi ne trompera personne. Il cherche quelque chose. Il tente d'effacer ses traces. Le fait est qu'il a beaucoup à perdre. Je ne veux pas entrer dans les détails, mais nous avons eu accès à ses comptes en Suisse. Nous disposons de la liste de ses transactions, et des versements effectués par les Saoudiens pendant toutes ces années. Et nous avons deux témoins prêts à témoigner devant le jury d'accusation à propos de pots-de-vin plus récents. On le tient presque. Je veux que vous soyez prudente, madame Foster. Ne parlez de cela à personne. Et je souhaiterais que vous l'appeliez pour lui parler du cambriolage. Il est logique que vous vous tourniez vers lui dans ce genre de situation, alors vous devez le contacter immédiatement. Sinon, il saura que vous le suspectez. J'ai bien peur que nous devions à nouveau faire appel à vos talents d'actrice. Vous vous en êtes très bien sortie, pendant le dîner de samedi. C'est d'ailleurs pour ça qu'il a saccagé la maison, ou plutôt demandé à ses sbires de le faire.

Le désespoir envahit Olympia. Elle ne voulait plus parler à Tony et refusait de gâcher le temps qu'elle passait près de Josh. En partant à Chicago, puis dans l'Iowa, elle avait eu l'impression de laisser tous ses problèmes derrière elle, et elle n'avait pas envie de reprendre sa vie de recluse, ni de recommencer à raconter à Tony tous ses faits et gestes.

— Quand voulez-vous que je l'appelle ? demanda-t-elle d'une voix morne.

— Tout de suite. Vous venez juste de l'apprendre, alors c'est maintenant que vous devez le faire, comme cela aurait été le cas avant que vous commenciez à le soupçonner. On reste en contact. J'envoie immédiatement deux agents chez vous, au cas où ils reviendraient fouiner. Tenez-moi au courant de sa réaction, une fois que vous lui aurez parlé.

Dès qu'ils eurent raccroché, Olympia appela Tony sur son portable personnel et lui parla du cambriolage. Elle parvint de manière convaincante à paraître bouleversée, presque hystérique.

— Je ne comprends pas, ils ont mis mon bureau dans un désordre épouvantable, et ils ont volé toutes mes notes préparatoires. On dirait que quelqu'un essaye de m'empêcher d'écrire un autre livre sur Bill. Qui aurait intérêt à faire ça ? En plus, ils ont pris un beau tableau qui appartenait à ma mère, ainsi que ma chaîne hi-fi. Celle-ci n'a aucune valeur, mais je suis furieuse qu'ils aient volé le tableau et certains documents de Bill.

— Je te comprends, dit-il d'un ton compatissant, l'air extrêmement soucieux. Étant donné leur attitude de vandales, ce sont sans doute de jeunes drogués qui ont piqué la chaîne hi-fi pour l'échanger contre de la came, et qui ont pris le tableau juste comme ça, pour rire. Quelle malchance qu'ils aient volé des documents de Bill. Y avait-il des papiers importants au milieu de tout ça ?

Son ton, empli d'espoir, laissait lamentablement transparaître ses pensées.

— Pas vraiment, à part pour la rédaction de mon livre. C'était complètement gratuit, comme geste. Rien de tout cela n'a de valeur, sauf pour moi. Et ils n'ont laissé aucune empreinte digitale, ils savaient donc très bien ce qu'ils faisaient. » Elle ignorait si c'était vrai, elle avait juste lancé cette phrase pour ponctuer son propos. « Cette pauvre Jennifer est au bord de la crise de nerfs. Elle a engagé des gardes pour surveiller la maison, de peur qu'ils reviennent. De mon côté, je ne suis pas en ville en ce moment, et je ne serai pas de retour avant mercredi.

— Je suis content que tu sois partie faire un tour. Où es-tu, au fait ?

Elle ne lui avait rien dit de son voyage, et il tentait d'avoir l'air désinvolte en posant la question. Or cela faisait six ans qu'elle n'avait pas quitté New York, c'était donc pour le moins inhabituel.

— Dans l'Iowa, avec Josh. Je n'étais pas venue depuis des lustres.

— J'essaierai de passer te voir dans la semaine. Je ne connais pas encore mon emploi du temps, mais je te dirai dès que je saurai. Ne t'inquiète pas trop au sujet de tout ça, tu as sans doute déjà suffisamment de documents pour ton livre.

Il se montrait protecteur, comme d'habitude.

— En effet, mais on a violé mon intérieur, et cela me donne des frissons. Qui ferait une chose pareille ?

Il lui dit comprendre ce sentiment et, une fois qu'ils eurent raccroché, elle rappela Pelham et lui rapporta leur conversation.

— Nous le tenons presque, madame Foster. Ce ne sera plus très long, dit-il pour la rassurer.

Elle avait juste envie que ce soit fini, et ne voulait plus jamais revoir Tony. Leur dernier dîner en tête à tête avait été assez éprouvant comme ça.

— On vous rappelle bientôt, lui promit l'officier Pelham.

Olympia raccrocha en songeant que Tony était vraiment un être perfide. C'était un homme aux abois, qui se battait pour sauver sa peau et effaçait ses traces aussi vite que possible. Son beau-père l'avait cerné dès le début. Tony était corrompu et opportuniste. Et désormais, c'était même un criminel. Exactement ce que Bill avait commencé à redouter avant de mourir. Tout ce qu'elle souhaitait à présent, c'était qu'il sorte de sa vie à jamais. Prenant conscience qu'il finirait probablement en prison, elle se sentit bouleversée. Il leur avait menti, à Bill et à elle, et mettait en péril l'honneur de son mari. Et voilà qu'elle commençait à comprendre que Tony la surveillait de près – non pour la protéger et la soutenir mais pour la contrôler, et savoir ce qu'elle avait découvert et raconté à son sujet. Il l'avait convaincue qu'elle était faible, qu'elle avait peur, qu'elle resterait traumatisée toute sa vie par ce qu'elle avait vécu. Et maintenant qu'elle prenait un peu de distance, elle se sentait à nouveau pousser des ailes. Elle était plus forte que jamais. Elle l'avait simplement oublié, au cours de ces six dernières années. Mais elle avait ouvert les yeux. Et Tony Clark ne pourrait la garder sous son joug et la contraindre au silence, ni la faire douter d'elle-même et de ce qu'elle savait. Son petit jeu était fini, et découvrir la vérité l'avait libérée de ses chaînes. Certes, elle avait eu de l'affection pour lui, et elle avait apprécié son amitié, mais elle ne lui pardonnerait jamais d'être prêt à ruiner la réputation de Bill. Il était temps que Tony paie pour sa malhonnêteté et ses crimes, et pour elle de retrouver la raison et la liberté, loin de lui.

Olympia, réfléchissant au cambriolage, eut du mal à s'endormir cette nuit-là. Qu'auraient-ils fait si elle les avait surpris ? Aurait-elle fini ligotée ? Avec un bandeau sur les yeux ? Était-il vraiment prêt à tout ? La seule chose dont elle était sûre, c'était que Tony n'était pas l'homme qu'elle croyait. Il l'avait persuadée de son innocence et de ses bonnes intentions, mais ce n'était que de la poudre aux yeux. Il l'avait même poussée à se dire que Bill s'était peut-être trompé en le jugeant trop sévèrement.

Elle rêva de Bill cette nuit-là. Ils étaient tous les deux à table, avec son beau-père, et elle voyait qu'il était content. Elle se sentit rassurée : elle avait fait le bon choix, elle n'en doutait plus. Tony était exactement comme Bill l'avait craint – un homme malhonnête ne servant que ses intérêts, sans se soucier des autres. C'était la soif de pouvoir qui le motivait, la cupidité. Il était prêt à tout pour obtenir ce qu'il voulait. Tony Clark n'était l'ami de personne, ni celui de Bill ni le sien, et il ne l'avait jamais été.

12

Au lendemain du cambriolage, la journée qu'Olympia passa avec Josh et Joanna lui sembla particulièrement agréable. Ils se rendirent dans l'un des endroits préférés de Josh et déjeunèrent dans une ferme où la nourriture était excellente, à base de viandes et de légumes produits sur place. Il lui montra la campagne qu'il aimait tant, et elle apprit à mieux connaître Joanna, pour qui elle éprouvait un grand respect. La relation des deux jeunes gens était fondée sur la gentillesse et l'admiration mutuelle, et ils étaient mûrs pour leur âge. À vingt-quatre ans, Josh était étonnamment mature et raisonnable, tout comme sa fiancée. Elle était l'aînée de cinq enfants et se montrait particulièrement responsable. Olympia n'avait aucun mal à les imaginer mariés un jour et espérait presque qu'ils se décideraient à franchir le cap. Leurs valeurs et leurs objectifs semblaient identiques, tout comme cela avait été le cas pour Bill et elle. Josh avouait sans détour qu'il voulait passer le reste de sa vie dans une ferme et élever ses enfants dans une ambiance champêtre, saine et sans prétention. La vie plus sophistiquée qu'il avait connue enfant, quand son père faisait de la politique et occupait le poste de sénateur, ne l'attirait pas du tout. Il était prêt à ne jamais revoir des métropoles comme New York, Washington et Chicago. Même l'existence plus paisible de son oncle, sénateur dans le Connecticut, lui semblait beaucoup trop exposée aux regards du public, et trop matérialiste. Il voulait l'exact contraire de ce qu'il avait toujours connu, et Joanna, qui avait les mêmes buts dans la vie, ne demandait pas mieux.

Olympia se demandait parfois comment ses enfants avaient pu devenir si différents de Bill et elle. Leur père avait eu les yeux rivés sur la Maison-Blanche, après tout. Mais étant donné la façon dont il était mort, fauché par une balle pendant la campagne électorale, il n'était pas surprenant que ses enfants se détournent de la politique et éprouvent une véritable aversion pour les projecteurs, voire pour le mode de vie urbain. Darcy était encore plus radicale que son frère : elle vivait dans un village africain et aidait des gens dans la détresse à se nourrir du mieux possible et à obtenir de l'eau potable. Olympia ne l'imaginait pas y passer sa vie entière, mais Josh était manifestement comme chez lui dans l'Iowa. Il avait rejeté le monde dans lequel il avait grandi, comme sa sœur. C'était leur façon de réagir à la mort de leur père, et le prix à payer pour les rêves de Bill.

Tous trois préparèrent le dîner dans la petite maison de Josh, et le lendemain Olympia quitta l'Iowa pour regagner l'aéroport de Chicago et retourner à New York. Contrairement à son fils, elle préférait les grandes villes, et Bill et elle s'étaient toujours sentis à l'aise en public. Mais partager pendant deux jours la vie rurale de Josh et Joanna lui avait apporté détente et paix. Pendant son vol jusqu'à New York ce soir-là, elle regarda par le hublot en songeant au jeune couple. Elle était heureuse pour eux, et ravie d'être allée les voir. Cela avait renforcé ses liens avec son fils. Elle lui était reconnaissante de ne pas l'avoir abandonnée. Après ces deux journées ensemble, ils étaient plus proches que jamais.

À présent, elle allait devoir faire face aux réalités de son existence et au dossier à charge que la CIA montait contre Tony. Aux mensonges qu'il leur avait racontés, à elle et à Bill. Il avait prétendu que leur amitié était importante à ses yeux alors qu'il manipulait Olympia. Il avait même envoyé quelqu'un pour s'introduire chez elle et voler ce qu'il croyait être des documents compromettants sur ses transactions illégales. Elle allait aussi devoir faire face à la prison dans laquelle elle s'était elle-même enfermée au cours des six dernières années, sur le conseil insistant de Tony. Elle voyait clairement désormais l'influence négative qu'il avait eue sur elle et l'arrière-pensée qui l'animait – servir ses propres intérêts, quitte à lui nuire à elle. Tout cela devait changer. Il fallait qu'elle reconstruise sa vie, une fois de plus.

Lorsqu'elle arriva chez elle, la vision du pan de mur où avait été accroché le tableau, désormais vide, l'attrista. Deux agents de la CIA l'attendaient, comme pour lui rappeler le cambriolage orchestré par son soi-disant meilleur ami, et quand Tony l'appela à minuit sur son portable elle n'eut pas le cœur à décrocher, et laissa se déclencher sa messagerie vocale. Elle ne voulait plus qu'on lui mente, ni se montrer fausse avec lui en prétendant que rien n'avait changé. Ce qu'elle savait désormais avait sali et effacé toutes leurs années d'amitié. Elle ne le reconnaissait plus. Elle se coucha ce soir-là en essayant de ne plus y penser et de se concentrer sur les jours heureux qu'elle venait de passer avec son fils. Mais l'écho de la voix de Tony et le souvenir de ses mensonges la tourmentaient. Elle ne désirait plus qu'une chose – que ce cauchemar finisse. John Pelham lui avait promis que ce serait bientôt le cas.

Alix retourna travailler dès le lundi qui avait suivi leur retour de Durham, et la première chose qu'elle fit fut d'informer Félix qu'elle ne pourrait partir en mission pendant au moins quinze jours, jusqu'à ce que Faye retourne à la fac. Si c'était bien le cas, car rien n'était moins sûr. Pour le moment, sa fille voulait juste rester à la maison, dans la même ville et sous le même toit qu'elle.

— Comment va-t-elle ? lui demanda Félix à voix basse.

— Elle est très secouée, répondit Alix d'un air grave. C'était vraiment horrible, comme expérience.

Les jeunes gens avaient vu les corps de leurs camarades gisant sur le sol et baignant dans des flaques de sang. Faye lui avait décrit la scène dans les moindres détails, et Alix avait fondu en larmes rien qu'à entendre son récit. Un autre de ses amis avait fini par succomber à ses blessures depuis la fusillade. Alix se demandait s'il était sage que sa fille retourne à Duke après une telle épreuve, et attendait de voir comment elle remonterait la pente. L'université avait déjà offert une aide psychologique aux étudiants qui avaient l'intention de reprendre les cours. Tout le monde le savait : cette tragédie les avait marqués à vie. On ne pouvait survivre à un événement pareil sans en être radicalement changé.

Félix accepta de ne pas envoyer Alix ou Ben en mission pendant quelques semaines. On n'avait pas encore trouvé l'auteur des menaces de mort visant Alix. Impossible de remonter sa trace, même s'il était clair que ces courriers étaient motivés par les recherches qu'elle avait menées sur la vie secrète de Tony Clark et les pots-de-vin qu'il avait reçus. Il n'y avait cependant aucune preuve permettant de relier les menaces au vice-président. Il était possible que cela vienne d'un lobbyiste, mais la CIA n'avait pas réussi à découvrir de suspect. Il n'y avait pas eu de nouvelle lettre depuis une semaine, et l'officier Pelham avait assuré qu'ils enquêtaient à fond et aussi vite que possible sur le dossier Tony Clark, en explorant toutes les pistes. Il espérait obtenir une audience devant le jury d'accusation quelques jours plus tard.

Pelham vint voir Alix le mardi matin, et elle le reçut dans son bureau. Il lui annonça qu'ils épluchaient tous les comptes de Clark, aussi bien aux États-Unis qu'à l'étranger, et ce totalement à son insu. Ils retraçaient soigneusement tous les versements qu'il avait reçus au cours des quinze ou vingt dernières années, et ils arrivaient enfin au bout. Il ne lui dit pas qu'ils possédaient désormais quasiment toutes les preuves nécessaires. Il ne leur manquait plus que quelques informations concernant l'argent provenant des Saoudiens. Mais à eux seuls, ses comptes bancaires en Suisse suffiraient à le faire coffrer pour évasion fiscale pendant un bon moment, étant donné les sommes en jeu. Leurs deux témoins les plus importants, eux-mêmes d'influents lobbyistes, attendaient de témoigner devant le jury d'accusation, et possédaient des preuves irréfutables. Le mandat d'arrêt était sur le point d'être délivré, ce qu'il cacha à Alix également. Elle fut choquée d'apprendre que la maison d'Olympia avait été fouillée le dimanche soir, à cause des questions que celle-ci avait posées à Tony pendant leur dîner. Il avait mordu à l'hameçon, et des cartons qu'il supposait emplis de documents compromettants avaient été dérobés chez la veuve du sénateur. Ceux-ci n'avaient aucun intérêt, et il était trop tard pour que Clark puisse sauver sa peau, mais il n'en avait pas conscience. Il avait cru à l'innocence d'Olympia et aux informations trompeuses qu'elle lui avait données, tout en lui mentant pendant tout le repas.

Alix était navrée à cause du cambriolage, mais pas seulement. Elle savait à quel point Olympia avait cru en Tony, à quel point elle avait apprécié leur amitié et s'était montrée fidèle envers lui. C'était une femme bien, une personne honnête, et cela avait dû être un terrible choc pour elle de se rendre compte qu'il n'était qu'un menteur et un imposteur. Alix était sûre que Tony aurait traîné le nom de Bill dans la boue s'il y avait été contraint. À ses yeux, tous les coups étaient permis, et il avait pris Olympia pour une idiote. Leur amitié avait été réduite en cendres, et il n'en restait plus rien. Alix n'avait pas de mal à deviner combien Olympia devait être déçue.

Une fois Pelham parti, elle parla à Ben du cambriolage et lui expliqua ce qui s'était passé.

— Quelle ordure ! s'exclama Ben. Pauvre femme. Tu disais que c'était son meilleur ami.

— Son *seul* ami depuis la mort de son mari. Enfin, c'est ce qu'elle croyait. Cela lui a sans doute beaucoup coûté de devoir coopérer avec la CIA pour lui nuire. Elle ne l'a fait que pour sauver la réputation de son mari. Nous avons réussi à la convaincre que Clark allait détruire celle-ci. Je suis persuadée qu'il l'aurait fait. D'ailleurs, il pourrait encore tenter le coup, à moins qu'il n'existe des preuves assez solides qu'il ne pourra pas nier.

— Et y en a-t-il ? demanda Ben d'un air soucieux.

— La CIA n'en est plus très loin, si j'en crois Pelham. Ils veulent monter un dossier béton et ils ne bougeront pas avant d'être prêts à dégainer. Je ne suis pas au courant de tout, mais ce que je sais suffirait presque à le faire tomber, surtout si certains des lobbyistes qui l'ont soudoyé témoignent contre lui pour sauver leur peau. Ils n'ont aucune envie d'être arrêtés à sa place et sont prêts à parler en échange de l'immunité. S'ils ne le font pas, ils finiront en prison eux aussi, pour avoir graissé la patte du vice-président. C'est tellement malsain et tordu, comme situation.

Le terme « ordure » était encore trop faible pour désigner Clark.

— Ils ne trouveront pas de Saoudiens pour témoigner contre lui, dit Ben d'un ton sceptique.

— Non mais s'ils peuvent prouver qu'il faisait affaire avec eux depuis longtemps et recevait de l'argent, cela suffira. Il ne s'agit peut-être que de présomptions, mais cela fait des années qu'il existe des traces écrites de ses agissements.

Il acquiesça sans mot dire. Qui plus est, grâce à son contact à Téhéran, Alix avait pu donner le nom des quatre Saoudiens rencontrés par Tony, et ses informations s'étaient révélées exactes.

— Qu'a dit Pelham au sujet des menaces que tu reçois ?

— Il m'a demandé d'attendre une ou deux semaines avant de rentrer chez moi. Ce qui est une mauvaise nouvelle pour toi. » Elle lui sourit. « Sérieusement, je peux aller m'installer à l'hôtel avec Faye dès que tu le souhaites. Elle continuera de bénéficier d'une protection et Pelham peut m'en fournir une à moi aussi. On s'en sortirait très bien.

— Pour être honnête, je préfère que vous restiez chez moi, si ça ne te dérange pas. Je trouve plus prudent de vous protéger moi-même. J'ai gardé mes vieux réflexes.

Il n'hésiterait pas à mettre à profit sa formation militaire pour les défendre, elle et Faye.

— Certes, mais tu n'as plus d'intimité, et tu ne peux plus disposer de ta chambre d'amis. Vivre avec une adolescente, ce doit être un enfer pour toi, dit Alix d'un air contrit.

Ils avaient déposé Faye chez l'une de ses amies ce matin-là et elle devait y passer la journée. Sa tête lui faisait encore un peu mal, et avec sa bande de copines elle allait rester affalée sur le lit à regarder des films dans une copropriété parfaitement sécurisée de la Cinquième Avenue. Alix savait que Faye ne risquait rien dans cet immeuble. Ils passeraient la chercher en rentrant, à moins qu'elle ne décide de rester pour la nuit chez son amie – ce qui convenait à Alix également. Au moment où ils s'apprêtaient à quitter le bureau, Faye l'appela pour lui dire qu'elle préférait cette seconde option. Ses trois amies et elle venaient de se faire livrer des plats thaïs, et elles enchaînaient les films et leurs émissions préférées à la télévision. Son pansement n'avait pas besoin d'être changé ce soir-là, Alix l'ayant refait le matin même. Sur le chemin du retour, Alix et Ben allèrent faire quelques courses. Mais Alix n'avait pas faim, et elle se sentait épuisée. Elle n'arrêtait pas de se demander quand Tony Clark serait arrêté, et elle était sûre qu'Olympia se posait la même question. Attendre que le scandale éclate, c'était un peu comme avoir une épée de Damoclès au-dessus de la tête. Encore plus pour Olympia, d'ailleurs, pour qui l'enjeu était très personnel.

Alix avait du travail ce soir-là : Félix lui avait commandé un reportage et elle devait le préparer en étudiant plusieurs documents. Quant à Ben, assis à son bureau, il tentait de mettre à jour ses notes de frais. Il alla se coucher le premier, et il était minuit passé quand elle gagna enfin la chambre d'amis, enfila sa chemise de nuit, se coucha et tenta de dormir. Mais elle n'arrêtait pas de penser à Olympia et à Tony Clark. Ils étaient comme deux pièces d'un puzzle qu'elle ne parvenait pas à reconstituer. Qu'avait-il cherché à obtenir de Bill et de son épouse ? L'objectif principal de Clark, c'était la présidence, certes ; mais avant cela, il s'était contenté de faire carrière dans le sillage de Bill en espérant devenir son vice-président – une alliance qui pouvait toujours lui permettre d'accéder à la Maison-Blanche en tant que

Président huit ans plus tard. Tout cela était logique : son rêve, sa position en retrait, son objectif à long terme. Quant à Olympia, elle ne jouait aucun rôle dans l'histoire jusqu'à ce qu'un fou tue son mari. Une fois Bill disparu, Clark pouvait non seulement viser la vice-présidence, mais aussi la Maison-Blanche. Et en l'absence de Foster, il pouvait même chercher à obtenir « l'arme secrète » de Bill, son épouse au physique impeccable, cette icône adorée de tous. Avant de mourir, Bill avait menacé Clark de se séparer de lui, ce qui aurait ruiné tous ses rêves. Mais une fois Bill disparu, Tony était à nouveau dans la course – et sur tous les fronts. La situation était idéale pour lui. Il maintenait Olympia sous sa coupe grâce à de grandes déclarations d'amour et d'amitié, devenait son mentor et son meilleur ami. Cela donnait de lui une belle image et sous-entendait de manière tacite qu'il bénéficiait de l'approbation posthume de Foster. Enfin, il épousait une jolie jeune femme riche, dont le père financerait sa campagne afin que celle-ci puisse devenir première dame. Elle lui avait même donné des enfants, ce qui le faisait passer pour un homme sympathique et respectable. Alors, où était le hic ? Alix se creusait les méninges sans parvenir à trouver ce qui ne collait pas – si ce n'est que, d'une certaine façon, la mort de Bill Foster s'était avérée providentielle pour la carrière de Clark.

Elle repassa dans sa tête tous les détails de l'affaire, comme si elle comptait les moutons. Pour le plus grand malheur de Tony Clark, elle s'était mise à mener discrètement l'enquête et, par un véritable coup de chance, sa source à Téhéran lui avait livré d'autres informations qui n'auguraient rien de bon pour lui. Puis la CIA était entrée en scène. Et voilà que le vice-président était fichu. Les lobbyistes qui l'avaient si généreusement rétribué ne voulaient pas tomber à sa place. Alix disposait des noms des Saoudiens et des preuves de leurs entrevues au fil des années. Des comptes en Suisse témoignaient de surcroît de l'argent qu'ils lui versaient. Tout le château de cartes commençait à s'effondrer. Clark cherchait à présent désespérément à détruire les preuves dont on lui avait parlé, ces notes que Bill Foster aurait prises concernant ses activités illégales... ce qui ramenait Alix à Bill, qui avait découvert que Clark était un menteur, un tricheur et un homme dangereux. Et qui était sur le point de se séparer de lui, ce qui aurait été un véritable déshonneur pour Tony, et l'aurait marginalisé. Du jour au lendemain, Bill était devenu une gigantesque menace pour Tony. Malgré leur longue amitié, Clark savait qu'un jour le scandale éclaterait – ou risquait d'éclater, tant que Bill Foster serait vivant... Bill savait tout. Alix se redressa d'un coup dans son lit à cette pensée. Il était déjà 1 heure du matin. Elle bondit hors du lit, courut jusqu'à la chambre de Ben, frappa à la porte et, avant qu'il puisse répondre, entra dans la pièce plongée dans le noir. Elle perçut un rapide mouvement émanant du lit, puis un cliquetis, et soudain il appuya sur l'interrupteur, un revolver pointé sur elle. Elle hoqueta de surprise et recula d'un pas. Le déclic qu'elle avait entendu, c'était Ben en train d'armer le chien. Le doigt sur la détente, il se tenait campé, en caleçon, à deux mètres d'elle, les yeux emplis de rage et tous les muscles contractés. Il grogna en voyant que c'était elle, baissa son arme vers le sol, puis s'assit sur le lit, l'air secoué.

— Bon sang, Alix, ne fais plus jamais ça ! » Il posa le revolver sur sa table de nuit et se releva. « J'aurais pu te tuer. Ne viens pas me foutre une trouille pareille au milieu de la nuit.

Il semblait vraiment bouleversé. Les vieilles habitudes avaient la vie dure.

— Je ne savais pas que tu dormais avec une arme, répondit-elle d'une voix tendue.

Elle aussi avait eu peur. L'arme pointée vers sa tête l'avait terrifiée, ainsi que l'expression de Ben. Elle savait qu'il démarrait au quart de tour, qu'il avait été entraîné à cela. Il aurait très bien pu lui tirer dessus – et il ne l'aurait pas ratée.

— Tu es ici pour que je te protège, tu te souviens ? lui lança-t-il.

— Évite juste de me tirer dessus, s'il te plaît. J'ai pensé à quelque chose, continua-t-elle en plongeant les yeux dans les siens.

— Ça ne pouvait pas attendre demain matin ?

Il était toujours furieux d'avoir pointé une arme sur elle et risqué de lui tirer dessus par erreur. Il ne voulait même pas songer à ce qui aurait pu se passer. Il était tireur d'élite, formé à tuer du premier coup.

— Je ne crois pas. Il fallait que je t'en parle au plus vite, répondit-elle avec ardeur. C'est Bill Foster, la clé de cette histoire. Il savait ce que Clark trafiquait. Il allait annoncer qu'il ne voulait plus de lui comme futur colistier. Ç'aurait été un sacré message envoyé à l'opinion publique et, tôt ou tard, on aurait découvert pourquoi. Bill Foster était la plus grande menace pour l'avenir de Tony. Il aurait pu le détruire, avec tout ce qu'il savait, et Tony en avait parfaitement conscience. Olympia Foster m'a dit qu'ils s'étaient disputés à ce sujet. Foster était honnête, jamais il n'aurait pu rester associé à un homme comme Clark après avoir découvert le pot aux roses. Et si les raisons de cette séparation avaient été connues ? Que serait devenu Tony, dans ce cas ? Il aurait été fini. Définitivement. Tout le pays aimait Foster et lui faisait confiance. Je ne crois pas que Tony Clark serait parvenu à le discréditer, même s'il avait essayé, et il en avait parfaitement conscience. Il avait besoin de son tandem avec Foster et de rester dans ses bonnes grâces, or il était sur le point de tout perdre. Il devait se débarrasser de lui, Ben. Il y était *obligé*, sinon le scandale aurait éclaté un jour ou l'autre. Bill Foster aurait pu détruire toute sa carrière politique. Clark ne pouvait pas le laisser faire.

Ses yeux jetaient des éclairs.

Ben la regardait fixement, l'air aussi troublé que lorsqu'il avait rallumé et découvert qu'il la visait avec son revolver.

— Qu'est-ce que tu es en train de me raconter ?

— Je crois que Tony Clark a fait tuer Foster pour qu'il se taise à jamais. Il devait absolument le réduire au silence. Et il n'y avait qu'un seul moyen pour cela, le tuer. Je pense que c'est Tony le responsable. Il a dû payer quelqu'un pour commettre ce meurtre.

— On n'a jamais prouvé que c'était un meurtre, lui rappela Ben. Je crois que tu regardes trop la télé, ou que tu as trop d'amis au FBI», maugréa Ben. Elle l'avait tiré d'un profond sommeil en lui faisant une peur bleue, tout ça pour lui exposer sa théorie complètement dingue. Il la considéra d'un air consterné : « Les sénateurs ne passent pas leur temps à se tuer entre eux, Alix. Clark est un sale type, d'accord, mais cet escroc veut de l'argent, beaucoup d'argent, et je pense qu'il est prêt à mentir, à tricher et à voler pour en obtenir, à accepter des pots-de-vin, et même à épouser quelqu'un qu'il n'aime pas, mais je ne le vois pas assassiner son meilleur ami pour le faire taire. C'est un peu trop pour moi.

— Cela se tient parfaitement, répliqua-t-elle avec un air agacé. Pourquoi n'aurait-il pas voulu le voir mort ? Tant que Foster était en vie, il y avait toujours le risque que l'affaire éclate. Il *devait* se débarrasser de lui. C'était le seul moyen. Le tireur était un inconnu, un Syrien avec un faux passeport dont on ne pouvait remonter la trace. Ils l'ont tué avant de pouvoir l'interroger. Les Saoudiens avec lesquels Clark faisait affaire auraient très bien pu organiser ce crime pour lui, ou le mettre en contact avec la bonne personne. Clark évolue dans un monde dangereux. Et l'identité du tireur n'a jamais été connue. Je ne pense pas qu'il s'agissait d'un acte de terrorisme. Je crois que c'était un meurtre, commandité et payé par Tony Clark.

Ben la contempla longuement, espérant qu'elle se trompait. Mais Alix était certaine d'avoir raison, et les pièces du puzzle s'emboîtaient de manière inquiétante.

— Tu crois vraiment qu'il aurait fait tuer Foster ?

Ben ne voulait pas y croire. C'était trop atroce.

— C'est un sociopathe, tu n'as pas encore compris ?

Il y avait de l'impatience dans sa voix, et elle était convaincue par sa théorie. Mais c'était trop tiré par les cheveux pour Ben. Il ne faisait pas confiance à Tony Clark, en effet, et voulait bien le croire capable de toutes sortes de tractations malhonnêtes, mais assassiner son plus proche allié et son meilleur ami c'était vraiment en dessous de tout, même pour quelqu'un comme Clark.

— Je n'y crois pas, répondit-il d'un ton circonspect. Peut-être que quelqu'un l'a fait tuer. Mais pas Clark. C'est trop horrible, Alix, même pour lui.

— Et si c'était pourtant le cas ?

Elle voulait qu'il réfléchisse à cette possibilité, au lieu de projeter ses propres valeurs sur Clark.

— Alors ce type est un monstre, mais je ne pense pas que Clark soit capable d'une chose pareille. Tuer Foster, détruire la vie de ses enfants et les priver de leur père, tout cela simplement pour le faire taire ? C'est impossible.

— Cela n'a rien d'insensé à mes yeux, murmura-t-elle. Mais peut-être que je suis folle. J'en parlerai à Pelham demain pour voir ce qu'il en pense.

— Peut-être que tu ne délires pas, après tout, reprit Ben d'un ton songeur, en retournant l'idée dans sa tête.

231

Mais franchement, Alix, j'espère que tu as tort. Cette famille sera détruite une fois de plus si ce que tu dis est vrai. Comment peut-on se remettre de ça... ses gosses... sa femme... Bon Dieu, ça va être horrible si c'est bien ainsi que les choses se sont passées.

Ils échangèrent un long regard et Alix acquiesça en silence.

— Oui, ça pourrait être terrible. Mais peut-être que je me trompe, après tout. » Elle était pourtant persuadée du contraire. « Je suis désolée de t'avoir fait peur en déboulant comme ça dans ta chambre, ajouta-t-elle.

— Pourquoi tu n'essayerais pas de dormir un peu, au lieu de courir jusqu'ici pour manquer te faire tirer dessus, avant d'échafauder des scénarios pleins de sénateurs qui s'entre-tuent ? Ne peux-tu pas rêver de quelque chose de plus joyeux ? lui demanda-t-il, en la regardant comme si elle était une vilaine petite fille. On en reparlera demain matin. Peut-être que tu finiras par me persuader.

Elle regagna sa chambre et se rallongea, mais sa théorie ne cessait de tourner dans sa tête, et au matin elle était plus convaincue que jamais. Ben ne croyait toujours pas que Clark avait fait tuer Bill Foster. À ses yeux, c'était trop fou, trop improbable, et ça ressemblait juste à un mauvais film.

Elle ne lui en reparla plus sur le chemin du travail, mais à peine entrée dans son bureau elle appela John Pelham à la CIA et le pria de venir la voir. Elle n'allait pas lui raconter une chose pareille au téléphone. Quant à Félix, elle avait décidé de ne pas lui en parler – sachant que Ben, déjà, la croyait folle.

— Un problème ? lui demanda Pelham d'une voix soucieuse. Encore une menace de mort ?

— Non, c'est plus compliqué que ça.

— Clark vous a-t-il appelée ?

232

Son arrestation n'était plus qu'une question d'heures, tout au plus de jours, et l'officier était débordé. Il n'avait pas envie de perdre son temps. Mais au son de sa voix, il comprit que c'était important.

— Non, il ne m'a pas contactée.

— C'est grave ? s'enquit-il sombrement.

Tôt le matin, il avait eu une réunion avec le chef de la CIA et le directeur du renseignement national, venu à New York exprès pour parler de l'incroyable désordre qu'allait engendrer la mise en examen du vice-président. Cette affaire ne les réjouissait guère, et la discussion avait été animée.

— Si j'ai raison, oui, c'est grave, répondit-elle calmement.

Tout cela n'augurait rien de bon, mais les théories d'Alix s'étaient toutes avérées exactes jusqu'à présent. Il avait confiance dans l'instinct et les sources de la journaliste.

— Je serai là dans une demi-heure, promit-il.

Vingt-cinq minutes plus tard, il pénétrait dans son bureau. Elle l'invita à s'asseoir et lui exposa sa thèse. Elle s'exprima d'un air grave, et il l'écouta sans prononcer un mot. Elle ne parvenait pas à savoir s'il la croyait folle ou non. Son visage demeurait impassible. Il avait mis des années à perfectionner cette absence d'expression.

— Je pense que la mort de Bill Foster est un meurtre commandité, pas un acte de violence aveugle ou de terrorisme, comme on le croit. Je crois que c'est Clark qui a tout organisé. J'en mettrais ma main à couper. Il fallait qu'il le fasse taire. Foster était une bombe à retardement pour la carrière de Clark – à savoir son unique centre d'intérêt. Tout aurait été fini pour lui, si Foster avait parlé. Clark était obligé de le tuer, ou plutôt de commanditer son meurtre. Il ne pouvait pas lui tirer dessus lui-même. Mais il avait tout à gagner à la mort de Foster.

Pelham ne fit pas un seul commentaire, et quand elle eut fini il se leva, le visage impénétrable.

— Qu'en pensez-vous ?

Elle était incapable de dire s'il la croyait ou non.

— Je vous recontacterai pour en parler, se contenta-t-il de répondre, avant de quitter le bureau à grands pas tandis qu'elle le suivait des yeux.

Ben entra dans la pièce quelques secondes plus tard.

— Alors, il en pense quoi ?

— Probablement que je suis folle. Il n'a pas dit grand-chose. En fait, il n'a rien dit du tout. Il m'a juste laissée parler, puis il s'est levé et il est reparti.

Elle était encore stupéfaite de sa réaction.

— C'est tout ? demanda Ben, le visage grave.

— C'est tout. Absolument aucune réaction.

— Ça veut dire qu'il te croit.

Ben était impressionné.

— Comment le sais-tu ?

— Il va vérifier ta théorie. Sans te le dire, bien sûr. S'il t'avait prise pour une folle, il l'aurait dit clairement et t'aurait envoyée balader. Mon commandant dans la marine était comme ça. Quand on avait raison, il ne disait jamais un mot. Il se contentait d'agir.

— Et maintenant ?

Elle avait l'air perplexe.

— On retourne faire notre boulot, et lui fait le sien. Tu lui as donné un nouveau sac de nœuds à démêler.

Ben regagna son espace de travail et Alix s'installa devant son ordinateur pour répondre à ses mails. Elle détestait la vie de bureau, c'était tellement ennuyeux. Et puis, elle n'arrivait pas à se sortir le vice-président de la tête.

Alix l'ignorait, mais une équipe composée de dix hommes prenait place au même moment dans le bureau de Pelham. Ils avaient du pain sur la planche, et chacun se vit assigner une part de la mission. Ils détalèrent comme des souris dès la fin de la réunion, et Pelham demeura assis à regarder dans le vide, par la fenêtre de son bureau. L'affaire Tony Clark se compliquait d'heure en heure.

Olympia, de retour chez elle, venait de demander à Jennifer de se renseigner sur plusieurs facs de droit, notamment NYU et Columbia. Elle souhaitait suivre un cours de master d'une année.

— Vous retournez à l'université ?

Son assistante la regarda les yeux ronds. Elle avait passé la matinée à discuter avec l'entreprise de sécurité. Les hommes entrés par effraction dans la maison au cours du week-end avaient détruit le système d'alarme, pourtant assez sophistiqué. Ces voleurs savaient ce qu'ils faisaient.

— J'y songe.

Olympia lui sourit. Jennifer trouvait que c'était une belle avancée et espérait qu'elle allait enfin recouvrer la santé. Retourner à la fac lui semblait une excellente idée. Dans l'après-midi, elle lui apporta les informations qu'elle avait glanées sur Internet, en attendant les brochures qu'elle avait commandées.

Olympia consultait ces documents quand l'officier Pelham lui téléphona.

— Navré de vous demander cela, mais j'aimerais que vous invitiez le vice-président une dernière fois. Nous avons besoin qu'il en dise davantage.

À ces mots, elle sentit les larmes lui monter aux yeux.

— Je préférerais m'abstenir, répondit-elle avec franchise.

Elle ne voulait plus revoir Tony. Elle en savait trop sur lui désormais, et c'était extrêmement éprouvant d'essayer de lui soutirer des informations. Elle ne s'était toujours pas remise de leur rencontre précédente, et son cœur se soulevait chaque fois qu'elle y pensait.

— Je ferai mon possible pour l'éviter, si je le peux, lui promit-il.

À peine avait-il raccroché que Tony appelait, comme s'il avait deviné qu'on parlait de lui. Il lui expliqua qu'il était en ville et que, s'il ne pouvait pas rester dîner avec elle, il aimerait bien au moins passer prendre le thé et discuter un peu. Olympia hésita, mais craignit d'éveiller ses soupçons en refusant. Elle l'invita donc à la rejoindre et composa immédiatement le numéro d'urgence lui permettant de joindre Pelham. Il lui avait demandé de l'informer dès qu'elle aurait des nouvelles de Tony.

— Qu'est-ce que je fais, maintenant ? lui demanda-t-elle, une pointe de panique dans la voix.

— Laissez-le entrer. Le moment est plutôt bien choisi pour nous. L'un de mes agents sera chez vous dans dix minutes. Je veux que vous portiez un micro.

Elle ne discuta pas, et le même agent féminin que la fois précédente arriva chez elle très vite pour installer son micro. La camionnette contenant le dispositif d'écoute devait se garer non loin de la maison cinq minutes plus tard. L'agent repartit avant l'arrivée de Tony. Celui-ci, retardé par un embouteillage, finit par se présenter à la porte, l'air ravi.

Jennifer leur apporta du thé, puis Tony demanda à Olympia si la police l'avait rappelée au sujet du cambriolage. Elle répondit que non. Il avait l'air compatissant et inquiet pour elle, comme d'habitude.

— J'espère que je récupérerai le tableau de ma mère, dit-elle d'une voix affligée. J'adorais cette toile.

Il la regarda fixement en hochant la tête, et elle nota qu'il avait l'air stressé. Quand elle lui demanda s'il avait des soucis, il répondit que la semaine avait été épuisante, et qu'il avait des audiences au Sénat prévues le lendemain et tout le reste de la semaine. Il se montra curieux de savoir pourquoi elle s'était rendue à Chicago. L'écoutant parler, Olympia fut surprise de constater qu'elle ne ressentait presque rien en sa présence. Elle n'éprouvait plus que de l'indifférence à son égard. Soudain, il était devenu un parfait étranger à ses yeux. Elle ne culpabilisait même pas de porter un micro cette fois-ci. Leur conversation, cependant, n'avait pas beaucoup d'intérêt. Elle songea qu'il avait dû parcourir les papiers volés chez elle et découvrir qu'ils ne contenaient rien de compromettant. C'était sans doute pour cela qu'il ne l'interrogeait pas à ce sujet et semblait préoccupé par des questions de plus haute importance. Il était vice-président, après tout.

— Comment s'est passée ta visite chez Josh ? demanda-t-il en se levant pour partir.

Elle sourit.

— C'était merveilleux. J'ai beaucoup aimé le voir dans son élément. C'est un vrai fermier maintenant.

Le visage d'Olympia se détendit, et Tony lui sourit. Il ressemblait soudain à l'homme qu'elle avait connu autrefois – ou plutôt croyait connaître.

— Je suis impressionné que tu sois allée le voir. Ce voyage a dû être éprouvant pour toi, dit-il d'un ton protecteur. Cela m'inquiète que tu agisses ainsi sur un coup de tête. Tu es davantage en sécurité ici.

— Pourquoi serait-ce moins dangereux ici ? » Elle écarquilla les yeux. Sa maison venait d'être cambriolée ! Mais elle passa outre et poursuivit avant qu'il puisse répliquer : « J'ai aussi dîné avec le père de Bill, à Chicago, avant d'aller chez Josh.

Tony eut un geste d'agacement. Il savait que Charles ne l'aimait pas. Le beau-père d'Olympia ne se gênait pas pour le dire et ne s'en était jamais caché.

— Comment va-t-il ?

— Toujours aussi bien. C'est vraiment un homme formidable.

Tony hocha la tête sans mot dire, et elle le suivit dans l'entrée. Il se retourna soudain vers elle, hésita un instant, puis reprit la parole, et ses mots la firent tressaillir.

— Tu aurais dû m'épouser, Olympia, murmura-t-il d'une voix grave. C'est ce que Bill aurait voulu, pour nous deux. Il n'aimerait pas te savoir seule dans cette maison, à la merci des cambrioleurs et de tous ceux qui veulent te faire du mal ou profiter de toi. J'aurais pu te protéger de tout ça. Bill courait toujours le risque d'être tué. Il n'avait jamais peur de se mettre en danger pour ce en quoi il croyait – quitte à aller trop loin. Les hommes comme Bill sont une véritable invitation au terrorisme et aux attaques de toutes sortes. Il préférait mourir debout, et tomber pour ses convictions, que de revenir sur sa position en se montrant un peu plus souple. Je ne t'aurais jamais fait subir ça.

C'était très malvenu de sa part de parler ainsi de son meilleur ami. Olympia savait que ce n'était qu'un tissu de mensonges, et elle détestait Tony de se comporter de cette façon.

— Qu'est-ce que tu cherches à me dire ? Qu'il savait qu'il allait mourir ? Quelqu'un l'avait-il mis en garde ?

Elle avait regardé Tony droit dans les yeux en lui posant la question, et il ne se détourna pas.

— Je dis simplement que les hommes comme Bill se soucient plus de leurs principes que des gens qui les aiment.

— Je ne crois pas, répondit-elle d'une voix dure qui ne lui ressemblait pas. Il m'aimait, et je l'aimais aussi.

Elle était scandalisée par ses propos.

— Moi aussi, je l'aimais, dit-il d'un air accablé. Mais notre amour ne l'a pas empêché de mourir. Son destin a fini par le rattraper. Prends soin de toi, Olympia, je te vois la semaine prochaine.

Il effleura des lèvres le sommet de son crâne, lui lança un dernier regard, puis s'en fut. Elle referma la porte derrière lui d'une main tremblante. Elle n'aimait rien de ce qu'il lui avait dit, et tout cela n'avait aucun sens. Tony semblait amer et furieux contre Bill, voire contre elle, comme s'ils l'avaient abandonné, et elle ne comprenait pas ce que cela signifiait. Elle avait presque l'impression qu'il venait de lui dire adieu.

L'un des agents de la CIA vint récupérer le micro vingt minutes plus tard, et le lendemain l'officier Pelham lui téléphona à l'heure du petit déjeuner. Il avait écouté l'enregistrement de la visite de Clark, mieux compris qu'elle ce que recelait leur conversation et souhaitait venir la voir.

Deux agents l'accompagnaient quand il arriva chez elle, et il franchit le seuil d'un air sombre. Jennifer les conduisit dans le salon. Elle avait le sentiment que quelque chose de grave était sur le point de se produire, mais elle quitta la pièce discrètement quand les trois hommes s'assirent, Olympia ne lui ayant pas demandé de rester.

— Madame Foster, commença Pelham lentement, presque à contrecœur. J'ai quelque chose de très délicat à vous annoncer. Un nouvel élément est apparu dans le cadre des poursuites fédérales contre le vice-président.

— A-t-il commis d'autres malversations ? Cela va-t-il nuire à mon mari ? lui demanda-t-elle avec effroi.

La perfidie et la traîtrise de Tony semblaient n'avoir aucune limite.

— C'est déjà le cas. Le mal est fait, répondit-il de manière énigmatique.

Puis il se jeta à l'eau. Elle avait le droit de savoir avant que l'affaire devienne publique. Et il n'avait pas le temps de la ménager.

— Nous avons des raisons de croire que le vice-président a joué un rôle dans l'assassinat de votre mari. Le meurtre de votre mari semblait un acte de terrorisme aveugle, frappant tout ce qu'il y a de bon et de moral dans ce pays.

« Mais nous venons juste de commencer à explorer une autre théorie, à savoir que le vice-président avait plus intérêt que quiconque à ce que votre mari se taise – un silence éternel. Tout son avenir politique s'est retrouvé compromis quand votre mari a découvert qu'il recevait des pots-de-vin et menait à bien des transactions illégales avec des marchands de pétrole.

« Nous avons examiné de près les comptes offshore du vice-président. Il n'y a pas d'élément probant, mais il a versé cinq mille dollars à un homme vivant à Dubaï deux jours avant la mort de votre mari. Nous ne sommes pas parvenus à retrouver le bénéficiaire de cet argent, et je doute d'ailleurs que nous ayons son véritable nom, mais il s'agit là d'une somme habituelle pour un coup monté de ce genre, et la date ne peut relever de la simple coïncidence. Nous sommes désormais convaincus que Tony Clark a payé pour que l'on tue votre mari. Nous avons le mobile, l'occasion, ainsi que des preuves indirectes.

Olympia le regardait fixement, les yeux emplis d'horreur. Sa bouche s'ouvrit et se referma sans émettre un seul son. Elle était incapable de parler. Elle avait envie de hurler, mais rien ne sortait de sa gorge. Le regard toujours fixé sur Pelham, elle sentit que la pièce commençait à tourner autour d'elle – puis elle perdit connaissance. Ce que l'officier Pelham venait de lui dire signait la fin de tout. Elle avait déjà eu assez de mal à survivre au meurtre de Bill, mais savoir, ou simplement croire, que Tony avait probablement commandité ce crime était plus qu'elle n'en pouvait supporter. Il avait payé cinq mille dollars pour mettre fin à la vie de l'homme qu'elle chérissait, le père de ses enfants, un véritable héros aux yeux de son pays. C'était tout simplement inconcevable et, avant de sombrer dans l'inconscience, Olympia souhaita seulement que Tony meure aussi.

13

Quand Olympia revint à elle, il n'y avait que Jennifer à ses côtés, les agents de la CIA ayant quitté la pièce pour attendre dans le hall. Son assistante lui donna un verre d'eau tandis qu'elle se remettait péniblement de ses émotions puis John Pelham revint, seul. Il s'excusa de lui avoir livré une information aussi perturbante, mais il n'y avait aucun doute dans son esprit, depuis qu'Alix avait évoqué l'idée devant lui. Et cette théorie se confirmait, si l'on en croyait les comptes offshore de Clark et les informateurs de la CIA au sein de la pègre. Il était presque certain qu'Alix avait raison, et ils allaient faire de leur mieux pour ajouter le meurtre à l'acte d'accusation, et obtenir toutes les preuves nécessaires. Olympia avait le droit de savoir.

— Vous êtes sûr ? lui demanda-t-elle d'une voix faible, quand Jennifer les laissa seuls.

— Absolument, oui. Il va nous falloir du temps pour le prouver, mais il reste une trace de cette transaction sur l'un des comptes que nous avons découverts. Et l'une de nos sources fiables au Moyen-Orient l'a confirmé. Ce n'était pas politique. C'était une affaire personnelle, c'est pourquoi la somme est si faible. Cela va considérablement modifier le procès qui sera mené contre lui. Il s'agit à présent d'une affaire de meurtre, en plus du blanchiment d'argent, de l'évasion fiscale et de la corruption. Dès demain, le jury d'accusation commencera ses auditions et interrogera deux lobbyistes prêts à témoigner contre lui.

— Et ensuite, vous l'arrêterez ? demanda-t-elle d'une voix éteinte.

Elle se sentait encore étourdie, comme si Pelham l'avait frappée. En vérité, c'était Tony qui l'avait frappée en plein cœur. Il avait fait la pire chose qu'elle puisse imaginer. Elle eut un haut-le-cœur.

— Il sera mis en examen dès que le jury se sera prononcé, je dirais le lendemain au plus tard. Il n'aura pas connaissance des poursuites engagées contre lui avant qu'on lui passe les menottes. Et vu ce que nous savons à présent, ou supposons fortement, je ne crois pas que vous le reverrez un jour.

Elle comprit soudain que Tony lui avait presque tout avoué au moment de repartir la veille. Il avait tenté de lui faire croire que Bill l'avait abandonnée et trahie, alors que c'était lui qui avait mal agi. Il les avait trompés tous les deux, puis avait payé quelqu'un pour tuer Bill. C'était un monstre. Olympia était encore sous le choc et, quand Pelham partit quelques minutes plus tard, elle était pâle comme la mort.

Jennifer revint dans la pièce et Olympia lui raconta tout. Elles s'étreignirent en pleurant. C'était tellement insupportable que Tony ait détruit froidement la vie d'un homme bon et entouré d'amour. Et voilà qu'il trouvait encore le moyen de se justifier et de reprocher à Bill ce qui s'était passé, au lieu de s'en prendre à lui-même.

Pelham appela Alix à son bureau juste avant qu'elle s'en aille. Il lui avoua d'une voix morne qu'elle avait vu juste concernant la mort de Bill Foster.

— Nous n'avons pas encore tous les détails, mais nous sommes presque sûrs qu'il s'agit d'un meurtre sur commande, et que Clark l'a payé en puisant dans un compte offshore.

Alix était écœurée.

— Mme Foster est-elle déjà au courant ?

Elle se demanda avec horreur comment Olympia le supporterait, comment elle pourrait survivre à pareille révélation. Perdre son mari avait déjà été une telle épreuve.

— Nous le lui avons annoncé aujourd'hui.

— Comment a-t-elle réagi ?

— Elle était sous le choc. On lance le jury d'accusation. Je sais que vous garderez ça pour vous.» Jusqu'à présent, elle s'était montrée d'une honnêteté sans faille, et il la respectait pour sa discrétion. « Je vous dirai quand vous pourrez révéler toute l'histoire, ajouta-t-il.

C'était le moins qu'il pouvait faire : Alix lui avait livré toutes ses pistes et donné toutes ses informations, y compris sa dernière théorie, qui s'était avérée. Désormais, ils avaient tous les éléments en main. Tony Clark s'était montré prêt à tout pour protéger son avenir, y compris tuer son meilleur ami et futur colistier. Son attitude était incroyablement abjecte, même aux yeux d'un pro comme John Pelham. Et elle avait eu des conséquences tragiques, étant donné le nombre de gens que Clark avait fait souffrir.

Alix demeura assise quelques minutes dans son bureau à regarder dans le vide après avoir raccroché, tentant de digérer ce qu'elle venait d'apprendre – mais c'était trop énorme, trop odieux. Comment pouvait-on se montrer si vil et agir avec tant de cruauté ? Elle n'arrivait même pas à imaginer ce qu'Olympia avait dû ressentir en découvrant la vérité, ni comment ses enfants et elle pourraient survivre en sachant ce que Clark avait fait. Comment se remettait-on d'une félonie pareille ? Au moins, Bill était mort depuis longtemps. D'une certaine façon, c'eût été pire de découvrir cette trahison juste après l'assassinat.

Alix avait encore l'air complètement médusée quand Ben vint la chercher. Ils devaient passer récupérer Faye chez une amie. Ben était devenu leur chauffeur, leur garde du corps, leur cuisinier, leur hôte et leur meilleur ami, et Faye avait cessé de se plaindre de devoir vivre chez lui. Il se montrait si gentil qu'elle ne demandait plus à rentrer chez elle, et après ce qu'elle avait vécu elle était contente de partager le lit de sa mère. C'était comme si elle redevenait une petite fille. Elle se remettait bien de sa blessure à la tête. Même si elle faisait toujours des cauchemars liés à la fusillade, elle se sentait beaucoup mieux. Sa guérison prendrait du temps, cependant, et elle n'avait toujours pas décidé si elle voulait retourner à la fac, pour le peu de cours qu'il restait, ou demeurer à New York. Quant à la rentrée suivante, rien n'était encore fixé.

— Ça va, Alix ? demanda Ben en fronçant les sourcils. Un problème ? Faye va bien ?

Elle hocha la tête et le regarda d'un air abasourdi.

— J'avais raison.

— À quel sujet ?

— Bill Foster. C'était un coup monté. Ils pensent que Clark a engagé un tueur et l'a payé en passant par un compte offshore. De toute évidence, il ne pensait pas se faire prendre un jour, et il ne s'en doute toujours pas.

— Oh, mon Dieu ! Qui t'a dit ça ?

Ben avait l'air stupéfait.

— Pelham. Il vient de m'appeler.

— Comment est-ce possible ? Et personne ne le savait ou n'avait de soupçons ?

— Apparemment, non. Tout le monde s'imaginait que c'était le geste fou d'un terroriste. On n'avait aucune raison de suspecter Clark, jusqu'à aujourd'hui.

— Bon Dieu. C'est vraiment un sociopathe. La femme de Foster est au courant ?

— Ils viennent de le lui annoncer.

— Ce doit être comme si son mari mourait une seconde fois. Assassiné par leur meilleur ami. Ouah, ça va faire un sacré boucan quand ça se saura. Des pots-de-vin, des tractations louches liées au pétrole, un sénateur qui en tue un autre. Ça ne pourrait pas être pire. Le Président va adorer.

— L'audience à huis clos du jury d'accusation a lieu demain. Après ça, ils auront un mandat.

Elle se leva brusquement de sa chaise. Ils devaient aller chercher Faye, et ils étaient en retard.

Alix garda le silence une fois dans la voiture. Elle était trop énervée et trop scandalisée pour parler. Certes, c'était bien elle qui avait levé ce lièvre, mais elle espérait que sa théorie serait démentie. Elle aurait préféré que tout cela soit faux, pour le bien d'Olympia. La veuve du sénateur avait assez souffert.

Faye remarqua que sa mère demeurait bien silencieuse sur le chemin du retour.

— Ça va, maman ?

— Oui, tout va bien.

— Dure journée au travail ?

Elle s'inquiétait.

— On peut dire ça.

Alix ne pouvait pas discuter, ni même faire semblant. Elle était perdue dans ses pensées.

Ben s'efforça de combler les blancs, mais lui aussi était ébranlé. Une fois à l'appartement, ils fouillèrent dans les placards de la cuisine puis décidèrent de commander des pizzas, mais Alix ne put rien avaler. Elle n'arrêtait pas de penser à Olympia et à ce qu'elle devait ressentir. Elle espérait qu'elle n'était pas seule chez elle. Elle aurait aimé l'appeler, lui offrir un peu de soutien, mais elle ne la connaissait pas assez pour se permettre d'agir ainsi, surtout vu l'ampleur du choc. C'était un moment d'intimité que personne ne pouvait partager avec elle, à l'exception de ses enfants, privés d'un père qu'ils adoraient par quelqu'un qu'ils connaissaient et aimaient aussi.

Alix gagna leur chambre après le dîner et s'allongea sur le lit. Faye vint un peu plus tard vérifier que tout allait bien.

— Tu es malade ? demanda-t-elle d'une voix douce.

— En quelque sorte. » Elle n'avait pas envie de s'expliquer. « On s'est occupés d'une sale histoire aujourd'hui. Enfin, disons que j'ai découvert des trucs pas très jolis. Et comme je connais un peu les gens impliqués, je me sens mal pour eux.

— Quelle sale histoire ? Comme à Duke ? demanda Faye, les yeux emplis de tristesse. Encore une fusillade ?

— Non, il s'agit d'un meurtre, il y a six ans. On a découvert aujourd'hui seulement qui l'avait commis. La victime avait une jolie femme et deux enfants de ton âge à l'époque. Leur meilleur ami a payé pour le faire tuer. Parfois, l'espèce humaine est vraiment déprimante, répondit Alix, accablée.

Faye acquiesça.

— Je ressens un peu la même chose après ce qui s'est passé à la fac. Je ne comprends tout simplement pas comment cela a pu arriver. » Elle s'interrompit quelques secondes, puis poussa un long soupir et plongea les yeux dans ceux de sa mère. « J'ai décidé d'y retourner, maman. Ça va être difficile, mais il n'y a plus beaucoup de cours de toute façon. Il faut que je réfléchisse à ce que j'ai envie de faire après tout ça. Peut-être que j'irai passer un semestre à l'étranger l'année prochaine, en France. Je verrai bien comment je me sens à mon retour.

Le cœur d'Alix battit plus fort à l'idée que sa fille partirait vivre sur un autre continent pendant plusieurs mois, mais elle jugea que c'était sans doute bon pour elle. Et elle était contente que Faye ait envie de retourner à la fac. Celle-ci rouvrait la semaine suivante, et ce serait bientôt les vacances d'été.

— Je t'accompagnerai à Duke pour t'aider à reprendre tes marques, promit-elle.

Elle voulait s'assurer que Faye était suffisamment remise et que ce retour ne serait pas trop traumatisant. Mais sa fille était forte, elle parviendrait sans doute à le supporter. Elles en avaient beaucoup discuté toutes les deux, et Faye bénéficierait d'une assistance psychologique à la fac.

Elles papotèrent tranquillement pendant un petit moment, allongées sur le lit, puis Alix alla se préparer du thé et tomba sur Ben en train de remplir le lave-vaisselle. Elle avait presque l'impression qu'ils formaient une famille, même s'ils n'étaient qu'amis. Elle lui annonça que Faye avait décidé de retourner à l'université.

— À mon avis, c'est la meilleure chose à faire, dit-il d'un air sincère.

— Moi aussi, je le pense, mais ça va être dur pour elle.

Il hocha la tête.

— Les gamins se consoleront les uns les autres. Tout le monde subit des épreuves dans la vie, on ne peut pas se contenter de les esquiver ou de les fuir. Je trouve que c'est une décision intelligente, et courageuse, aussi.

Il sourit à Faye qui venait chercher une bouteille d'eau pour l'emporter dans la chambre d'amis, qu'elle considérait désormais comme la sienne.

Ils avaient tous connu des moments difficiles, Alix en devenant mère alors qu'elle sortait juste de l'adolescence, et en affrontant la mort de son mari peu après ;

Ben en perdant son fils ; et désormais Faye, avec cette fusillade. Personne n'y échappait, que l'on soit petit ou grand. Et Alix ne pouvait s'empêcher de penser qu'Olympia Foster et ses enfants allaient bientôt traverser une période délicate. Elle avait beaucoup de peine pour eux.

Ben et elle s'assirent à la table de la cuisine et discutèrent un peu avant d'aller se coucher.

— Quand as-tu prévu d'emmener Faye à Duke ? lui demanda-t-il.

— Pas ce week-end, le suivant. Le semestre est presque fini.

— Je vous accompagne, si tu veux, à moins que Faye ne considère cela comme une intrusion.

Il voulait se montrer respectueux envers elles deux, et les laisser souffler un peu si elles avaient besoin d'un moment en tête à tête. Mais il avait aussi envie de les aider si nécessaire, dans la mesure de ses moyens.

— Elle t'aime bien, je suis sûre qu'elle serait contente que tu viennes.

Et cette fois-ci, ils pourraient prendre l'avion, ce qui serait beaucoup plus simple que le trajet par la route depuis La Nouvelle-Orléans.

Ben raccompagna Alix jusqu'à sa chambre et lui souhaita bonne nuit dans le couloir. Cela lui rappela la nuit où elle lui avait soutenu mordicus que Clark avait tué Foster et où il l'avait crue folle. Il s'avérait qu'elle n'était pas folle du tout. C'était Clark, le grand malade. En plus d'être un homme effroyable, au-delà de ce qu'on pouvait imaginer.

Quand Alix entra dans la chambre d'amis, Faye s'était déjà endormie. Elle avait l'air d'une petite fille, avec son pyjama rose et sa tresse. Un pansement recouvrait toujours sa blessure, même si tout risque d'infection avait disparu. Alix se glissa dans le lit et l'enlaça. Une nouvelle bouffée de reconnaissance l'envahit à l'idée qu'elle soit encore en vie. C'était tout ce dont elle avait besoin. Le reste n'avait pas d'importance.

Après la visite de Pelham, Olympia passa la soirée au calme. Jennifer avait bien proposé de rester, mais Olympia souhaitait être seule. Elle voulait réfléchir à ce qui s'était passé, et à la façon dont elle allait annoncer la nouvelle à ses enfants. Cela allait être un terrible choc pour eux, mais ils avaient le droit de savoir. Elle ignorait s'il valait mieux leur en parler tout de suite ou après l'arrestation de Tony. Au bout du compte, elle décida d'attendre. Elle n'avait pas le courage de tout leur révéler le soir même et de les réconforter comme ils le méritaient. Elle voulait se sentir plus forte quand elle les appellerait. C'était un coup effroyable pour elle aussi.

Elle dormit à peine cette nuit-là, et fut soulagée que Tony ne l'appelle pas en fin de soirée, comme il en avait l'habitude. Elle le savait occupé à préparer les audiences au Sénat le lendemain, et fut contente de ne pas entendre sa voix. Il n'y avait plus rien à ajouter de toute façon. Elle ne voulait plus jamais lui adresser la parole. Maintenant qu'elle connaissait la vérité, elle en était tout simplement incapable.

Le lendemain, Jennifer vit bien qu'elle avait l'air épuisée, mais ne fit aucun commentaire. Les brochures étaient arrivées de NYU et de Columbia, et Olympia les parcourut en essayant de ne pas penser à l'audience du jury d'accusation qui avait lieu le jour même, ni au verdict qui serait prononcé. Elle trouva plusieurs cours qui l'intéressaient. Elle avait hâte d'en parler à Darcy la prochaine fois qu'elles s'appelleraient, quand les choses se seraient un peu calmées. Mais avant cela, elle devrait parler à ses enfants de Tony et de ce qu'il avait fait. Elle avait peur de tout leur dire et de leur réaction. Ils seraient probablement anéantis, tout comme le père de Bill.

À sa grande horreur, Tony l'appela ce soir-là. C'était bien la dernière personne au monde à qui elle avait envie de parler, mais elle prit sur elle et décrocha, pour qu'il ne se doute de rien. Ce fut un véritable supplice pour Olympia de discuter avec lui, et son écœurement ne fit que croître. Il lui expliqua que l'audience au Sénat s'était bien passée ce jour-là et qu'il avait dîné à la Maison-Blanche avec le Président, dans ses appartements privés. La première dame était en voyage officiel, et ils avaient des affaires à régler. Il s'exprimait d'un ton suffisant, et Olympia sentit la tête lui tourner.

— Et toi, qu'as-tu fait aujourd'hui ? demanda-t-il d'un ton patelin. Toujours sur ton livre ?

— Pas vraiment. J'envisage de reprendre des cours de droit, pour me remettre à niveau, en quelque sorte. C'est Charles qui m'en a donné l'idée quand je l'ai vu, et je crois bien que je vais suivre son conseil.

C'était une nouvelle de taille, et Tony eut l'air abasourdi.

— Pourquoi t'ennuyer avec tout ça ? Tu ne vas quand même pas recommencer à exercer le droit ? Dans quel but ?

— Je ne sais pas, j'y réfléchis, répondit-elle vaguement, mourant d'envie de raccrocher. Comment va Megan ? demanda-t-elle pour changer de sujet.

— C'est parti pour les nausées matinales, dit-il d'une voix indifférente. Mais c'est elle qui voulait un autre gamin, alors elle va bien devoir faire avec.

Olympia ne put s'empêcher de penser que les nausées de Megan risquaient de s'accentuer quand elle découvrirait que son mari serait envoyé en prison pour ses agissements inavouables, y compris un meurtre. Elle aurait aimé avoir pitié d'elle, mais n'y parvenait pas. Certes, il avait berné Megan également, mais Olympia avait bien l'impression que la jeune femme n'était pas très amoureuse de lui elle non plus. Probablement s'était-elle mariée avec une arrière-pensée en tête.

— Je voulais venir te voir à la fin de la semaine, reprit-il d'un ton désinvolte, mais je crois que je ne vais pas pouvoir. J'ai trop de travail ce week-end. Le Président a un nouveau projet pour lequel il souhaite mon aide. Je viendrai la semaine prochaine.

Elle répondit de manière évasive, souhaitant de tout cœur qu'il n'aille nulle part la semaine suivante, si ce n'est en prison.

Puis ils raccrochèrent, après qu'il lui eut répété qu'il l'aimait. Elle resta le téléphone à la main à regarder dans le vide, le ventre serré. Elle se demanda si le jury d'accusation avait pris sa décision, ce que les deux lobbyistes avaient raconté lors de leur témoignage, et s'ils avaient suffisamment convaincu le jury pour que Tony soit mis en examen et jugé. John Pelham l'avait prévenue qu'à son avis on n'en arriverait pas là. Tony serait contraint de démissionner, certes, et probablement de plaider coupable pour se voir accorder une réduction de peine. Si l'on ajoutait le meurtre, cela ne pouvait aboutir qu'à un gigantesque scandale. La CIA devait présenter des preuves lors des auditions en prévenant qu'il y en aurait d'autres plus tard, et y adjoindre ce qu'ils savaient déjà du meurtre de Bill Foster et de l'implication présumée de Tony dans celui-ci.

Elle demeura éveillée une grande partie de la nuit à réfléchir, espérant que Pelham la contacterait le lendemain. Mais il ne l'appela pas, et elle ne voulut pas le déranger. Elle avait bien conscience qu'elle devait se montrer patiente et attendre qu'on lui en dise plus. Les rouages de la justice tournaient lentement, mais elle savait qu'ils finiraient par l'attraper. La vie qu'avait menée Tony jusqu'alors ne serait bientôt plus qu'un lointain souvenir.

14

John Pelham attendit d'avoir l'acte d'accusation pour appeler Olympia. Les membres du jury avaient pris leur temps et s'étaient montrés prudents dans leur décision. Clark était accusé d'accepter des pots-de-vin de lobbyistes, des versements illégaux de la part de Saoudiens pour des transactions liées au pétrole depuis au moins une dizaine d'années, d'évasion fiscale, de blanchiment d'argent grâce à ses comptes offshore, et d'avoir commandité le meurtre du sénateur William Foster. Il y avait tant d'accusations qu'il leur avait fallu deux jours entiers pour écouter tous les témoignages et un troisième pour établir leur verdict. Clark se verrait accorder la possibilité de démissionner et, s'il s'y refusait, la Chambre des représentants voterait l'*impeachment*, et un procès en destitution se déroulerait alors devant le Sénat. C'était une procédure compliquée, et le Président devait en être informé avant que Clark soit arrêté. Il existait des règles à ce sujet, qui n'avaient jamais été appliquées auparavant, et le chef de l'État serait contraint de nommer un nouveau vice-président. Les répercussions de cette affaire allaient être énormes.

L'officier Pelham avait sur son bureau le mandat d'arrestation signé par un juge fédéral quand il annonça à Olympia Foster que Clark serait appréhendé le soir même. Le directeur du renseignement national en avait été avisé lui aussi. Il avait suivi toutes les étapes de l'affaire.

— Vous a-t-il contactée ? demanda Pelham à Olympia.

— Tous les jours, répondit-elle d'un ton accablé, mais il était trop occupé pour venir me voir. Il avait des audiences au Sénat toute la semaine.

— Je préférerais que vous ne preniez pas son appel, s'il vous téléphone ce soir. Il pourrait percevoir quelque chose dans votre voix. Nous voulons que tout se passe aussi calmement et discrètement que possible.

Il avait cependant bien conscience que le pays entier serait en ébullition dès le lendemain, une fois la nouvelle diffusée. Et il avait promis de prévenir Alix juste après l'intervention, pour que ce soit elle qui profite du scoop. Elle le méritait bien. Elle avait fait de son mieux pour les aider, sans divulguer quoi que ce soit à la télévision.

Olympia le remercia de son coup de fil, lui souhaita bonne chance, et attendit qu'on la prévienne, une fois la mission accomplie. Ensuite, il lui faudrait joindre ses enfants, peu importerait l'heure, pour qu'ils n'apprennent pas les événements aux informations. Elle s'inquiétait pour eux. La nuit fut longue, une fois de plus. Elle n'eut pas de nouvelles de John Pelham avant 7 heures et, quand il l'appela, il semblait épuisé et à bout de nerfs. Il sortait d'une nuit encore plus longue et plus éprouvante, et elle était certaine que l'arrestation de Tony n'avait pas été une partie de plaisir.

— Ça y est, il est en garde à vue ? lui demanda-t-elle, devinant à quel point Tony avait dû être abasourdi.

— Non, pas encore », avoua Pelham d'une voix lasse. Cela faisait plusieurs jours qu'il n'avait pas dormi. « Son système d'alarme était plus élaboré que le nôtre. Quand on est arrivés à son domicile, il était déjà parti.

Elle mit quelques secondes à comprendre ce qu'il venait de lui annoncer.

— Il n'était pas chez lui, vous voulez dire ? demanda-t-elle d'une voix étouffée, haletante.

— Non, il a pris la fuite. Des agents fédéraux sont en train de le chercher dans tous les endroits où il pourrait se trouver. Nous pensons qu'il est parti au Canada en avion privé hier soir. L'une de nos sources nous a signalé que deux de ses amis saoudiens de longue date l'attendaient à Montréal. Nous pensons qu'il est avec eux, sous une nouvelle identité. Certaines de nos informations sont parvenues à ses oreilles, d'une façon ou d'une autre, ajouta-t-il sombrement. Il a réussi à sortir discrètement de chez lui et à semer les gardes chargés de sa protection, qui supposaient qu'il était allé se coucher. Il a dû s'échapper par une fenêtre ou se déguiser. On l'a raté, et il ne reviendra pas. Avant la fin de la journée, il sera en Arabie saoudite, à Djeddah ou à Riyad. Il est parti, madame Foster, et pour de bon. » Et il échapperait au tribunal. Pelham venait d'annoncer la même nouvelle au Président. Dans moins d'une heure, ce serait sur toutes les chaînes de télé et partout sur Internet. « Je suis désolé. Nous souhaitons autant que vous qu'il soit traduit en justice. Nos hommes sont intervenus de manière massive et foudroyante, mais il nous a glissé entre les doigts. C'est un homme intelligent et dangereux. Encore plus qu'on ne le croyait, et ses liens avec le monde arabe sont très forts. Ils le protégeront. Nous n'entendrons plus jamais parler de lui, et je doute qu'il vous contacte un jour. Si jamais c'était le cas, faites-le-nous savoir.

Pelham n'avoua pas à Olympia que la CIA avait reconstitué tout le puzzle au cours des heures précédentes et que le Président était fou de rage. Les derniers agissements de Tony Clark étaient scandaleux, mais pas pires que le reste, et sa fuite de dernière minute était un déshonneur national. John Pelham n'était pas sûr de garder son poste après pareil échec, mais ce qui le rendait furieux plus que tout, c'était qu'un criminel comme Clark ait joué au plus fin avec eux et se soit échappé. Le vice-président était toujours resté sur le qui-vive, sachant que sa vie en dépendait. Et il avait parfaitement réussi sa sortie.

Après ce coup de fil, Olympia demeura assise à regarder par la fenêtre, songeant à Tony et à la haine qu'elle éprouvait envers lui. Son seul réconfort, au cours des jours précédents, avait été de savoir qu'il paierait pour ses crimes et serait incarcéré. Ce n'était pas assez, mais c'était déjà quelque chose. Et voilà qu'il était libre. Et qu'elle allait devoir le révéler à ses enfants. Elle prit son téléphone et appela par Skype Darcy au Zimbabwe, pour la prévenir avant qu'elle entende la nouvelle aux informations.

La joie de Darcy en voyant sa mère apparaître à l'écran se mua vite en consternation. Olympia passa une demi-heure au téléphone avec elle en s'efforçant d'avoir l'air forte, puis elle raccrocha et appela Josh. Il pleura comme un bébé. Ses enfants avaient de l'affection pour Tony depuis qu'ils étaient tout petits. Olympia et Bill, eux aussi, l'appréciaient depuis toujours. Tout le monde était attaché à lui. Alors que Tony n'avait jamais aimé quiconque, sauf sa propre personne. Et il venait de disparaître dans la nature. Après Josh et Darcy, Olympia appela Charles à Chicago et lui raconta toute l'histoire. Il l'écouta sans mot dire puis se mit à pleurer, tout comme elle.

L'avion quitta l'aéroport international de Washington-Dulles peu après 22 heures, avec à son bord un passager muni d'un passeport britannique, et atterrit à Montréal à 1 heure du matin. Un 747 appartenant à la famille royale saoudienne attendait de pouvoir décoller peu après. Le plan de vol avait été déposé. Des membres de la famille et leurs employés se trouvaient déjà à bord, et d'autres continuèrent à embarquer au cours de l'heure suivante. Les passeports avaient été vérifiés et tamponnés, et les ressortissants étaient variés, au sein de la petite cour entourant les Saoudiens. Français, Anglais, Allemands, Philippins, Italiens. Il n'y avait pas d'Américain. Leurs visas étaient en règle. Le plan de vol fut approuvé, et l'avion décolla à 2 h 10 du matin, destination Riyad. Les passagers jouissaient de l'immunité diplomatique, mais n'avaient pas eu besoin d'en user car il n'y avait rien eu à signaler, que ce soit concernant leur départ, les membres de l'équipage ou les passagers.

Un examen plus détaillé effectué à la demande de la CIA aux petites heures du jour révéla cependant que l'un des ressortissants allemands se trouvant à bord correspondait à la description de Tony Clark. Et il y avait un passeport saoudien en plus, celui d'un sujet masculin, que personne ne pouvait expliquer. Clark voyageait donc sous une fausse identité, mais il était impossible de savoir laquelle. Tony Clark, en tant que citoyen américain, s'était tout simplement volatilisé. Il était désormais allemand ou saoudien, et personne à Riyad n'allait vérifier les passeports ni interroger la famille royale et son entourage – en supposant qu'il soit à bord. Il pouvait en effet se cacher n'importe où, même aux États-Unis. Qu'il ait quitté le pays avec les Saoudiens était cependant le scénario le plus probable : à partir de Riyad, il pourrait aller n'importe où, tant qu'il ne posait pas le pied dans un pays ayant signé un accord d'extradition avec les États-Unis, qui le renverrait chez lui pour affronter la justice. Nombre de pays, même en

Europe, ne le feraient jamais. Il s'était débrouillé pour échapper au tribunal. On ne pouvait ni le retrouver ni l'identifier. Il mettait le Président en face d'un vrai dilemme, ainsi que toutes les agences fédérales chargées de l'application de la loi. Son plan de fuite était redoutablement intelligent.

Alix reçut le coup de fil de Pelham peu après 7 heures. Il lui expliqua ce qui s'était passé. Il venait de tout dire à Olympia par téléphone, elle était la deuxième à apprendre la nouvelle. Bondissant hors du lit, elle alla tambouriner à la porte de Ben.

— Ne me tire pas dessus ! cria-t-elle à travers le battant, redoutant de le surprendre nu à la sortie de la douche.

Il ouvrit brusquement la porte.

— Qu'est-ce qui se passe ?

— Tony Clark a quitté la ville hier soir. Il a fui le pays, en fait. Ils pensent qu'il est en route pour l'Arabie saoudite, via le Canada, sous une nouvelle identité. Ils vont l'annoncer dans une heure, et divulguer l'acte d'accusation. Le Président a prévu une conférence de presse. Je dois aller au bureau.

— Bon sang, t'es sérieuse ?

— Absolument.

Elle retourna en hâte dans sa chambre, mit un jean et des ballerines, et enfila une veste rouge au cas où elle se retrouverait devant la caméra, ce qui était probable. Elle annonça à Faye ce qui s'était passé et attrapa son sac à main, sans prendre le temps de se coiffer ni de se maquiller, puis appela un Uber depuis son portable. Trois minutes plus tard, elle était partie, tandis que Ben et Faye se dévisageaient sans mot dire. Alix n'avait pas de garde du corps pour la protéger, mais les menaces avaient cessé aussi soudainement qu'elles avaient commencé.

Ben alluma la télévision pour regarder les infos, mais personne n'en parlait encore. Le Président devait s'exprimer à 8 heures : Alix avait donc moins d'une heure pour se rendre au studio et se préparer à commenter son intervention, coiffée et maquillée. Félix était déjà là, en train de gober des antiacides, quand elle arriva à la chaîne. Elle l'avait appelé pendant le trajet depuis Brooklyn.

— Putain, qu'est-ce qui s'est passé ? lui demanda-t-il en la suivant chez la coiffeuse et la maquilleuse.

Elle le mit au courant des derniers rebondissements.

— Et ils vont l'annoncer au public ? Ce sera le plus grand scandale de toute l'histoire de la politique américaine. Le Président aura l'air d'un imbécile, tout comme la CIA et les autres agences fédérales. L'ambiance promet d'être chaude, ils vont se faire incendier.

— Non, dit-elle d'un ton posé. Le Président aura l'air d'un héros, parce qu'ils sont lancés à sa poursuite. Et s'il est un peu futé, il nommera rapidement quelqu'un pour jouer au pompier.

— Et qui assumerait ce rôle ?

— Aucune idée. Mais ce salaud de Tony Clark est sacrément futé, pour s'être sorti d'une situation pareille, dit Alix d'un ton brusque.

— Ah oui, et pour se fourrer dans quoi ? Il va passer le reste de sa vie assis sur un chameau ? Tu es déjà allée en Arabie saoudite ? Il y fait 60 °C l'été. Pour lui, plus de dîners à la Maison-Blanche, et il ne sera jamais Président. Tu trouves ça malin ? Sans compter qu'il a fait *assassiner* Bill Foster, et qu'il payé le tueur avec de l'argent planqué sur des comptes offshore. Si tu veux mon avis, il est complètement fou.

Et pourtant, suffisamment sain d'esprit pour s'en tirer. Toute cette affaire était incroyable. Alix était désormais parfaitement parée, et elle eut juste le temps de passer dans son bureau pour noter sur son iPad ce qu'elle avait l'intention de dire. Félix lui avait demandé d'introduire la conférence de presse et de la commenter après coup, puisqu'elle en savait plus que n'importe quel journaliste de la chaîne sur le sujet. En outre, elle savait ce qu'il fallait passer sous silence et comment ne pas se brouiller définitivement avec la CIA, en ne faisant pas passer ses agents pour des incapables. Elle avait de la peine pour John Pelham : il avait fait du très bon travail, remontant toutes les pistes et parvenant à en faire la synthèse. Mais Tony Clark s'était montré le plus malin. Personne ne savait qui l'avait prévenu de l'opération en cours. Qui sait, c'était peut-être même quelqu'un de la CIA. En tout cas, il était peu probable qu'on le découvre un jour.

L'assistant réalisateur vint chercher Alix quelques secondes avant qu'elle prenne l'antenne. Elle avait l'air grave et calme quand elle apparut à l'écran, à la fois digne et jolie, avec sa sobre veste rouge et son visage sombre. Elle expliqua qu'une crise couvait au niveau national depuis plusieurs jours, impliquant le vice-président. Elle livra un bref compte rendu de toutes les accusations scandaleuses pesant contre lui, puis l'antenne passa à la Maison-Blanche, où le Président avait l'air solennel. Ils avaient tenté d'étouffer l'incendie du mieux possible, mais l'histoire était vraiment déplaisante : un vice-président qui se serait livré à toutes les formes imaginables d'activités illégales, y compris commanditer un tueur, et qui venait juste d'être mis en examen, avait fui le pays avant qu'on puisse l'arrêter. C'était un véritable déshonneur national. Le pays entier demeura silencieux et abasourdi en apprenant la nouvelle pendant le petit déjeuner. Les derniers mots du chef de l'État prirent Alix par surprise. Le vice-président était parti en laissant chez lui une lettre annonçant sa démission. La missive avait été trouvée et transmise au Président peu avant son intervention. Alix était sidérée. Tony Clark avait tout prévu dans le moindre détail.

Après la conférence de presse, la caméra revint se poser sur Alix, qui analysa la situation aussi rationnellement que possible, détaillant ce qu'était un jury d'accusation, comment il fonctionnait – et comment se déroulerait la nomination d'un nouveau vice-président. Tout le monde se demandait qui le Président choisirait pour remplacer Clark. Les commentateurs ne parlaient que de ça sur toutes les chaînes. Ben, installé avec Faye dans son salon de Brooklyn, suivait le reportage d'Alix.

— Ta mère est géniale, murmura-t-il en écoutant son analyse.

Quant à Olympia et Jennifer, elles regardaient Alix également, depuis la maison d'Olympia.

— J'ai l'impression de rêver, dit Jennifer.

Mais c'était plutôt un cauchemar. Olympia songea à Megan, qui se retrouvait seule avec deux enfants en bas âge et enceinte d'un troisième, en plus d'être l'épouse d'un homme qui l'avait déshonorée et resterait dans l'histoire comme l'un des pires criminels de son époque. L'argent du père de Megan ne pourrait rien y changer. Certes, sa fortune aurait pu aider Clark à gagner la présidence, mais elle ne pouvait empêcher qu'il soit accusé de vingt-deux crimes fédéraux, dont un meurtre. La télévision montra un plan de Megan un peu plus tard, dissimulée derrière des lunettes noires, montant dans un avion privé pour rejoindre ses parents en Californie, accompagnée de ses enfants, d'une nourrice et d'agents de sécurité. Elle était elle-même éclaboussée par le scandale et les journalistes montraient peu de compassion à son égard. En une seconde, elle était devenue une jeune fille riche et gâtée mariée à un criminel. Le reste n'avait pas d'importance. Mais une vague de solidarité envers les Foster se levait à nouveau, et tout le monde fut peiné d'apprendre que le vice-président avait joué un rôle clé dans la mort de Bill. En plus de tout le reste, celui-ci était un père, un mari et un homme de valeur. Une armada de journalistes campait devant la maison d'Olympia, bloquant sa rue, mais personne n'était parvenu à lui soutirer une réaction. Des New-Yorkais emplis d'empathie commençaient à déposer des fleurs devant sa porte. La police locale tentait de maîtriser la foule, mais personne n'avait vu Olympia. Elle demeurait terrée chez elle, à pleurer à nouveau la mort absurde de son époux. Désormais, elle devrait vivre en sachant que le meilleur ami de son mari avait payé pour le tuer, et qu'il était parvenu à s'enfuir.

Un chahut monstre régna dans les bureaux de la chaîne tout le reste de la journée. À la télévision comme dans la presse écrite, on dressait la liste des candidats potentiels à la vice-présidence. Le lendemain, le chef de l'État nomma à ce poste le président de la Chambre des représentants – le choix le plus sage et le moins brutal à offrir à une nation sous le choc. Ainsi, il était sûr que sa décision se verrait immédiatement confirmée par le Congrès. Aux quatre coins du globe, médias et chefs de gouvernement commentaient l'événement. Les dirigeants saoudiens nièrent toute responsabilité dans la fuite du vice-président disgracié, et ne se montrèrent guère satisfaits eux non plus de sa disparition. Ils ne voulaient en rien être associés à un scandale défrayant la chronique aux États-Unis, ni aux crimes de Tony Clark.

Le lendemain, Olympia était en train de lire le *New York Times* quand son portable sonna, affichant un numéro inconnu. Elle décrocha sans réfléchir et fut choquée d'entendre sa voix. Celle de Tony. Elle demeura figée dans son fauteuil, incapable de parler.

— Je n'ai pas eu l'occasion de te dire au revoir.

Voilà quels furent ses premiers mots. Elle était trop surprise pour répondre et se contenta d'écouter la suite.

— Je voulais que tu saches qu'il y avait un point sur lequel je ne mentais pas. Je t'aimais vraiment. Je t'ai toujours aimée, depuis que je t'ai vue. Bill ne te méritait pas. J'avais davantage besoin de toi que lui.

Comme d'habitude, tout tournait autour de lui et de lui seul.

— Tu as tué mon mari, l'accusa-t-elle, ouvertement cette fois-ci.

— Il était condamné à mourir, se justifia Tony. On ne peut pas vivre suivant ces règles inflexibles dans le monde actuel. Ce n'est pas comme ça que ça marche. Il allait forcément se faire tuer un jour ou l'autre. Je n'avais pas le choix. Il aurait détruit tout ce que j'ai passé des années à construire. Ce n'était pas juste, Olympia, on était amis. Quand il m'a renié, il aurait dû m'expliquer pourquoi, et j'aurais jeté l'éponge. Il le savait et s'en fichait. Ce n'est vraiment pas digne d'un ami.

Il avait l'air d'un fou, avec son système de valeurs complètement tordu.

— À tes yeux, il était donc juste d'engager un tueur pour lui tirer dessus ? Bill était loyal envers son pays et n'aurait jamais accepté de te couvrir. C'est fini pour toi maintenant de toute façon. Regarde ce que tu as fait, ainsi qu'à Megan et à tes enfants. Ils ne connaîtront jamais leur père, précisa-t-elle, tout en songeant qu'ils vivraient mieux sans lui.

— Ils s'en sortiront, répondit-il, semblant indifférent à leur sort. Tu es la seule qui va me manquer. Qui sait, peut-être que tu viendras me voir un de ces jours, ajouta-t-il d'une voix mélancolique.

Il n'avait aucune conscience de ce qu'elle ressentait à son égard ni de ce qu'il leur avait fait. Il avait le cerveau complètement dérangé, et une vision parfaitement erronée de ses actes et de leur gravité. Son narcissisme le rendait aveugle à tout le reste.

— Qu'est-ce que tu vas faire ? Te cacher jusqu'à la fin de tes jours ?

La voix d'Olympia était tremblante, glaciale.

— Eh bien, je ne vais certainement pas retourner aux États-Unis pour me retrouver en prison. La vie est différente ici. Ça me convient bien. » Il passerait le reste de son existence à fuir et à se dissimuler, il le savait, mais semblait s'en moquer complètement. « Tu n'étais pas dans le coup, Olympia, n'est-ce pas ? Ça me tuerait si c'était le cas. C'est cette garce de journaliste qui a lancé tout ça. Elle a de la chance qu'il ne lui soit rien arrivé. Mais ça m'est égal, maintenant.

Il n'avait pas attendu qu'elle réponde, et Olympia garda le silence concernant sa propre implication dans l'histoire. Il n'avait aucunement le droit de connaître la vérité.

— Tu vas terriblement me manquer.

Il avait l'air triste en prononçant ces mots.

— Je ne te pardonnerai jamais ce que tu as fait à Bill, énonça-t-elle en détachant chaque syllabe. Je t'aimais comme un ami et lui aussi. Tu nous as trahis. Tu as privé mes enfants de leur père. Tu as tué l'homme que j'aimais. Tu as beaucoup de choses à te reprocher, et tout le temps nécessaire pour y réfléchir.

Mais il semblait imperturbable. Rien ni personne n'avait d'importance pour lui, pas même ses propres enfants.

— Ne me téléphone plus. Tu es mort à mes yeux. C'est toi qui aurais dû mourir, pas lui, ajouta Olympia.

— Tu aurais dû m'épouser quand je te l'ai demandé. Tout serait différent maintenant, et tu serais heureuse, au lieu de vivre seule.

— Je préfère être seule à jamais plutôt qu'avec toi, lança-t-elle, laissant parler son cœur.

— Prends soin de toi, Olympia, je penserai à toi. Je t'aime.

Il ne se rendait pas compte à quel point il était atroce de lui parler ainsi. La ligne fut coupée, et elle demeura assise, les yeux fixés sur son téléphone, à se demander où il pouvait bien se trouver. Quelque part en Arabie saoudite, sans doute. Ou en enfer, où il avait sa place.

Olympia téléphona à John Pelham pour lui raconter sa conversation avec Tony, puis elle rappela ses enfants. Ils avaient l'air d'aller mieux, à mesure qu'ils digéraient la nouvelle. Olympia ne cessa de leur rappeler qu'ils n'avaient jamais vraiment connu Tony, ni su qui il était. Personne n'avait percé à jour sa vraie personnalité. Seul Bill avait compris à quel point il était vil, des années plus tôt, mais c'était le seul à l'avoir démasqué, et cela lui avait coûté la vie. Elle savait que Josh et Darcy s'en remettraient. Ils étaient jeunes, robustes et en bonne santé, et ils menaient une vie agréable aux côtés de gens bien. La perte de leur père avait été un terrible choc, mais celui-ci leur avait donné un brillant exemple à suivre, et ils pouvaient en être fiers. Les souvenirs qu'ils avaient de lui dureraient à jamais, plus longtemps que ceux qui étaient associés à l'homme qui l'avait tué. L'ami que Tony avait fait semblant d'être n'avait jamais existé. Tony Clark n'avait été qu'une illusion, un masque ne cachant que du vide, et un impitoyable tueur.

15

Le pays avait commencé à s'apaiser et à reprendre plus ou moins une vie normale quand Ben et Alix ramenèrent Faye à Duke. Elles n'avaient plus de gardes du corps et le quotidien avait repris le dessus, même si elles étaient restées chez Ben jusqu'au départ de Faye. C'était plus simple de ne pas déménager une fois encore juste avant cette séparation. Faye demeura silencieuse pendant tout le vol, ce qui n'étonna personne. Elle avait mis ses écouteurs et se concentrait sur la musique de son iPod, les yeux clos. Alix jetait de temps à autre un coup d'œil à Ben. Faye était assise entre eux, et ils n'avaient aucun mal à se représenter les images qui lui traversaient la tête – celles du jour où elle avait dû quitter la fac parce qu'on lui avait tiré dessus et que ses amis avaient été tués.

Quand Faye revit le campus, elle fut submergée de souvenirs de la fusillade. Ils roulèrent jusqu'à l'entrée principale et découvrirent un véritable champ de fleurs. Vingt-deux couronnes commémoratives étaient remplacées tous les deux jours par des fleuristes de la ville, pour rendre hommage aux vingt-deux victimes. Leurs visages s'assombrirent quand ils longèrent les fleurs pour gagner son dortoir, et Faye serra la main de sa mère. Alix passa le bras autour de sa taille quand ils sortirent de la voiture, devant le bâtiment que Faye connaissait si bien. Elle vivrait seule dans sa chambre pendant un certain temps. On ne lui assignerait aucune nouvelle colocataire avant l'automne, par respect pour l'étudiante qui avait été tuée. Les parents de la défunte étaient venus chercher les affaires de leur fille quand l'université était encore fermée. Faye entra dans la pièce et son cœur se serra à l'idée qu'elle ne la reverrait jamais. Elles avaient passé tellement de bons moments ensemble et s'entendaient si bien. Faye était allée plusieurs fois chez elle pour le week-end, à Atlanta. Elle avait reçu une très belle lettre de ses parents et leur avait téléphoné depuis New York. La voisine de chambre de Faye était leur seul enfant et c'était une véritable tragédie pour eux, comme pour tous les autres parents.

Quand l'université rouvrit ses portes, il y eut un service commémoratif multiconfessionnel en l'honneur des étudiants et des professeurs ayant perdu la vie lors du drame. Alix et Ben y accompagnèrent Faye, puis ils allèrent se promener sur le campus. Faye croisa quelques personnes qu'elle connaissait – des camarades de classe, et un maître de conférences qui avait été blessé lui aussi. Spontanément, ils s'étreignirent. Trois jeunes filles vinrent dans la chambre de Faye pour lui dire bonjour à leur arrivée sur le campus. Elles savaient qu'elle se sentirait seule sans sa colocataire. Alix lui suggéra de demander une autre chambre. Cela lui paraissait plus sain que de rester dans celle-ci, même pour une courte durée. Mais Faye refusa, arguant qu'elle serait de toute façon bientôt repartie.

Ben et Alix la laissèrent avec ses amies et regagnèrent leur hôtel. Alix avait le cœur lourd en songeant aux épreuves que sa fille traversait. Elle n'avait aucune envie de la quitter mais elle savait que, tôt ou tard, Faye allait devoir reprendre une existence normale, et qu'elle faisait tout pour y parvenir.

— Elle va s'en sortir, dit Ben pour la rassurer, en posant le bras sur ses épaules.

Alix hocha la tête. Il les avait tellement soutenues, toutes les deux. Il s'était montré si chaleureux, si compatissant, qu'elle se demandait pourquoi il n'avait jamais eu de relation sérieuse depuis la fin de son mariage. Il avait tant à offrir, même en qualité d'ami. Il s'était montré vraiment gentil avec elles, en les laissant vivre chez lui quand Alix était menacée de mort, en restant près d'elle après la fusillade, et maintenant en les accompagnant à Duke. C'était un homme doux et attentionné, et il était évident qu'il se faisait du souci pour Alix et sa fille.

— Je sais qu'elle va s'en sortir, répondit Alix d'un air pensif, mais ce souvenir l'accompagnera jusqu'à la fin de ses jours.

Faye n'oublierait jamais ce qui s'était passé ce jour-là, pas plus qu'Alix quand elle avait vu sa fille couverte de sang sur l'écran, alors qu'elle regardait la télévision à La Nouvelle-Orléans.

— Tout comme les bonnes choses qui surviendront dans sa vie, répondit Ben. L'essentiel, c'est l'équilibre entre les deux. Elle connaîtra des joies mais aussi des peines.

Alix ne put s'empêcher de penser au fils de Ben. Ils bavardèrent un petit moment, assis sur un banc devant l'hôtel. C'était une soirée paisible, sous un ciel empli d'étoiles, et Alix songea que le temps passait à toute vitesse. Il y avait quelques minutes à peine Faye était encore un bébé, et Alix était terrifiée par ce qui lui arrivait. Et voilà que sa fille était presque une adulte, et se débrouillait toute seule à l'université. Parfois, cela lui donnait envie de remonter le temps et de repartir de zéro. Elle songea que par moments on oubliait à quel point la vie était belle, jusqu'à ce qu'on se penche sur ses souvenirs. Elle le dit à Ben, qui éclata de rire.

— C'est exactement ce que j'ai ressenti envers la marine après mon départ. Je n'avais pas compris sur le moment à quel point c'était génial. J'étais trop occupé à obéir aux ordres et à ne pas me faire trouer la peau. Certaines choses dans l'existence sont plus belles quand on les regarde a posteriori. Je ressens la même chose concernant les missions qu'on nous donne. Je n'aurais pas nécessairement envie de les refaire, mais ça me laisse des souvenirs incroyables.

Il lui sourit en prononçant ces mots.

— Je ne me rendais pas compte qu'elle grandirait aussi vite, murmura Alix.

Il acquiesça en silence, comprenant bien ce sentiment. Faye n'avait que quatorze ans quand Alix et lui avaient commencé à travailler ensemble. Sa collègue en parlait souvent, se plaignant de temps à autre de la difficulté d'avoir une fille adolescente. Désormais, Faye était presque une femme, et Alix était seule à la maison.

— Ma mère dit la même chose de moi, soupira-t-elle.

Ils se quittèrent devant leurs chambres et se retrouvèrent le lendemain pour emmener Faye petit-déjeuner hors du campus, dans un café qu'elle aimait bien, puis Alix la raccompagna dans sa chambre pour l'aider à déballer le reste de ses affaires. Faye se sentait mieux que la veille, et elle était contente d'avoir choisi de reprendre les cours. Elle envisageait cependant toujours de passer le premier semestre de sa troisième année à l'étranger, en France. Elle pourrait même suivre des cours en français, puisqu'elle le parlait couramment.

L'après-midi passa trop vite : Ben et Alix étaient contraints de partir à 18 heures pour attraper leur vol pour New York. Faye avait besoin de se replonger dans ses livres de classe, et elle alla retrouver quelques amis juste avant leur départ. Deux beaux garçons figuraient dans le groupe. L'un d'eux avait lui aussi perdu son voisin de chambre, et il fut choqué d'apprendre que Faye avait été blessée. Il la trouvait vraiment courageuse de revenir à la fac après une telle épreuve, mais elle lui répondit qu'elle était contente d'avoir fait ce choix. Les étudiants de la fac pouvaient se soutenir mutuellement, puisqu'ils avaient tous vécu ces terribles événements, et Faye se sentait mieux avec eux qu'avec ses amis de New York. À Duke, au moins, on la comprenait. Le petit groupe avait prévu de manger dans un restaurant thaïlandais lorsqu'ils se quittèrent : Faye prit Alix dans ses bras et l'embrassa, puis lui dit au revoir avec des larmes dans les yeux. Ben était ému lui aussi.

Tandis qu'ils s'éloignaient, ils entendirent le jeune homme demander à Faye si Ben était son père, à quoi elle répondit que c'était juste un ami. Ben et Alix se regardèrent en souriant. Ils se rendirent à l'aéroport tout en discutant du week-end qu'ils venaient de passer. Alix tentait de se convaincre que Faye se porterait très bien en leur absence. Ils rendirent la voiture de location et burent un cappuccino au Starbucks de l'aéroport avant l'embarquement.

— Merci de nous avoir accompagnées, dit Alix d'un ton grave, une moustache de mousse blanche posée sur la lèvre supérieure.

Ben sourit.

— Pourquoi tu te marres ?

Elle ne s'était rendu compte de rien.

— Tu as une moustache, expliqua-t-il.

Elle rit en s'essuyant la bouche. Elle demeura songeuse une minute, puis se tourna vers lui.

— Une question m'a trotté dans la tête tout le week-end, maintenant qu'on vit chez toi et que je te connais mieux. Pourquoi vis-tu seul ? Tu ferais un bon mari. Tu as une patience incroyable, tu prends soin de ton appartement, et puis tu es gentil avec les enfants. J'ai beaucoup moins de patience que toi. Parfois, les gamins, ça me tape sur les nerfs. Faye et moi, on se disputait beaucoup, avoua-t-elle en buvant une autre gorgée de son café mousseux, qu'elle trouvait délicieux.

— Je sais. Tu m'en parlais souvent.

Mais cette période-là était terminée. Elles s'entendaient bien à présent, et ce depuis deux ou trois ans.

— Je suppose que je n'aime pas qu'on me colle une étiquette, pour répondre à ta question, reprit Ben. J'étais jeune quand je me suis marié, je n'ai pas réfléchi à ce que cela signifiait. J'avais vingt-quatre ans, j'étais dans la marine, et c'était la norme autour de moi. Les gens se mariaient très jeunes. Quand on a mon âge, c'est beaucoup plus compliqué, on est plus exigeant. On veut que ce soit l'entente parfaite – aimer les mêmes livres et les mêmes films, être d'accord sur le plan politique, avoir le même rapport à l'argent. Il y a toute une liste d'éléments à cocher pour décider qu'on est bien compatibles. Je ne veux pas qu'on m'envisage sous cet angle, et pour le dire franchement je ne crois pas que je pourrais me conformer à cette façon de voir l'existence. Je suis trop indépendant, après toutes ces années de liberté. Je ne veux pas qu'on me dise comment me comporter.

— Moi non plus, reconnut-elle. Élever son enfant, c'est différent, parce que ce n'est pas lui qui fait la loi à la maison. Mais je n'ai jamais rencontré d'homme avec qui j'avais envie de vivre, et je n'ai même jamais voulu de colocataire, sauf ma fille. Je finirais par le rendre dingue, et je serais capable de tuer quelqu'un qui viendrait s'immiscer dans ma vie. Je ne ressens pas le besoin de me marier, ajouta-t-elle avec franchise. Ma mère dit que je le regretterai un jour, quand je serai vieille. Gabriel et elle ont l'air de bien s'amuser ensemble, pourtant elle non plus ne veut pas l'épouser – même si je pense que lui aimerait bien, et qu'il le lui a déjà demandé à plusieurs reprises. Et puis, je ne veux pas prendre le risque de m'engager dans une relation qui tournerait mal, cela attristerait Faye.

— Elle ne vit plus avec toi, lui rappela-t-il, trouvant que c'était une bien piètre excuse.

Alix avait lancé le sujet parce qu'elle était curieuse d'en savoir plus sur Ben, qui s'était montré si gentil envers Faye, et même envers elle. C'était différent de leurs missions, quand ils vivaient à la dure, à monter et redescendre des jeeps de l'armée, au milieu de soldats, en partageant une sorte de camaraderie de temps de guerre. Dans l'appartement de Ben, c'était un peu comme s'ils avaient formé une famille, ce dont tous deux avaient perdu l'habitude. Et cela s'était très bien passé, au grand étonnement d'Alix.

Ils jetèrent leurs gobelets quand leur vol fut annoncé, ramassèrent leurs affaires et montèrent dans l'avion. Elle travailla un peu pendant le trajet du retour, et put même se servir de son ordinateur car l'avion était équipé d'Internet. Ben finit par lever le nez de son magazine et lui jeter un coup d'œil.

— Je me demande si on va bientôt repartir en mission, murmura-t-il d'une voix songeuse. Félix t'a dit quelque chose ?

Elle fit non de la tête. Le scandale lié au vice-président avait pris le dessus sur le reste. Pour une fois, toute l'action s'était déroulée sur le sol américain.

— Ça ne devrait sans doute pas tarder. Il n'y a pas grand-chose à se mettre sous la dent pour l'instant, mais dès qu'une affaire éclatera je suis sûre qu'il nous expédiera au loin.

Maintenant que Faye était retournée à la fac, Alix était tout à fait prête à voyager. Félix avait tenu parole, leur permettant de ne pas s'éloigner de New York pendant quelque temps.

Ils se demandaient tous deux où était Tony Clark, et supposaient qu'il devait s'être installé quelque part en Arabie saoudite. Elle avait du mal à croire qu'il s'habituerait un jour à ce genre d'existence, mais il ne pouvait plus revenir sur sa décision désormais, même s'il le regrettait plus tard. Ben ne l'enviait pas, lui non plus. Clark ne pourrait plus jamais faire marche arrière. Ses comptes bancaires avaient été confisqués, il n'avait donc pas d'argent de côté et dépendait entièrement des hommes qui avaient facilité son évasion et l'avaient emmené là où il se trouvait désormais. Non seulement il devrait se fondre dans une tout autre culture, mais il était aussi à leur merci. Sa position était peu enviable et risquait de s'éterniser, puisqu'il ne pouvait travailler en Arabie saoudite. Il resterait les bras ballants à voir sa vie défiler devant lui, dans la crainte que ses anciens partenaires commerciaux ne lui accordent plus le moindre centime. Pelham avait découvert qu'il leur avait versé une somme colossale avant son évasion pour garantir sa sécurité future, ce qui signifiait qu'ils ne l'avaient pas tué. En outre, Clark avait fait valoir qu'il pourrait à nouveau leur être utile un jour, dans le cadre de négociations ou d'un échange d'informations. Ils avaient sans doute accepté de le garder en vie dans cette hypothèse, même s'il ne leur servait plus à rien pour le moment.

Comme ils n'avaient pas de valises enregistrées mais seulement leur sac sur l'épaule, Ben et Alix longèrent sans s'arrêter la zone de retrait des bagages à leur arrivée à JFK, quittèrent l'aéroport et hélèrent un taxi au bord du trottoir. Faye avait envoyé un SMS à sa mère pendant qu'ils étaient dans l'avion. Elle lui expliquait combien elle avait apprécié qu'ils soient venus l'aider à s'installer, ajoutant que cela signifiait beaucoup pour elle, et lui demandant de remercier Ben également. Alix fit passer le message tandis qu'ils arrivaient en ville. Ils ne s'arrêtèrent pas pour faire des courses, ils avaient assez pour se préparer un petit dîner ce soir-là. Quand ils entrèrent dans l'appartement, il leur parut étrangement calme en l'absence de Faye. Pourtant, elle n'y était pas demeurée très longtemps, et Alix avait déjà vécu là sans elle, après la première menace de mort.

Ils se préparèrent chacun un en-cas avec ce qu'il restait dans le frigo, à savoir pas grand-chose. Il choisit un sandwich au jambon, elle à la dinde, le tout complété par quelques pommes qui traînaient dans le saladier en guise de dessert. Ils mangèrent en silence : Alix pensait à Faye et regrettait déjà son absence. Une fois leur repas fini, ils se rendirent dans le salon. La guerre semblait avoir pris fin, sur tous les fronts, et la vie devait reprendre son cours normal, quel qu'il puisse être désormais.

Alix regarda Ben en hésitant, comme si elle avait quelque chose d'important à lui dire.

— Je crois que je vais rentrer chez moi demain. J'ai déjà assez abusé de ton hospitalité.

Cela faisait plusieurs semaines qu'elle vivait chez lui, et Faye était restée presque quinze jours. C'était long, pour un séjour chez un ami, même s'il lui avait expliqué à plusieurs reprises que cela lui plaisait bien. Elle avait un appartement à elle, cependant, et pouvait librement y retourner désormais.

Il eut l'air déçu et s'assit à côté d'elle sur le canapé. Son regard dépité surprenait Alix.

— J'espérais que tu resterais encore un petit moment.

— Je n'ai plus d'excuse à présent », dit-elle avec un sourire en coin. Puis elle se mit à rire. « Personne n'essaie de me tuer. Je ne reçois plus de menaces de mort, il n'y a pas d'inondation dans ma rue, pas de conduite d'eau cassée, et le chauffage fonctionne. On dirait bien que je vais être obligée de rentrer chez moi, ajouta-t-elle d'un ton moqueur, ayant énuméré toutes les raisons habituelles pour aller dormir chez un ami. Je n'ai pas d'ex-fiancé violent dont j'aurais peur, et je ne suis pas expulsée de chez moi.

Deux raisons de plus sur la liste. Il se mit à rire lui aussi.

— On pourrait trouver un prétexte. Par exemple, que tu souhaites emménager à Brooklyn et que tu veux voir si le quartier te plaît. Ou que ta voisine de palier se prostitue et que tu n'aimes pas l'allure de ses clients. Ils passent leur temps à sonner chez toi par erreur.

— Ça, ça me plaît bien ! s'exclama Alix, les yeux brillants. On choisit celle-là. L'histoire de la prostituée.

— Et si tu vivais encore un peu ici parce qu'on passe de bons moments ensemble, que tu es d'agréable compagnie et que je t'aime bien ?

— Si ce n'est que j'ai un appartement tout à fait fonctionnel et qui me convient parfaitement. Comment j'explique qu'il reste vide ?

— Parce que tu as besoin de te justifier ? répliqua-t-il. Ce sont tes affaires. Et puis on s'en fiche, non ? Tu n'as de comptes à rendre à personne, et moi non plus.

— Je ne sais pas trop ce que je raconterais à Faye.

— Je suis heureux que tu sois ici, répéta-t-il. Tu es très agréable à vivre. Ça me fait quelqu'un avec qui discuter le soir. Et puis, on peut se parler sans problème de notre journée de boulot.

Ils avaient toutes les raisons de vivre ensemble, même si, à leur âge, cela impliquait généralement autre chose qu'une relation amicale.

— Je pourrais être une gêne, à certains moments de ton existence, suggéra-t-elle.

Elle supposait qu'il avait malgré tout une vie amoureuse, même s'ils n'avaient jamais évoqué le sujet.

— Il n'y a pas de raison que tu me déranges, répondit-il, pas embarrassé le moins du monde. Ça fait six mois que je n'ai pas eu de rencard, et c'était un vrai désastre la dernière fois. Et puis, je me ferais du souci pour toi si tu retournais dans ton appartement. Et si les menaces de mort recommençaient ?

— Si c'est le cas, je te le dirai.

Elle lui sourit, et vit dans ses yeux qu'il était sincère. Il voulait vraiment qu'elle reste chez lui.

— Tu es sérieux ?

— Absolument. J'y ai réfléchi toute la semaine, et je ne veux pas que tu retournes chez toi. J'ai envie que tu restes ici.

— Mais pour combien de temps ?

Il ne parlait sans doute que de une semaine ou deux.

— Aussi longtemps que tu voudras, dit-il d'un ton solennel. On peut laisser la vie suivre son cours, et voir comment ça se passe.

Le visage d'Alix se fit perplexe. Elle n'était pas certaine d'avoir bien compris ce qu'il venait de lui suggérer, même si elle supposait que oui. Sa proposition était un peu naïve. Ils étaient tous les deux trop vieux pour vivre en colocation. Chacun était habitué à avoir son propre espace de vie, et pouvait se le permettre sur le plan financier. Ils n'étaient pas contraints d'habiter ensemble pour partager le loyer, ce qui était la principale motivation des jeunes gens – et cela faisait longtemps qu'ils avaient passé l'âge. L'autre raison était l'amour, ce qui ne s'appliquait pas à eux non plus, puisqu'ils n'étaient que collègues et amis. Elle devait admettre cependant que l'idée n'était pas inintéressante, quoique encore un peu vague.

— Que ce soit bien clair entre nous. » Elle planta les yeux dans les siens avant de lui poser la question suivante : « Tu te portes volontaire pour être mon colocataire, mon garde du corps, ou un peu des deux ?

— Tout à la fois, et peut-être plus encore, murmura-t-il.

Il semblait timide tout à coup, ce qui ne lui ressemblait pas. C'était là une situation inédite pour tous les deux, et il prenait Alix par surprise. Elle ne s'attendait pas à ce qu'il veuille qu'elle reste et avait déjà tout organisé pour pouvoir rentrer chez elle le lendemain.

— Comment ça, plus encore ? lui demanda-t-elle en fronçant les sourcils.

— Tu sais bien. Ce que tu voudras.

— Ben ! » Elle le dévisagea et se mit à rire. « Mais qu'est-ce que tu me racontes ?

— Je te l'ai dit, je n'aime pas les étiquettes. Tu peux être ce que tu veux, avec ou sans nom pour le définir. Coloc, meilleure amie, petite amie, complice, selon ton souhait du jour.

Il était incapable de décrire plus précisément ce qu'il avait en tête concernant leur relation. C'était difficile pour lui d'en parler, après quatre ans de collaboration professionnelle et d'amitié. Mais à ses yeux, quelque chose avait changé, et il avait du mal à l'exprimer par des mots.

— Tu me fais des avances ?

Elle le regardait fixement, l'air un peu moqueur. Il ne parvenait pas à savoir si l'idée lui plaisait ou non, ce qui le désarçonnait complètement. Mais maintenant qu'il était lancé, il fallait qu'il poursuive.

— En fait, je me disais que ça pouvait faire partie de ce projet de coloc. Ça me plairait bien, si cela te convient à toi aussi.

— Tu es sérieux ?

Elle était abasourdie. Jamais elle ne se serait attendue à ça de sa part.

— Très sérieux. J'y pense depuis que tu as emménagé ici. J'ai compris dès le deuxième jour que je n'avais pas envie que tu partes. Bon, le premier jour peut-être, pour être franc. J'aime bien vivre avec toi, c'est agréable de te voir ici, ainsi que Faye.

— Moi aussi, je trouve ça chouette. Je n'avais jamais pensé à nous comme ça jusqu'à présent. Je croyais qu'on resterait copains de boulot jusqu'au bout, même si ma mère trouve que je suis folle de ne pas me lancer dans une relation avec toi.

C'était en vérité la première fois qu'elle y avait songé – quand elle avait entendu sa mère lui dire à quel point Ben était formidable et séduisant, avant de lui demander pourquoi elle ne couchait pas avec lui. Mais Alix avait fini par conclure que c'était hors de question, pour elle comme pour lui, même si elle aussi appréciait de vivre à ses côtés.

— Alors, qu'en penses-tu ? Mon idée te plaît, au moins en partie ?

Il avait ouvert un éventail de possibilités, et toutes intéressaient Alix. Elle lui sourit, et il se pencha vers elle avec une étincelle dans les yeux qu'elle ne lui connaissait pas. Pour Ben, les négociations avaient assez duré. Il l'embrassa et l'attira contre lui. Quelques minutes plus tard, ils se relevèrent, gagnèrent la chambre de Ben, se déshabillèrent et s'allongèrent sur son lit, puis Alix l'arrêta quelques secondes et lui parla à l'oreille dans la pénombre avant qu'ils aillent plus loin. La soirée ne se déroulait pas du tout comme elle l'avait imaginé, mais elle appréciait énormément ce moment – et lui aussi, plus qu'elle ne l'aurait cru, ou qu'elle n'en avait eu conscience jusqu'à présent. Ils se connaissaient déjà si bien que ce qu'ils vivaient à cet instant était encore meilleur.

— Où est l'arme ? lui souffla-t-elle entre deux baisers.

— Pourquoi ? Tu veux me tirer dessus ?

— Je n'ai pas envie de la heurter et de la déclencher sans le vouloir.

Elle n'avait jamais couché avec un homme qui gardait un revolver à côté de son lit.

— J'ai retiré les balles et mis mon revolver sous clé, après la nuit où tu m'as fait si peur, quand j'ai failli te tirer dessus. Je me suis dit que je préférais me battre contre un cambrioleur à mains nues que te tuer.

— Tant mieux. On peut le laisser enfermé pour toujours ?

— Si c'est ce que tu veux..., chuchota-t-il, beaucoup plus captivé par l'idée de lui faire l'amour que par celle de parler armes à feu.

— Parfait... merci, murmura-t-elle.

Ils s'abandonnèrent à leur passion et découvrirent ce qu'ils ignoraient l'un de l'autre et n'avaient jamais soupçonné jusqu'alors. C'était le début d'une toute nouvelle relation entre eux, dépourvue d'étiquette. De manière étrange, ce qui se passait cette nuit-là découlait de l'enquête d'Alix sur Tony Clark et des menaces de mort qu'elle avait reçues. Alors qu'ils étaient allongés sur le lit, épuisés et à bout de souffle, Ben sourit à la femme dont il était tombé amoureux au cours de cette mission. Il n'y avait pas de mots pour exprimer ce qu'il ressentait pour elle, et aucun des deux n'en avait besoin. Ils venaient d'obtenir ce qu'ils ignoraient même désirer, et avaient attendu quatre années pour le découvrir. Quand il s'endormit à côté d'elle, elle l'embrassa et songea pour la première fois qu'elle éprouvait de l'amour pour lui. Puis elle se blottit dans ses bras et plongea elle aussi dans le sommeil.

16

Une semaine plus tard, Alix et Ben examinaient encore les derniers détails de l'affaire Tony Clark. À la demande de Félix, elle avait cherché à s'entretenir avec Megan Clark, qui se trouvait dans la propriété californienne de ses parents, à Santa Barbara, et elle avait essuyé un refus. Mme Clark ne s'exprimait pas dans les médias. Alix avait cependant obtenu une interview avec le vice-président nouvellement nommé, et elle s'était envolée pour Washington en compagnie de Ben. Le chargé de communication de la Maison-Blanche lui avait demandé de ne pas évoquer une seule fois l'ex-vice-président tombé en disgrâce, et Alix avait accepté cette condition. Elle avait davantage envie de connaître l'opinion du nouveau titulaire du poste sur divers sujets que de s'appesantir sur le cas Tony Clark. Le grand public souhaitait aller de l'avant, même si, dans les cercles que Clark fréquentait, l'onde de choc se faisait encore sentir après plusieurs semaines, et si ses activités criminelles avaient laissé des traces. Les gens ne comprenaient pas comment il avait pu se montrer d'une malhonnêteté pareille, sans que personne remarque rien. Il avait œuvré habilement, usant de plusieurs masques pour cacher son jeu. Le plus perturbant, bien sûr, c'était la mort tragique de Bill Foster. Le reste n'était que magouilles et gros sous. Mais Bill Foster avait perdu la vie ; Olympia, son mari ; et ses enfants, un père adoré, ce qui était bien pire que toutes les malversations avérées ou soupçonnées. Megan et ses enfants ne sortaient pas non plus indemnes de l'histoire.

Comme toujours, Alix réussit parfaitement son interview du nouveau vice-président, et Félix l'en félicita le lendemain. Elle était dans son bureau avec Ben quand Félix entra. Il n'était plus qu'à deux antiacides par jour désormais, au lieu de la poignée qu'il gobait d'un coup pendant les semaines précédentes. Alix avait fini par craindre qu'il ne s'étouffe en les avalant. Ils avaient tous géré avec brio l'affaire Clark. Leur couverture complète du scandale avait atteint des pics d'audience, et les gros bonnets de la chaîne étaient très satisfaits de leur travail.

— Tu dois être contente d'avoir retrouvé ton appart, lança Félix.

Elle acquiesça et bredouilla vaguement quelques mots, ce qu'il ne releva pas. Ben se moqua d'elle quand Félix les laissa et regagna son bureau.

— Quand allons-nous lui dire ? demanda-t-il.

Il était curieux de savoir comment elle voulait gérer cette nouvelle situation dans leur univers professionnel. Leurs collègues n'avaient encore rien remarqué, et il n'y avait pas de raison qu'ils s'en aperçoivent. Ils n'avaient rien dit à Faye non plus, mais Alix l'avait avoué à sa mère au téléphone quelques jours plus tôt, à la grande joie de celle-ci. Isabelle voulait qu'ils viennent la voir pendant l'été, quand Faye serait chez elle. Faye prévoyait de rester chez sa grand-mère pendant toutes les vacances scolaires, jusqu'au mois de septembre. Alix avait expliqué qu'elle ne savait pas encore ce qu'ils feraient et qu'ils seraient probablement en mission quelque part, mais qu'ils prendraient peut-être une semaine ou deux de congé au cours de l'été. Isabelle espérait qu'ils parviendraient à se libérer.

— Je croyais que tu n'aimais pas les étiquettes, rappela-t-elle à Ben quand il suggéra de l'annoncer à Félix.

— Je commence à me faire à l'idée.

Il lui lança un grand sourire et, ni vu ni connu, lui vola un baiser.

— Si tu te comportes comme ça au bureau, pas la peine de lui parler, répliqua-t-elle en souriant.

Elle se sentait jeune et heureuse, et appréciait de vivre à ses côtés. Ils s'entendaient bien, allaient faire de longues promenades au bord de l'eau le week-end, et cuisinaient ensemble le soir. Ils avaient pris le ferry jusqu'à Fire Island et s'étaient baladés sur la plage. Ils faisaient des choses qu'ils n'avaient plus pris le temps de faire depuis des années, et chacun acceptait de ralentir le rythme pour faire plaisir à l'autre. La vie commune, avec ou sans étiquette, leur paraissait très agréable à tous les deux.

Alix avait aussi pris part à plusieurs réunions de débriefing du service des opérations clandestines de la CIA, lequel voulait en savoir plus sur sa rencontre avec son informateur de Téhéran et ce qu'il lui avait raconté. Elle récapitula tout de manière précise devant les agents, et confirma le nom des quatre magnats du pétrole saoudiens avec lesquels Clark avait fait affaire, selon cette même source. Elle révéla tout ce que lui avaient appris ses contacts au sein des lobbies, et s'entretint avec le directeur du renseignement national. Tout figurait déjà dans le rapport d'audience du jury d'accusation, mais elle répéta l'intégralité des faits pour être sûre de n'avoir oublié aucun détail, aussi infime ou dérisoire fût-il en apparence. Elle voulait faire de son mieux pour consolider le dossier monté contre Tony Clark et corroborer le moindre élément de preuve dont elle disposait, au cas où il serait un jour traîné devant le tribunal, ce qui était peu probable. Cela ne changeait rien au fait qu'il s'était volatilisé dans la nature. Selon Pelham, un informateur local au Moyen-Orient avait confirmé sa présence à Bahreïn quelques jours plus tôt, même s'il n'avait plus aucun atout dans sa manche. Privé de son réseau d'influence, il ne possédait plus que des informations obsolètes, que ses contacts saoudiens connaissaient déjà pour l'essentiel, grâce à leurs rencontres précédentes. Du jour au lendemain, en cessant d'être vice-président, il était devenu complètement inutile. Selon des sources locales de la CIA, il vivait à Djeddah dans une petite maison qu'on lui avait donnée. Les officiers de la CIA pensaient que les Saoudiens l'élimineraient peut-être un jour. L'hypothèse était loin d'être exclue, même si les sommes phénoménales prélevées sur l'un de ses comptes offshore avant son évasion avaient dû servir à acheter sa tranquillité. Mais personne ne savait ni ne pouvait prédire si ses associés tiendraient parole. Ils étaient aussi impitoyables que lui, et tout aussi malins.

Alix fut chaudement félicitée pour sa contribution, et John Pelham la remercia une fois de plus quand ils sortirent de leur entretien avec le directeur.

— Comment va Olympia Foster ? lui demanda-t-elle.

Elle aurait voulu prendre de ses nouvelles, mais redoutait de la déranger.

— Je lui ai parlé il y a quelques jours. On a eu quelques réunions de débriefing avec elle aussi. Je pense qu'elle va mieux que lorsque toute cette affaire a commencé. À mon avis, Clark la tenait sous sa coupe. Je ne sais pas comment il s'y prenait, mais elle semble plus détendue que lors de notre première rencontre. Les sales types comme lui se comportent anormalement avec les autres. En même temps, se retrouver coincé à Djeddah sans avoir les moyens de faire quoi que ce soit ne doit pas être très agréable. Et je suis sûr que ses petits camarades ne sont pas ravis de l'avoir sur le dos. Ils ignoraient sans doute que les lobbyistes lui achetaient également des informations et des faveurs. Quant à l'assassinat de Bill Foster, cela nuit à leur image. C'est ce qui arrive quand on joue à des jeux dangereux. Tôt ou tard, on se brûle les doigts. Et tout finit par se retourner contre vous.

John Pelham s'était exprimé avec cynisme, sans une once de compassion. Tony Clark avait déjà perdu la partie, et il n'était aucunement en sécurité dans sa cachette, n'ayant plus rien à monnayer.

Pelham ajouta qu'il espérait retravailler avec elle un jour, et Alix le remercia pour les gardes du corps qu'il avait détachés auprès d'elle et de Faye. Elle avait appris que l'agent du FBI blessé à Duke s'était rétabli et avait repris le travail.

— Votre garde personnel semble avoir bien pris soin de vous, en tout cas, répliqua Pelham en souriant à Ben.

Il savait tout de la carrière de Ben dans la marine militaire, ayant soigneusement vérifié ses antécédents au début de l'enquête, et il était impressionné par certaines de ses missions. Ben avait été distingué et décoré à plusieurs reprises avant de travailler pour la télévision.

Alix espérait qu'elle aurait l'occasion de revoir Olympia un jour, mais elle trouvait malvenu de la déranger pour le moment. Les événements étaient trop récents. En outre, la veuve du sénateur avait été assaillie par les médias, qui savaient à quel point elle avait été proche de Tony – et qui la harcelèrent encore plus en apprenant qu'il avait tué son mari. Elle s'était refusée à tout commentaire, ce qui, de l'avis général, était une attitude digne qui lui ressemblait bien. Alix pensait souvent à elle. Elle espérait que la disparition de Tony l'avait libérée de ses chaînes, et que toute cette histoire ne l'avait pas rendue trop triste. Le fait que Clark se soit enfui dans un pays lointain pour éviter le procès était la meilleure chose qui pouvait arriver à Olympia. Cela lui épargnerait de voir le passé revivre dans un tribunal sous les yeux du public.

Olympia n'était apparue dans le monde qu'une seule fois depuis la fuite de Tony, lors d'un dîner de soutien à la campagne de son frère. Elle s'était montrée pour témoigner de la solidarité familiale, même si tout le monde savait depuis des années qu'elle n'était pas très proche de lui. Elle avait cependant accepté de poser pour les photographes en sa compagnie.

Elle avait dîné chez elle avec son beau-père et de nouveau rendu visite à Josh dans l'Iowa. Puis, après avoir attentivement consulté les brochures de plusieurs facultés de droit et s'être rendue à Columbia et NYU, Olympia prit la décision de s'inscrire à un master de Columbia, qui lui permettrait de bien connaître les évolutions les plus récentes de la loi et de se concentrer sur la structure juridique des associations à but non lucratif, domaine dans lequel elle voulait se spécialiser par la suite. Elle commençait les cours en septembre. Josh fut fier d'elle quand elle lui annonça la nouvelle. Et Charles se montra ravi qu'elle ait suivi ses conseils. Mais quand elle en parla à Darcy par liaison Skype avec l'Afrique, celle-ci demeura stupéfaite.

— Tu retournes à la fac, maman ? » Son visage sur l'écran s'éclaira d'un beau sourire. « Qu'est-ce qui t'a poussée à prendre une décision pareille ?

Cela faisait si longtemps qu'elle était cloîtrée qu'il était difficile de l'imaginer vivre à nouveau dans le monde réel. C'était exactement ce que ses enfants avaient souhaité pour elle. Et voilà qu'elle y était arrivée sans leur aide.

— C'est ton grand-père qui me l'a conseillé. » Elle lui laissait volontiers cet honneur. « Mais j'ai décidé qu'il était temps pour moi d'arrêter de me terrer dans l'ombre.

— Et le second livre sur papa ? demanda Darcy, soudain inquiète.

— Je l'ai mis de côté pour l'instant. Je ne suis pas sûre d'avoir assez de documentation pour en écrire un second, et peut-être le monde n'a-t-il pas besoin d'un autre ouvrage sur ses principes et ses idéaux. De nouveaux hommes politiques sont entrés en scène, c'est à leur tour d'agir. Je crois que ton père comprendrait.

Darcy sentit les larmes lui monter aux yeux en écoutant sa mère. Elle était ravie de l'entendre parler ainsi, et se disait que son père l'aurait été aussi. Elle en était même certaine.

— Je pense que papa voudrait que tu sois heureuse, maman. Tu es triste depuis trop longtemps.

Olympia acquiesça sans mot dire, prenant conscience que Tony avait tout fait pour l'empêcher de relever la tête. Il l'avait voulue silencieuse, intouchable, invisible, de manière qu'elle ne puisse jamais parler à quiconque de ce que Bill aurait pu lui révéler le concernant. De manière à la faire passer pour une folle qui racontait n'importe quoi si jamais elle prenait la parole. Il l'avait convaincue qu'elle ne se remettrait jamais de ce traumatisme, et qu'elle ne devait même pas essayer. Elle l'avait cru pendant longtemps, et il s'était montré possessif envers elle. Tony l'avait détruite presque autant que la mort de son mari. Il l'avait conditionnée sans que personne s'en aperçoive, pas même elle. Réussissant tout ce qu'il entreprenait, quel que soit le domaine, il avait grandement nui à son équilibre mental. Elle avait l'impression de sortir d'une secte et de retrouver son être. Ses enfants s'en rendaient bien compte : elle était de retour.

— Moi aussi j'envisage de reprendre des cours, maman, avoua Darcy après la grande annonce d'Olympia. J'ai envie de passer un master, à NYU ou à Columbia.

J'ai déjà postulé et j'attends leur réponse. Je rentre en Amérique en juillet.

Olympia demeura interloquée. Sa fille avait prévu de passer encore un an en Afrique.

— Peut-être qu'on pourrait aller à la fac ensemble, poursuivit Darcy. Je me suis dit que je pourrais revenir vivre à la maison pendant un an, si ça ne te dérange pas.

Olympia était aux anges. C'était la meilleure nouvelle qu'elle avait eue depuis des mois, même si c'était assez inattendu. Sa fille n'avait jamais évoqué cette possibilité jusqu'à présent.

— Et ton médecin français, il reste en Afrique ? lui demanda Olympia.

Darcy demeura mélancolique quelques secondes. Elle venait d'avoir vingt-trois ans et, puisque sa mère tournait la page, elle aimait l'idée de vivre avec elle pendant quelque temps.

— Il s'est passé quelque chose ? reprit Olympia d'une voix douce.

Darcy haussa les épaules et mit du temps à lui répondre.

— Il est génial, maman, mais il a dix ans de plus que moi, et nous n'avons pas les mêmes buts dans la vie. Je ne crois pas qu'il ait envie de vivre avec quelqu'un avant un bon moment, et puis, il a grandi en Afrique, il est comme chez lui ici. Je pense que je suis prête à revenir à New York, et il trouve lui aussi que c'est une bonne idée.

À ces mots, sa lèvre se mit à trembler et ses yeux s'embuèrent de larmes. Olympia regretta de ne pas pouvoir la prendre dans ses bras. Au moins, elle pourrait le faire en juillet. Elle n'avait pas si longtemps à attendre.

— Et si tu partais en voyage avec moi cet été ? Josh et Joanna vont rendre visite à ton grand-père en France. Peut-être qu'on pourrait les retrouver quelque part.

Le visage de Darcy s'illumina, et Olympia promit d'appeler Josh pour lui en parler. Cela leur ferait le plus grand bien de passer du temps ensemble, ne serait-ce que une semaine ou dix jours. Ce n'était pas arrivé depuis la mort de Bill. Auparavant, ils partaient en voyage en famille tous les ans. Il était temps de retrouver les traditions, de les faire revivre, et d'en lancer de nouvelles. Olympia lui annonça qu'elle avait loué une petite maison dans les Hamptons au mois de juillet, où elle avait déjà vécu en solitaire.

— Ce serait fantastique, maman, répondit Darcy, les yeux brillants.

Elles discutèrent encore un moment, et Olympia lui promit de proposer à Josh un voyage en famille, ou de prolonger la location dans les Hamptons, voire les deux. Désormais, elle ne manquait pas de raisons de se réjouir. Avant de raccrocher, Darcy lui demanda si elle avait des nouvelles de Tony et si on l'avait localisé. Olympia hésita un moment. Elle n'avait aucune envie de parler de lui, ni même d'y songer.

— On l'aurait vu à Bahreïn et en Arabie saoudite, répondit-elle sobrement. Il vit à Djeddah, semble-t-il.

— Tu crois qu'il reviendra un jour ?

— Non, je ne pense pas. Ce serait de l'inconscience de sa part. On l'enverrait tout droit en prison.

— Et sa femme, qu'est-ce qu'elle devient ?

— Je suis convaincue qu'elle va divorcer. Peut-être qu'elle tentera de le rejoindre, mais cela m'étonnerait, vu tout ce qu'on sait désormais sur ses agissements, et pas seulement contre nous.

Sa famille était loin d'être la seule touchée.

— C'est tellement bizarre. On dirait qu'il est mort. Tout le monde raconte des choses horribles à son sujet. Comme si nous nous étions toujours trompés sur son compte, déclara Darcy, toujours ébranlée par le scandale.

Mais sa mère répondit d'une voix claire et décidée :

— En effet, nous nous sommes trompés. À mon avis, ton père est le seul à l'avoir percé à jour, à la fin de sa vie.

— Je crois que je ne comprendrai jamais vraiment ce qui s'est passé, ajouta Darcy d'une voix triste.

C'était la plus grande déception de sa jeune existence, et peut-être n'en connaîtrait-elle jamais de plus grande.

— Cela demeurera un mystère pour chacun d'entre nous, je pense. Les gens comme lui sont tout simplement dépourvus d'humanité. Ils n'ont ni conscience ni empathie envers les autres. On appelle ça un sociopathe. Avec eux, tout n'est qu'illusion, tromperie et mensonge.

— C'est vraiment triste, conclut Darcy.

Olympia orienta la conversation vers un sujet plus agréable. Au moins, elle avait réussi à parler sans avoir la nausée. Au début, elle manquait s'évanouir à chaque fois qu'elle pensait à Tony et à ce qu'il avait fait à Bill. Mais elle était plus forte à présent.

Elles coupèrent Skype quelques minutes plus tard, et elle appela Josh le soir même pour lui proposer de le retrouver en France avec Darcy. L'idée lui plut beaucoup. Joanna et lui étaient enchantés de ce voyage. Il fut surpris cependant d'apprendre que sa sœur rentrait vivre à New York.

— C'est fini, sa grande histoire d'amour avec le médecin français ? demanda-t-il.

— Je ne sais pas trop, mais on dirait bien qu'elle touche à sa fin. Il est beaucoup plus âgé, il a probablement compris qu'elle était trop jeune pour lui. Elle veut venir vivre à la maison pendant un an et retourner à l'université. J'en suis très heureuse.

C'était lui qui était heureux d'entendre sa mère parler ainsi. Il avait l'impression que cela faisait six ans qu'elle avait disparu. Et voilà qu'elle revenait à la vie, alors qu'il avait presque fini par perdre espoir.

Tout se passa comme sur des roulettes par la suite. Olympia prolongea la location à Bridgehampton et annonça à ses enfants qu'ils pouvaient venir quand ils le souhaitaient. Elle était tout excitée à l'idée de reprendre les cours en septembre. Rien que d'y penser, elle avait l'impression d'être à nouveau une jeune fille. Darcy fut acceptée à NYU dans le cursus qui l'intéressait. Être la fille de Bill Foster l'aida à obtenir une dérogation pour s'inscrire de manière aussi tardive, tout comme le travail qu'elle avait accompli en Afrique.

Ils convinrent d'une date pour passer tous ensemble une semaine à Paris. Darcy quitterait l'Afrique pour une halte en Europe. Quant à Josh et Joanna, ils les rejoindraient après avoir rendu visite à Charles en France. Olympia songea que Darcy allait probablement se languir de son médecin français, mais elle serait très occupée dès l'automne par la rentrée universitaire. Ils auraient tous beaucoup à faire. La page se tournait pour chacun d'entre eux.

17

Alix venait de quitter l'antenne après son reportage sur un nouveau scandale sexuel à Washington, et elle s'empressa de regagner son bureau pour troquer sa veste Chanel bleu foncé contre quelque chose de plus doux et de plus féminin. Ben l'emmenait dîner dans un nouveau restaurant dont on leur avait dit du bien. Ils ne s'ennuyaient guère, depuis qu'ils vivaient ensemble. Elle retira sa veste et, dès qu'elle se retrouva en chemisier, Ben la prit dans ses bras, l'embrassa et commença à dégrafer son soutien-gorge. Soudain, ils entendirent la porte s'ouvrir et s'éloignèrent l'un de l'autre comme des enfants surpris à faire une bêtise, tandis que Félix les contemplait fixement. Il ne s'était pas douté une seule seconde de ce qui se passait entre eux.

— Continuez, les enfants. J'adore le porno au bureau. Comment j'ai pu ne pas remarquer ? C'est ce nouveau scandale à Washington qui vous a donné des idées ?

Il avait l'air plus amusé que fâché et se sentait surtout stupide de ne pas l'avoir vu plus tôt. Ils étaient adultes, après tout, et pouvaient agir comme bon leur semblait. Et puis, cela faisait longtemps qu'ils n'avaient pas eu de missions à l'étranger. Il se demanda si c'était tout simplement parce qu'ils s'ennuyaient ou si leur relation était sérieuse.

— Désolée, Félix, dit Alix en rougissant, tout en remettant sa veste.

— Pas de problème. Vous êtes grands, et ce ne sont pas mes affaires. » Le fait est qu'il les aimait bien, tous les deux. Il s'était toujours demandé pourquoi il ne s'était jamais rien passé entre eux. Il trouvait qu'ils allaient bien ensemble – c'était d'ailleurs pourquoi ils étaient d'aussi bons partenaires de boulot. « Loin de moi l'idée d'interrompre vos ébats, mais auriez-vous un peu de temps à consacrer à un tremblement de terre à Pékin ? Il y a eu un séisme de magnitude 7,2 il y a une demi-heure, et c'est une sacrée pagaille là-bas. Je me suis dit que j'allais vous mettre dans le vol de nuit. Vous pourrez toujours vous retrouver dans les toilettes, mais évitez de vous faire arrêter à Pékin.

Il les taquinait ouvertement, et Alix se sentit embarrassée. Ben demeura impassible.

— C'est grave ? demanda-t-il pour revenir au tremblement de terre en Chine.

— Trop tôt pour le dire, mais il y a déjà beaucoup de victimes. On ne sait pas comment ça peut évoluer. Des secouristes du monde entier sont en route pour Pékin, ainsi que tous les médias qui parviennent à s'y rendre. On vous a réservé un vol.

Alix jeta un coup d'œil à l'écran posé sur son bureau. Le son était coupé, ce qui expliquait pourquoi ils n'avaient pas vu passer la nouvelle. Elle découvrit les premières images extraites de vidéos prises au téléphone portable, comme c'était toujours le cas désormais. Il y avait toujours quelqu'un sur les lieux pour filmer avant l'arrivée de la presse. Elle remit le son et l'on entendit des hurlements, des bruits de bâtiments qui s'effondraient, et le terrible grondement parcourant le sol. Le séisme avait été bref, mais il avait fait beaucoup de dégâts. Les gens couraient dans les rues, et les enfants étaient en larmes.

— On va rentrer faire nos valises, dit Alix d'un ton un peu guindé.

Félix les regarda en souriant jusqu'aux oreilles.

— Ne vous méprenez pas. Je vous adore tous les deux, et je suis content de ce qui se passe entre vous, peu importe ce que c'est, tant que vous êtes heureux. Les gens qui souffrent, c'est ailleurs, je n'en veux pas dans ce bureau.

Ben acquiesça de la tête.

— On est bien d'accord, répondit-il.

— Parfait. Alors allez faire ce reportage et revenez en un seul morceau. Prenez soin l'un de l'autre, ajouta-t-il d'une voix douce, satisfait de ce qu'il avait découvert.

— Comme d'habitude, répliqua Ben.

Félix s'en alla en leur lançant un petit signe de la main. Alix gémit et leva les yeux vers Ben. Elle avait honte qu'ils aient été surpris ainsi par leur patron, comme deux gamins qui se pelotent.

— C'est vraiment très gênant.

— Ça aurait pu être pire, fit Ben d'un ton moqueur. J'allais te retirer ton soutien-gorge quand il est entré.

— On ne devrait pas se comporter comme ça au bureau, dit-elle d'un ton grave.

— Rappelle-le-moi la prochaine fois, répondit-il d'une voix taquine.

Ils passaient du bon temps ensemble et, faute d'événement majeur à couvrir depuis l'affaire du vice-président, ils avaient partagé beaucoup de moments de détente.

— On peut dire adieu à notre dîner, j'imagine, reprit-elle avec regret.

Il regarda sa montre. Trois heures plus tard, ils seraient en route pour l'aéroport.

— C'est le moment de remettre nos rangers, approuva-t-il.

Elle lui sourit.

— Je suis content de repartir, poursuivit-il. C'était sympa d'être ici, mais ça commençait à me manquer.

— À moi aussi, avoua-t-elle.

— Et puis, pense à l'argent qu'on va leur faire économiser.

— Comment ça ?

Elle avait l'air perplexe.

— Dorénavant, une chambre d'hôtel au lieu de deux. Ils devraient nous filer une prime.

Il commanda un Uber et elle partit avec lui. Félix leur envoya ses instructions dans un long mail, qu'ils lurent ensemble dans le taxi jusqu'à Brooklyn, puis ils préparèrent leurs valises à leur arrivée chez Ben. Ayant fini le premier, Ben s'occupa de cuisiner un repas rapide. Elle réapparut chaussée de ses grosses bottes et vêtue d'un jean et de sa veste du surplus de l'armée, au cas où ils devraient se mettre au travail dès leur descente de l'avion, ce qui était probable.

— Tu es la seule femme que je connaisse qui ait l'air mignonne dans une tenue pareille, lança-t-il. Et maintenant ça va me rendre fou de savoir que tu portes de la lingerie sexy en dessous. Je l'ignorais jusqu'à présent.

— Eh bien, maintenant tu sais.

Ils partirent pour l'aéroport exactement à l'heure prévue. Le service de la chaîne chargé des déplacements leur avait envoyé une berline avec chauffeur, et cela circulait bien. Ils arrivèrent à temps pour enregistrer leurs bagages et se rendre dans le salon. Alix regarda les infos : ils montraient les mêmes images de Pékin qu'un peu plus tôt. Puis elle appela Faye, qui se trouvait en France chez sa grand-mère, pour lui indiquer leur destination. Alix ne lui avait toujours pas parlé de son idylle avec Ben. Elle voulait d'abord être sûre que leur relation était solide. Faye savait pourtant qu'elle vivait toujours chez lui et c'était étonnant qu'elle n'ait pas posé de questions à ce sujet. Peut-être ne voulait-elle pas savoir, tout simplement. Elles bavardèrent un peu jusqu'à l'heure de l'embarquement, et Alix lui dit qu'elle l'appellerait de Pékin, si elle y parvenait. Les communications étaient probablement coupées dans la capitale chinoise, et le resteraient sans doute un moment.

Ils montèrent dans l'avion quelques minutes plus tard et s'installèrent à leurs places. Alix souriait.

— Qu'est-ce qui te met en joie ? demanda Ben en lui renvoyant son sourire.

— Nous deux. C'était vraiment bien jusqu'à présent.

Elle avait parlé comme si elle s'attendait à ce qu'ils rompent d'une minute à l'autre. Rien n'était cependant venu assombrir leur histoire. Ils s'entendaient encore mieux qu'avant, et le sexe avait donné une dimension nouvelle à leur existence.

— Tu as entendu ce que Félix a dit, lui rappela-t-il, tandis qu'une hôtesse de l'air leur tendait deux flûtes.

— À quel sujet ?

L'air perplexe, elle but une gorgée de champagne.

— Il a suggéré qu'on se retrouve dans les toilettes, dit-il d'un air malicieux.

Elle lui lança un regard horrifié.

— N'y pense même pas, Ben Chapman. On est au boulot. Comment peux-tu dire une chose pareille ?

— Parce que je suis fou de toi, murmura-t-il avant de l'embrasser.

Elle lui retourna son baiser et sourit.

— Sois sage.

— Ce n'est pas drôle.

— Alors regarde un film, dors, mange, occupe-toi.

Il l'embrassa encore. L'avion décolla quelques minutes plus tard et survola New York avant de se diriger vers Pékin. Alix était enchantée de repartir en mission avec lui.

La situation à Pékin était pire que prévu. Ils se joignirent à un vaste groupe de correspondants internationaux pour échanger des informations, parler des lieux qu'ils avaient repérés et se passer le nom de leurs traducteurs, puisque presque personne ne parlait anglais ni aucune autre langue étrangère, même dans les hôtels. Plusieurs bâtiments s'étaient effondrés, augmentant encore le nombre de morts et de blessés. Il y avait des corps coincés sous les décombres et des enfants blessés. Ambulanciers et secouristes étaient présents. La Croix-Rouge était particulièrement active : il y avait une équipe suisse avec des chiens de sauvetage, des Israéliens, des Américains, des Allemands, des Britanniques, des Français. C'était toute une communauté qui tentait de venir en aide à la population, et pendant une semaine les journalistes n'eurent pas un instant de répit. Ils étaient tous épuisés. Alix avait attrapé un méchant rhume, et toussait à cause de la poussière de plâtre stagnant dans l'air. L'odeur des corps en décomposition commençait à devenir trop forte. Depuis leur arrivée, la situation avait été éprouvante, sur le plan physique aussi bien que mental, et Alix n'avait pas pu contacter Faye, toutes les antennes-relais étant en panne. L'armée chinoise s'activait avec le même élan de générosité qui unissait tous les sauveteurs. Ben et Alix dormaient depuis des jours à l'arrière d'un camion militaire britannique. Tout ce dont les sauveteurs et la population locale avaient besoin arrivait par avion.

Ils restèrent là deux semaines et allèrent passer un week-end à Hong Kong sur le chemin du retour. C'était un soulagement d'échapper au désespoir qui régnait à Pékin. Des milliers de gens avaient été tués, mutilés ou blessés, laissant des enfants orphelins, au milieu de maisons et de commerces en ruine. La ville avait subi de terribles pertes, et les secouristes avaient accompli un travail incroyable.

Quand ils allèrent dîner à L'Atelier de Joël Robuchon lors de leur première soirée à Hong Kong, le temps qu'ils avaient passé à Pékin leur sembla encore plus irréel. Hong Kong était une ville tellement raffinée et civilisée qu'elle paraissait à un monde de ce qu'ils venaient de vivre pendant quinze jours. Le treillis d'Alix était couvert de boue séchée et elle le fit nettoyer à l'hôtel. Elle alla même faire les boutiques avec Ben, et culpabilisa de se montrer frivole, après ce qu'ils venaient de traverser. Il était cependant difficile de résister aux extraordinaires magasins de la ville. Ben lui acheta un joli bracelet en jade qui, selon le vendeur, lui porterait chance. C'était le premier cadeau qu'il lui faisait. Elle le passa à son poignet et déclara qu'à partir de ce jour ce serait son bracelet porte-bonheur.

Alix put enfin joindre sa fille depuis Hong Kong. Faye s'inquiétait pour eux. Elle avait regardé tous les reportages à la télévision et vu sa mère plusieurs fois à l'écran. Cela lui permettait de savoir qu'elle était vivante et en bonne santé. Faye profitait bien de ses vacances auprès de sa grand-mère et semblait détendue.

— Tu es malade ? lança-t-elle. Je te vois éternuer et tousser depuis quelques jours.

— J'ai un rhume. Il y avait tellement de poussière et de pollution dans l'air à Pékin que je n'ai pas arrêté de tousser. Ça va mieux. On sera rentrés demain, répondit Alix.

Félix l'empêcha toutefois de tenir sa promesse. Il les appela à minuit pour leur dire qu'ils devaient se rendre au Caire le lendemain matin. Il y avait eu un attentat à la bombe, et un ministre avait été tué.

Ils restèrent quatre jours au Caire, puis rentrèrent à New York, après trois semaines d'absence qui leur avaient paru un siècle. Le voyage avait été long mais fructueux.

Après avoir pris une douche, ils allèrent se coucher et Alix ne tarda pas à somnoler. Elle jeta un coup d'œil à Ben et songea qu'elle avait de la chance d'être à ses côtés et de l'avoir dans sa vie.

— J'espère qu'il n'y aura pas de tsunami et que personne ne déclenchera de guerre ce soir, dit-elle d'une voix ensommeillée. Je suis trop fatiguée pour partir en vadrouille ou remonter dans un avion.

Il l'attira près de lui et la serra dans ses bras.

— La prochaine fois, on le fera, déclara-t-il d'un ton grave.

Elle leva les yeux vers lui.

— De quoi parles-tu ?

— Se rejoindre dans les toilettes, répondit-il, l'air sérieux.

Elle poussa un gémissement.

— Tais-toi, c'est hors de question... » Avant d'ajouter, après quelques secondes de silence : « Je t'aime, Ben, quel que soit notre genre de relation...

Les étiquettes n'avaient pas d'importance, ils s'aimaient, c'était tout ce qui comptait. Le reste n'était que des détails sans importance. Et puis, leur voyage s'était très bien passé. Félix serait content.

18

Olympia, aidée de Jennifer, avait soigneusement organisé son voyage à Paris avec ses enfants. Il était prévu qu'ils logent au Peninsula de l'avenue Kléber, un hôtel relativement récent qui passait pour être incroyablement luxueux. Tout comme l'établissement du même nom à Hong Kong, il était pourvu de chambres et de suites magnifiques, et proposait à ses clients une nourriture de choix, un personnel hautement qualifié, et une armada de Rolls-Royce avec chauffeur qui attendaient de les conduire où bon leur semblait.

Olympia ne fut pas déçue en découvrant leurs chambres. Depuis leurs fenêtres, ils avaient une vue superbe sur les toits. Une atmosphère de vacances flottait dans l'air. C'était la première fois depuis six ans que Josh et Darcy voyageaient avec leur mère, et elle était impatiente d'explorer la capitale française en leur compagnie – cela faisait dix ans qu'ils n'y étaient pas revenus. La beauté de Paris tenait en partie au fait que la ville demeurait la même. Chaque soir, à l'heure dite, la tour Eiffel commençait à scintiller et devenait somptueuse. Au crépuscule, le ciel se parait de magnifiques teintes rose et mauve extrêmement romantiques. Il faisait encore jour à 22 heures passées. Les pierres de l'Arc de triomphe et de plusieurs bâtiments environnants avaient retrouvé leur éclat. La place de la Concorde était éblouissante sous le soleil. Les étals des bouquinistes se déployaient le long des quais, le Louvre et sa pyramide n'avaient pas changé d'un iota. Les terrasses des cafés étaient accueillantes, les promenades le long de la Seine paisibles. Notre-Dame, le Sacré-Cœur, la Madeleine. Ils arpentaient Paris d'un bout à l'autre et allaient dîner dans de grands restaurants. Olympia voulait gâter ses enfants et passer le plus de temps possible avec eux. Elle se tenait en retrait depuis si longtemps ! C'était l'endroit idéal où fêter son retour. Joanna s'intégrait à merveille à la famille, et Josh et elle avaient passé du bon temps avec Charles avant ce séjour à Paris.

Darcy était triste d'avoir rompu avec son médecin français, mais se montrait réaliste. Ils avaient quand même dix années d'écart, et il était comme chez lui en Afrique, le continent de son enfance. Elle avait vingt-trois ans et ne souhaitait pas y passer le reste de son existence. Elle avait envie de rentrer chez elle, et était prête à regagner New York. En outre, il lui avait dit qu'il ne croyait pas au mariage. Il voulait qu'ils aient un jour des enfants, mais sans officialiser leur union. Ils étaient trop différents sur le plan culturel, indépendamment de leur différence d'âge. Elle l'aimait, mais il était évident pour tous deux que leur relation ne pouvait fonctionner à long terme. Elle avait passé une année merveilleuse en Afrique, mais désormais elle avait besoin de tourner la page. Quant à Josh et Joanna, ils étaient ravis d'être à Paris. Ils allèrent aussi passer une journée en Normandie pour avoir un aperçu de la campagne française, tandis qu'Olympia et Darcy faisaient le tour des boutiques.

La semaine s'acheva trop vite. Le dernier soir, ils allèrent dîner à l'Apicius, un magnifique restaurant doté de ravissants jardins. Les trois femmes avaient fait du lèche-vitrines sur l'avenue Montaigne et dans le faubourg Saint-Honoré, et en étaient revenues avec deux ou trois merveilles. Josh, qui détestait le shopping, en avait profité pour aller flâner dans le bois de Boulogne. Ils savaient que ce voyage resterait à jamais gravé dans leur mémoire. C'était une véritable célébration de la vie, et ce dans un cadre exquis. Ils se firent la promesse de voyager ensemble une fois par an, comme ils en avaient l'habitude autrefois.

— L'année prochaine, on ira à Rome, et ensuite à Venise ! s'exclama Darcy.

Josh proposa l'Espagne, la Norvège et la Bavière. Ils en discutèrent avec enthousiasme lors du dernier petit déjeuner qu'ils partagèrent, avant que Josh et Joanna retournent à Chicago. Quant à Olympia et Darcy, elles s'envolaient pour New York. Ils étaient tous navrés de voir arriver la fin des vacances, mais Josh et Joanna promirent de passer les voir un week-end.

Une fois de retour à New York, Darcy fut très contente de retrouver sa maison, son lit, sa chambre. Elle sentait bien que l'atmosphère des lieux avait changé. Le bureau dans lequel sa mère s'était cachée pendant six ans et qui lui avait servi de refuge contre le monde, avec les encouragements de Tony, était toujours le même, et continuait d'abriter les photos et souvenirs de son père ; mais tous les papiers et documents liés au second projet de livre avaient disparu. Olympia y avait finalement renoncé. Une pile d'ouvrages juridiques qu'elle avait commandés pour ses cours de droit était arrivée en leur absence et trônait sur le bureau. Elle était euphorique à l'idée de retourner à l'université.

Mère et fille se rendirent à Bridgehampton pour y passer quelques jours. Darcy avait déjà contacté certains amis de longue date et fait des projets avec eux, ce qu'Olympia encourageait vivement. Olympia avait vu son foyer revivre quand ils avaient tous débarqué à la maison. On eût dit que ce n'était pas la même demeure que la tombe dans laquelle elle s'était enfermée vivante.

Quand Darcy et elle avaient un peu de temps libre, elles se rendaient au musée, dans des galeries d'art, faisaient du lèche-vitrines et planifiaient leurs week-ends en bord de mer. Olympia n'avait toujours pas repris contact avec les amis qu'elle fréquentait avant la mort de Bill et préférait attendre que le scandale concernant Tony Clark soit totalement éteint ; mais elle était heureuse d'avoir la compagnie de Darcy et de ses camarades, et confia à Jennifer quel plaisir elle avait à les voir dans la maison. Quant à la demeure des Hamptons, Darcy et elle y allaient toujours volontiers.

Olympia faisait de longues promenades sur la plage, le cœur en paix. Elle avait passé un bel été empli de gaieté avec ses enfants, et parvenait enfin à surmonter le choc de la découverte des crimes de Tony. Elle était soulagée d'être libérée de sa présence, même si son beau-père estimait qu'il méritait d'être plus sévèrement puni, et regrettait qu'il n'ait pas été traduit en justice aux États-Unis. Olympia, quant à elle, était bien consciente qu'un procès pour meurtre aurait été extrêmement douloureux pour tous les membres de sa famille.

Charles passa un agréable week-end avec Olympia et Darcy sur la côte, après son voyage en France, puis repartit pour Washington rendre visite à quelques amis. Il aimait bien rester à l'écoute de tout ce qui se passait dans le monde politique, et se tenait informé des derniers événements en date. Avant de partir, il dit à Olympia qu'il était fier qu'elle reprenne des études, et elle lui répondit que c'était grâce à ses encouragements.

— J'espère que je lui ressemblerai un jour, déclara Darcy, qui admirait beaucoup son grand-père.

Puis Olympia regagna New York, pour des rendez-vous avec les avocats de Bill concernant la succession, et laissa Darcy profiter de la maison de Bridgehampton avec ses amis.

Après ses rendez-vous, elle alla acheter dans une quincaillerie deux ou trois objets dont ils avaient besoin dans leur maison de bord de mer. Elle poussait un chariot empli de lampes de poche, de piles, d'une petite trousse à outils et d'autres articles utilitaires, en quête de spray antimoustique, quand elle tomba nez à nez avec une femme qui faisait elle aussi quelques courses et qui, à sa grande surprise, s'avéra être Alix. Celle-ci était venue chercher quelques ustensiles que Ben lui promettait toujours d'acheter sans jamais le faire. Les deux femmes se regardèrent longuement, puis Alix lui sourit.

— Je ne voulais pas vous déranger, mais j'ai pensé à vous très souvent, en espérant que vous alliez bien. Comment vous portez-vous ? lui demanda-t-elle chaleureusement.

Olympia avait l'air en meilleure forme et plus vive que la dernière fois qu'Alix l'avait vue. En jean et espadrilles, elle était bronzée et semblait plus détendue que lors de cette terrible période pendant laquelle, avec son aide, la CIA avait dû monter un dossier contre le vice-président.

— Je n'ai pas vu le temps passer.

Olympia lui sourit et Alix fut de nouveau frappée par sa grâce et sa beauté. Elle avait toujours cette aura caractéristique, mais semblait plus accessible, plus humaine, et avait l'air davantage épanouie dans sa vie personnelle. Alix espérait que c'était bien le cas. Elle était contente de la revoir, même si elles ne se connaissaient pas bien. Quant à Olympia, elle avait placé sa confiance dans Alix et l'aimait beaucoup elle aussi.

— Ma fille est rentrée d'Afrique. Et j'ai emmené mes enfants à Paris récemment. C'est le premier voyage que nous faisions ensemble depuis… longtemps. » Elle avait hésité quelques secondes avant de décider de ne pas dire « depuis la mort de mon mari ». « Et je retourne à la fac de droit à l'automne. J'espère reprendre le travail, une fois mon cursus terminé.

Une lueur de joie passa dans ses yeux à ces mots, et Alix lui sourit.

— Vous êtes bien occupée ! Et votre livre ?

Olympia hocha la tête et répondit d'une voix grave :

— J'ai fini par me dire qu'un seul suffisait. Cela rongeait ma vie.

Alix acquiesça en silence et se réjouit qu'elle s'en soit aperçue avant qu'il soit trop tard.

— J'ai vu vos reportages sur le tremblement de terre de Pékin, vous étiez formidable, comme d'habitude, ajouta Olympia avec chaleur. Et une autre émission que vous avez faite à Washington, je ne me souviens plus exactement du sujet. Je suis vraiment fan de votre travail.

— Merci. Je vous admire encore plus. Je suis contente de savoir que votre vie est bien remplie.

— Comment va votre fille, après ce qui s'est passé à Duke ?

Elles avaient conservé leurs numéros de portable respectifs, mais ne s'en étaient jamais servies après ces terribles événements. Ni l'une ni l'autre n'aimaient se montrer trop intrusives, même si elles s'appréciaient et s'admiraient mutuellement, et ce depuis leur première rencontre. Mais elles avaient fait connaissance dans un contexte particulièrement difficile.

— Tout va bien. Faye s'en est étonnamment bien remise. Elle passe l'été en France chez ma mère, répondit Alix. Je l'y rejoins dans quelques semaines avec un ami. Elle n'arrête pas de dire qu'elle veut étudier tout un semestre à l'étranger, mais elle n'a encore rien prévu de concret. Ce sera peut-être plutôt celui de printemps. Elle vient juste de finir sa deuxième année.

C'était agréable de discuter ainsi de leurs vies et leurs familles. Elles s'étaient rencontrées lors de l'une des périodes les plus éprouvantes de la vie d'Olympia, certes, mais qui avait aussi marqué la fin d'une époque. Alix voyait bien qu'elle avait commencé à se porter mieux, une fois Tony sorti de sa vie. Elle avait l'air tirée d'affaire désormais, et en paix. Alix était contente pour elle. Elles papotèrent encore quelques minutes, puis chacune retourna à ses courses, et Alix, qui faisait encore la queue devant la caisse quand Olympia quitta le magasin, lui fit un petit signe de la main. Elles ne s'étaient pas promis de se revoir, ni de déjeuner ensemble, ni même de se téléphoner ; mais cette rencontre fortuite les avait réjouies toutes deux, et venait clore un chapitre de leur existence.

— Elle a l'air bien réelle maintenant dit-elle à Ben ce soir-là, ce n'est plus un fantôme. Cette ordure a failli la détruire.

— C'est lui-même qu'il a fini par détruire, lui rappela Ben, et où qu'il soit maintenant il doit amèrement regretter tout ce qu'il a perdu, à chaque seconde qui passe.

Ils ne sauraient cependant jamais si c'était bien le cas.

— Je l'espère, répondit Alix, l'air songeur.

Elle était cependant soulagée d'avoir rencontré Olympia, et sourit en songeant à elle. Elle lui souhaitait de tout cœur une vie heureuse et belle. Elle l'avait bien mérité.

Félix eut beau ronchonner, comme toujours, Ben et Alix posèrent deux semaines de vacances en août. Ils iraient voir la mère d'Alix, chez qui Faye était installée depuis presque deux mois désormais et passait du bon temps. Gabriel et Isabelle l'avaient emmenée faire plusieurs petits voyages en Europe. Elle était très contente de vivre près d'eux, et s'était fait plusieurs amis dans le village, dont certains qu'elle avait déjà fréquentés pendant son enfance en France. Le frère de l'un de ses anciens camarades de classe était même devenu son petit ami. Âgé de deux ans de plus qu'elle et étudiant à Paris en sciences politiques, il était revenu passer l'été chez ses parents.

Alix et Ben avaient hâte d'aller en Provence. Eux aussi prévoyaient quelques petites excursions. Cela faisait un mois qu'ils enchaînaient les reportages et ils étaient épuisés ; mais ils étaient impatients de revoir Isabelle et de passer du temps avec Faye. Alix était gênée de ne pas avoir parlé à sa fille de sa relation avec Ben. Elle ne pouvait cacher le fait qu'ils cohabitaient depuis plusieurs mois, et Faye savait qu'elle ne remettait plus les pieds dans son appartement. Alix, cependant, s'était contentée de lui dire qu'ils étaient colocataires et bons amis, et que c'était agréable de vivre avec lui, rien de plus. Elle avait bien l'intention de tout lui avouer, mais n'avait jamais trouvé le bon moment. Si ce n'était pas Faye qui était trop occupée, c'était elle. En outre, Faye s'était envolée pour la France dès la fin de ses cours. Alix voulait lui annoncer la nouvelle en face, au moins par Skype – pas par mail ou SMS. Mais le contexte ne s'y prêtait jamais. Certes, Faye avait passé deux ou trois jours avec eux avant de partir pour la France, mais Alix avait alors repris sa place dans la chambre d'amis avec elle. Sa fille n'avait donc pas moyen de savoir qu'elle avait entamé une relation amoureuse avec Ben. Cette situation était absurde et compliquait inutilement leur vie.

« Pourquoi tu ne lui dis pas tout ? » lui demandait souvent Ben. Ce malentendu le mettait mal à l'aise lui aussi. « Ce n'est plus une enfant. Elle a dix-neuf ans, c'est une femme, maintenant. Tu n'avais qu'un an de plus quand elle est née.

— Je ne sais pas comment décrire notre relation »,
répondait Alix, se sentant idiote à chaque fois qu'elle
prononçait ces mots.

C'était vrai, pourtant. Elle était incapable de définir
ce qui se passait entre eux.

« On s'aime. C'est tout ce qui compte, non ? » se
contentait-il de répondre.

Alix savait qu'il avait raison. Sa mère était au courant et cela ne la dérangeait en rien. Quant à Faye, elle
n'était pas choquée par la relation que sa grand-mère
entretenait avec Gabriel, quand il partait en voyage avec
elles ou dormait à la maison le week-end. Elle trouvait
que c'était bien pour Isabelle d'avoir quelqu'un dans sa
vie. Alix s'était promis de lui parler dès leur arrivée en
Provence. Ils devraient sinon faire chambre à part, ce
qui gâcherait leurs vacances.

— Qu'est-ce qui t'effraye tant que ça ? finit par lui
demander Ben pendant le voyage, pour tenter d'élucider
le mystère.

C'était le seul point concernant Alix qui demeurait
une énigme à ses yeux. Elle était franche, courageuse
sur le plan moral, et solide dans ses convictions. C'était
une bonne mère, et elle était intègre. Qui plus est, elle
était heureuse avec lui. C'était ridicule de garder leur
idylle secrète.

— Et si ça ne marche pas entre nous ? Regarde toutes
les erreurs que j'ai commises dans ma vie. Quand j'avais
son âge, j'ai couché avec un garçon que je connaissais à
peine, je suis tombée enceinte, je me suis mariée alors
que ma belle-famille me détestait, je suis devenue veuve
quatre mois plus tard, et ses proches nous ont rejetées.
Faye a été privée de grands-parents et a perdu son père
à l'âge de trois mois. Et je n'ai jamais trouvé d'homme
pour jouer ce rôle dans sa vie. En plus, je l'ai laissée chez
ma mère les cinq premières années de son existence,

parce que j'étais trop occupée à gérer ma carrière, et que je préférais ça à l'idée de prendre soin d'elle. Je ne suis pas vraiment une référence, dans le domaine des sentiments. Et qu'est-ce que je lui réponds, si elle commence à parler mariage ? Ni toi ni moi ne croyons au mariage, et notre relation me plaît telle qu'elle est aujourd'hui, tout autant qu'à toi. À notre âge, c'est la solution la plus raisonnable. Mais quel exemple je lui donne ?

— Tu peux être fière de te comporter en femme normale, une femme bien. Et je trouve que tu es une mère formidable. Tu as le droit de faire des erreurs. Tu étais encore une gamine quand tu l'as eue, et laisser ta mère prendre soin d'elle pendant quelques années était probablement la meilleure chose à faire. Et puis tu as reçu plein de prix pour ton travail, bon sang, ce n'était pas juste un petit boulot. Je suis sûr que tu décrocheras un Emmy Award. Et tu l'auras mérité. Les événements que tu couvres, et la façon dont tu en parles, ont une vraie influence sur le monde. Tu es le chevalier blanc d'un univers bien sombre. Songe à l'affaire Tony Clark. Tu as sauvé Olympia Foster et le pays d'un vice-président corrompu. Je t'ai crue folle quand tu m'as dit qu'il avait tué Bill Foster, mais tu avais raison. Alors, de quoi t'excuses-tu ? Ça te dérange vraiment qu'on ne soit pas mariés ? C'est ça, le problème ? C'est si important à tes yeux ?

Il lui posait la question en toute franchise, et l'aurait épousée si cela comptait tant que ça, même s'il ne le lui avait jamais avoué.

— Non, je préférerais éviter. Je n'ai pas envie de foutre en l'air notre relation ni de changer quoi que ce soit à notre vie. Simplement, je ne sais pas comment le lui dire. Je ne veux pas qu'elle me trouve trop légère.

Il sourit en l'entendant parler d'elle ainsi.

— Et je ne peux pas lui promettre que je resterai avec toi pour toujours, poursuivit-elle. Personne ne le sait. L'un de nous deux peut mourir, ou on pourrait se lasser l'un de l'autre. J'ai envie de croire au bonheur éternel, mais j'en doute. Combien de gens y parviennent ? Pas beaucoup. Seulement quelques chanceux.

— Peut-être qu'on en fera partie, lui dit-il d'une voix pleine d'espoir.

Ben avait toujours été d'une nature optimiste.

— Je ne suis pas sûre que le mariage augmente nos chances, ajouta Alix. J'ai mené ma vie comme je le souhaitais, sans tenir compte de l'opinion des gens. Je fais ce en quoi je crois, et cela s'applique aussi à notre relation. Je crois en toi, Ben. Je t'aime. Je t'admire, et tu es sans doute la meilleure personne que je connaisse. Mais que se passera-t-il dans un an si tu en as marre de moi ? Si tu t'ennuies et que tu ne me supportes plus ? Aujourd'hui je lui raconte que tu es l'amour de ma vie, et dans un an – oups, en fait, je crois que je me suis trompée. Qu'est-ce qu'elle retiendra de cette histoire ? Quel exemple je lui aurais donné ?

— Tu lui apprends la vie. Les gens s'aiment et font leur possible pour que ça marche. Et parfois, il se passe des trucs qui foutent tout en l'air. Tu te casses la gueule. Et puis tu te relèves, tu essuies la poussière et tu recommences à marcher. C'est peut-être la meilleure leçon qu'on puisse donner à quelqu'un. Regarde-nous. Tu as fait une bêtise quand tu avais vingt ans, mais cette erreur t'a donné Faye, ce qui était un magnifique cadeau. Moi, je croyais que mon mariage était solide, et puis notre fils est mort, et tout s'est écroulé. Et voilà que je suis avec toi, et que je t'aime plus que je n'ai jamais aimé personne de toute mon existence. Pense aussi à Olympia Foster. Elle était incroyablement heureuse avec son mari, mais leur meilleur ami l'a tué, et elle a failli en mourir elle aussi. Tu dis qu'elle a repris du poil de la bête, que ses enfants vont bien, et qu'elle retournera à la fac à l'automne. Peut-être que c'est ça, la leçon : on essaye, et on essaye encore. On ne cesse d'essayer, et puis d'aimer, et de se comporter du mieux possible. Même si certains ne respectent pas toujours les règles, il faut agir de manière juste, et de tout son cœur. N'est-ce pas ce que nous faisons ?

Cela semblait si évident, si simple quand cela sortait de sa bouche. Alix l'adorait pour ça.

— Je suppose que oui. » Elle lui sourit. « Peut-être qu'il suffirait que je lui dise que je t'aime et qu'on espère que ça va marcher entre nous. C'est sans doute suffisant.

— Si tu veux mon avis, oui. » Il resta silencieux quelques secondes, puis se tourna vers elle et lui lança : « Tu veux qu'on se marie ?

— Pas vraiment. J'ai trop peur que ça gâche tout.

— Je ne pense pas que ce serait le cas, mais je n'en ai pas très envie moi non plus. Je ne crois pas que ce soit nécessaire, puisque nous n'aurons pas d'enfants.

— Alors restons-en là, dit-elle d'une voix ferme, avant de préciser : Même si je voudrais que Faye se marie si elle a un enfant.

Il sourit.

— Peut-être qu'elle n'en aura pas envie. Elle a sa propre conception du monde, tout comme tu as la tienne, et elle fera comme bon lui semble, quoi que tu lui demandes.

— Je ne sais plus en quoi je crois, avoua Alix. Je suis pour le mariage, mais pas pour moi, c'est tout. J'espère quand même qu'elle officialisera son union un jour.

— Ça risque d'être difficile de la convaincre si tu ne le veux pas toi-même. Pourquoi ne pas attendre dix ou vingt ans et voir comment ça marche entre nous ? Si on s'aime encore dans vingt ans, on se marie. Ça te va ?

Il lui décocha un sourire éclatant.

— Qui sait ? Demande-moi dans vingt ans, j'y réfléchirai entre-temps.

— Tu n'es qu'une poule mouillée. Ou alors, tu ne m'aimes pas assez pour m'épouser, ironisa-t-il.

— Regarde ma mère, elle non plus ne veut pas se marier.

— Ce doit être héréditaire, conclut-il. Ou alors une sorte de malédiction familiale. Les femmes de ta famille ont la phobie du mariage.

— Toi aussi, lui rappela-t-elle. Je crois que ma mère a peur que Gabriel meure si elle l'épouse, comme c'est arrivé pour mon père.

— C'est complètement idiot, comme idée. Tu crois vraiment que c'est pour ça qu'elle refuse ?

Alix acquiesça d'un signe de tête.

— Elle me l'a dit un jour. Elle est convaincue qu'il va s'effondrer sur place dès qu'ils sortiront de l'église.

— C'est triste, répondit Ben en imaginant la scène.

— Elle est heureuse comme elle est. Et nous aussi.

— Dis ça à Faye. C'est tout ce qu'elle a besoin de savoir. Inutile qu'elle connaisse les pensées complètement folles qui nous passent par la tête, ou ce qui nous fait peur et pourquoi. Je n'ai jamais voulu d'autre enfant parce que j'avais peur qu'il meure comme Chris. C'est tout aussi idiot. Mais j'adore Faye, et j'ai compris grâce à elle que j'aurais aimé avoir un autre enfant. Je m'en suis privé, par crainte. Il arrive qu'on se fasse du tort à soi-même.

— Tu as Faye, maintenant, murmura Alix, le faisant sourire.

Ils arrivèrent chez Isabelle une demi-heure plus tard. Faye et sa grand-mère sortirent pour les accueillir et les embrasser, et tous les quatre entrèrent dans la maison bras dessus bras dessous. Gabriel venait dîner ce soir-là.

Alix était ravie de voir sa mère et d'être de nouveau avec Faye. Sa fille lui avait manqué.

Ben laissa les bagages d'Alix en haut de l'escalier pour éviter de commettre un impair, ne sachant où les poser. Cela rappela à Alix qu'elle devait discuter avec sa fille, si elle voulait défaire ses valises dans la chambre qu'elle souhaitait partager avec Ben. Faye dormait dans celle qu'occupait Alix d'habitude, et qui était trop petite pour toutes les deux, quoique très jolie.

— Allons faire un tour, lui proposa-t-elle quand Isabelle partit cueillir une laitue et des légumes pour le dîner.

Faye eut l'air étonnée.

— Un problème, maman ?

Elle se demandait s'il s'était passé quelque chose de grave, mais prit un pull et lui emboîta le pas.

Après quelques mètres, Alix lui jeta un regard grave.

— J'ai un aveu à te faire. Je vis avec Ben, et pas seulement en colocataire, depuis que tu es retournée à la fac. Je l'aime et nous sommes heureux ensemble, mais je ne peux pas te promettre que cela durera toujours, et nous n'avons pas l'intention de nous marier. Ce n'est pas trop immoral à tes yeux ?

Alix avait un air soucieux et elle avait parlé d'une voix solennelle. Faye éclata de rire.

— Pour l'amour du ciel, maman. Je l'ai compris quand j'ai passé quelques jours avec vous avant de venir en France. Tes affaires étaient étalées dans sa chambre et dans la salle de bains. Je trouve qu'il est génial. Vraiment, je l'adore, et si tu es heureuse avec lui ça me suffit. Je me fiche que tu te maries ou non. Il est gentil avec toi, et avec moi aussi. J'espère que ça marchera entre vous, et que vous resterez ensemble jusqu'à la fin de vos jours. Mais si ce n'est pas le cas, on traversera cette épreuve toutes les deux. Parce que toi et moi, c'est pour toujours. Ta vie avec lui ne me regarde pas.

— C'est tout ?

Alix la dévisagea, abasourdie. Elle trouvait sa fille remarquable, et d'une grande maturité. Le fait est que Faye avait déjà traversé beaucoup d'épreuves.

— Oui, c'est tout. Ma réponse te convient ? répondit Faye en souriant.

— Je ne pouvais espérer mieux.

Elles regagnèrent la maison en se tenant par la taille, l'air épanoui. Faye alla aider sa grand-mère dans le potager, tandis qu'Alix montait l'escalier à grandes enjambées pour aller porter ses valises jusque dans la chambre de Ben.

— Tout est arrangé ! s'exclama-t-elle avec un sourire éclatant.

— Tu lui as parlé ?

Alix hocha la tête et s'approcha de lui pour l'embrasser.

— Qu'est-ce qu'elle a dit ?

Il semblait inquiet.

— Qu'on est deux imbéciles, et qu'elle a tout compris quand elle est revenue nous voir avant de partir pour la France. Elle dit qu'elle t'adore, qu'elle est heureuse pour nous, et qu'on fait ce qu'on veut de notre vie.

C'était tout ce qu'il avait besoin de savoir.

— Ouah. Ça a l'air simple, dit comme ça. » Soulagé, il l'embrassa avec plus de fougue. « Elle est formidable, cette gamine.

— Toi aussi. Dorénavant, on peut vivre dans le péché pour toujours, ça lui est égal.

Il rit. Il aurait aimé lui faire l'amour pour fêter la nouvelle, mais il avait peur que quelqu'un les entende. La maison était petite, et il semblait plus sûr d'attendre le soir.

Ils défirent leurs bagages et regagnèrent le rez-de-chaussée. Ben alla faire un tour à vélo dans le village pendant qu'Alix aidait sa mère à préparer le dîner, et que Faye mettait la table, comme quand elle était enfant. Gabriel arriva avec une bouteille de vin sortie de sa cave, et ils passèrent une merveilleuse soirée tous ensemble. Les deux hommes s'assirent ensuite sous les étoiles, tandis que les femmes nettoyaient la cuisine avant de les rejoindre. Ils parlèrent longuement de la vie, de la politique, de la médecine, de gens qu'ils connaissaient, jusqu'à ce que la fatigue les pousse vers leurs lits. Le lendemain matin, après le petit déjeuner, Faye partit rejoindre ses amis, tandis que Ben et Alix allaient faire un tour en voiture. Ils explorèrent le marché de producteurs de la région et rapportèrent des paniers emplis de fruits, de légumes, de fromage et de pain.

La semaine passa trop vite : c'était exactement les vacances dont ils avaient tous rêvé. Avant leur départ, Isabelle annonça à Alix une nouvelle inattendue : Gabriel et elle envisageaient de se marier. Alix la regarda, les yeux ronds.

— Mais pourquoi ?

— Parce que je l'aime, et que j'en ai envie. Et puis, à notre âge, pourquoi pas ? Cela me plairait bien d'être sa femme, légalement parlant, je veux dire.

Elle semblait heureuse à cette idée, quoique l'ayant toujours refusée jusqu'alors.

— Je croyais que tu avais peur qu'il meure si tu l'épousais, comme papa.

— Il m'a convaincue que c'était ridicule, et je suppose qu'il a raison. Il est en bonne santé, et il ne travaille pas dans des zones de guerre comme le faisait ton père.

— Et la cérémonie, c'est pour quand ? lui demanda Alix.

— Un jour ou l'autre, quand on jugera le moment venu. Il n'y a aucune raison de se presser. On ne veut pas en faire tout un plat. On passera juste devant le maire, et puis on partira quelques jours en lune de miel – en Italie, peut-être. Je te le dirai si on finit par décider d'une date. Mais ça me semble une bonne idée.

Alix en parla à Ben ce soir-là, et il eut l'air surpris aussi.

— Tu sais ce que ça signifie, n'est-ce pas ?

— Quoi ?

— Que ta mère brise la malédiction qui pèse sur les femmes de cette famille et les empêche de se marier. Attention ! la prévint-il. Ça pourrait t'arriver à toi aussi.

Il se moquait gentiment d'elle, et elle éclata de rire.

— Ce n'est pas pour tout de suite, en tout cas.

— Je trouve que c'est une bonne idée, si c'est ce qu'ils souhaitent et qu'ils l'envisagent de manière raisonnable, reprit-il avec sagesse. J'aime beaucoup Gabriel, et ils vont bien ensemble.

Alix acquiesça en silence. La vie de sa famille semblait se simplifier de jour en jour. Sa mère se remariait, après plus de trente ans de veuvage. Faye devenait adulte. Quant à Ben et elle, ils étaient heureux de vivre ensemble, et cela leur suffisait. Tout semblait parfaitement évident.

Le lendemain, Ben et elle retournèrent à Paris où ils passèrent la nuit avant de s'envoler pour New York. Leurs vacances avaient été paradisiaques. Faye resterait encore un mois chez sa grand-mère, puis elle passerait un autre semestre à Duke, mais elle avait postulé pour suivre des cours à la Sorbonne dès le printemps, ce qui la rendait très enthousiaste.

Ben et Alix, bien reposés et heureux de ce voyage, bronzés, l'air détendus et en pleine forme, montèrent dans l'avion qui les ramènerait à New York, en se demandant ce qui les attendait à leur retour. Ils ne savaient jamais quelle serait leur prochaine mission, ni quel type d'événements ils auraient à couvrir. Ce pouvait être plus ou moins dangereux, plus ou moins intéressant. Mais tant qu'ils étaient ensemble, ils étaient sûrs de passer de bons moments à travailler sur leur reportage, et que tout finirait bien. Le reste n'avait pas d'importance. Et puis, leur vie personnelle était très agréable désormais. Ni l'un ni l'autre ne devaient affronter un appartement désert à son retour, et leur existence n'était plus dominée par les douleurs passées.

Quand ils atterrirent, ils prirent un taxi pour Brooklyn et il l'embrassa.

— Bienvenue à la maison.

— Je t'aime, dit-elle en souriant.

Tandis que le véhicule se faufilait dans le flot de voitures quittant l'aéroport, Félix leur envoya un SMS.

« Tokyo demain. Vous êtes partants ? Scandale politique. Bienvenue à la maison. »

Ben eut un petit sourire en lisant le message et passa son bras sur les épaules d'Alix.

— Ça a l'air amusant, lança-t-il.

Elle éclata de rire. Leur vie n'avait jamais été aussi belle. Et ils n'avaient besoin de rien d'autre pour l'instant.

19

Olympia et Darcy commencèrent leurs cursus de master le même jour. Darcy, qui avait cours tôt le matin, prit le métro jusqu'à NYU avant le départ d'Olympia pour Columbia. Celle-ci but une dernière tasse de thé avec Jennifer, et lui avoua qu'elle se sentait comme une gamine partant à l'école, avec ses livres et son ordinateur, en jean et chaussures plates. L'image amusa Jennifer. Une fois dans la salle de classe, Olympia fut soulagée de voir autour d'elle quelques étudiants encore plus âgés, et de sentir que tous étaient fébriles avant l'arrivée du professeur. Elle n'avait rien fait d'aussi excitant depuis des années. Et elle avait hâte de tout raconter à Darcy ce soir-là, et de savoir comment s'était passée sa rentrée à NYU.

Quand l'enseignante franchit le seuil, Olympia se redressa sur sa chaise puis elle écouta attentivement le cours. C'était l'une des universitaires les plus prestigieuses de l'école, et Olympia était ravie d'être son élève. Elle avait lu deux de ses livres en prévision pendant l'été.

Elle jeta un coup d'œil sur sa gauche et remarqua une jeune fille qui la regardait avec intérêt, se demandant ce qu'elle faisait dans la salle, parmi les étudiants. Olympia était curieuse de découvrir l'histoire des gens qui l'entouraient, de savoir ce qu'ils avaient vécu et surmonté pour en arriver là. L'apparence ne voulait rien dire, et elle était sûre que la plupart avaient de passionnants récits à lui confier. Elle aurait aimé les connaître tous. Pour l'instant, en tout cas, elle voulait réussir son année, apprendre le plus possible, et se préparer à réintégrer le monde du travail. Elle avait tant de raisons de se réjouir.

Dans la semaine qui suivit la fête du Travail, Alix passa beaucoup de temps au bureau. Cela faisait quinze jours qu'elle était revenue du Japon avec Ben. Faye était déjà retournée à Duke après son été idyllique en Provence, et Alix avait décidé de renoncer à son appartement dans le centre. Inutile de payer le loyer si elle n'y vivait plus. Elle en avait discuté avec Faye, qui ne voyait pas d'inconvénient à ce qu'elle mette fin au bail, maintenant qu'elle pouvait avoir pour elle seule la chambre d'amis de Ben.

Il faudrait bien un jour qu'ils trouvent un endroit plus grand dans Brooklyn, mais pour l'instant ils étaient bien et ils aimaient le quartier.

Alix était en train de discuter au téléphone avec Ben quand Félix entra. Il semblait avoir quelque chose d'important à lui dire, et souriait jusqu'aux oreilles. Elle annonça à Ben qu'elle le rappellerait et raccrocha tandis que Félix s'asseyait en face d'elle.

— Qu'est-ce qui te rend si joyeux ?

— Tu es primée pour l'affaire Tony Clark. Pour la qualité de tes reportages et ton travail avec les agences gouvernementales. » Félix lui lança un regard empli de fierté. « Le grand prix Edward R. Murrow.

C'était la plus haute distinction possible pour un journal télévisé.

— Qu'est-ce qui leur a donné cette idée, alors qu'il a fui en Arabie saoudite ? demanda-t-elle d'un ton humble, surprise de ce qu'il venait de lui annoncer.

— Ce n'était pas ta faute. Tu as quand même fait un boulot remarquable, et tu mérites cette récompense. Un dîner est prévu en ton honneur dans quinze jours. On va l'annoncer au journal de 18 heures ce soir.

— Merci, répondit-elle, intimidée.

Elle trouvait injuste qu'on lui accorde un prix alors que Clark n'avait pas été traîné devant la justice et ne le serait jamais. À ses yeux, elle avait failli à sa tâche. Mais il fallait admettre qu'elle avait mené une enquête complexe qui avait au moins abouti à se débarrasser d'un vice-président véreux. C'était en partie grâce à elle.

— À part ça, je pense qu'on va t'envoyer à Londres ce week-end, pour un événement à Buckingham Palace en l'honneur de la reine. Tu deviens très à la mode, tu sais. Évite de porter des rangers cette fois-ci.

— Je m'en souviendrai, assura-t-elle en riant.

— Tout va bien pour toi ? lui demanda-t-il d'un ton paternel.

— Encore mieux que ça.

Elle lui lança un sourire radieux. Il ne l'avait jamais vue aussi heureuse.

— Ça se passe bien avec Chapman ?

— Oui, on est très heureux, répondit-elle.

— Bien. Continuez comme ça. Je te tiendrai au courant pour Londres demain. Et félicitations pour le prix. C'est pas rien, tu sais.

— Merci, Félix.

Elle lui sourit quand il sortit de son bureau, puis demeura assise sur sa chaise à songer à Tony Clark, et à cette période aussi étrange qu'éprouvante de sa vie, quand elle réunissait les pièces du puzzle jusqu'à ce que la dernière se mette en place. Où qu'il puisse être à cet instant, elle espérait qu'il payait pour ses péchés, et qu'il n'était pas en train de se la couler douce. C'eût été vraiment injuste. Mais le monde, parfois, était mal fait.

Puis elle rappela Ben pour lui annoncer qu'elle avait reçu un prix. À l'exception de Faye, il était la plus belle chose qui lui soit jamais arrivée. Elle songea qu'elle avait de la chance, et se sentit reconnaissante envers la vie : un travail qu'elle aimait, un homme qu'elle aimait, et une fille adorable. Que pouvait-elle espérer de mieux ?

Comme chaque jour, Tony Clark se réveilla les poumons comprimés par la chaleur écrasante, et la peau si sèche qu'elle semblait sur le point de se fendre. Il se leva, enfila sa djellaba à même la peau, et quitta sa chambre en direction de la terrasse où devait lui être servi son petit déjeuner. Il avait appris quelques mots d'arabe. Deux serveurs lui apportèrent son premier repas de la journée, ainsi que du thé brûlant. Il était resté allongé sur son lit à écouter l'appel à la prière qui résonnait cinq fois par jour. Bientôt, ce serait celle de midi. Il en était venu à détester ce son, qui lui rappelait constamment l'endroit où il se trouvait, et tous les événements passés. La journée défilerait lentement, comme d'habitude. Il aurait aimé lire un journal, un vrai, comme le *Washington Post* ou le *Wall Street Journal*, mais on refusait de les lui procurer, et comme il ne lisait pas l'arabe il ne pouvait pas déchiffrer la presse locale. De toute façon, quel intérêt à présent ? Les nouvelles n'avaient plus aucune importance. Plus rien ne comptait dans sa vie. Il ne faisait plus partie du monde. Il avait cessé d'exister en arrivant ici.

On lui avait confisqué son ordinateur, mais il avait pu regarder CNN deux ou trois fois depuis sa fuite. Il avait vu le nouveau vice-président prêter serment, ce qui l'avait rendu malade, ainsi que la déclaration que le Président avait faite à son sujet. Quelle bande d'imbéciles.

Il habitait dans la petite maison qu'on lui avait donnée, comprise dans l'accord qu'il avait passé. Il s'attendait à plus grand, mais ses anciens associés lui avaient menti. Il ne leur servait plus à rien désormais. Il vivait au purgatoire – ou dans les limbes, peut-être, attendant que quelque chose se passe, qu'un événement advienne, tout en sachant que c'était en vain. Il avait perdu sa vie, ses rêves, son monde, et tout ce qu'il avait autrefois construit. À présent, il survivait ici, dans la chaleur qui lui brûlait les poumons, à regarder le temps passer, à écouter les appels à la prière, et à compter les secondes tels des grains de sable, jusqu'au jour où son existence s'achèverait enfin. Il avait hâte que ce jour arrive. Et s'ils étaient effectivement fatigués de lui, cela risquait d'être pour bientôt. Quelles que soient les sommes qu'il leur avait versées, ils pouvaient toujours changer d'avis et le tuer. Il en était bien conscient et, d'une certaine façon, l'envisageait comme un soulagement.

En attendant, il n'avait rien d'autre à faire que de se souvenir de sa vie passée et à jamais révolue. Il ne songeait jamais aux gens qu'il avait blessés, seulement à ce qu'il leur ferait si on le laissait rentrer chez lui un jour. L'espoir de se venger le maintenait en vie. Dans son esprit torturé, cela ne faisait aucun doute : c'était leur faute s'il se trouvait là et si la situation avait si mal tourné. Même Olympia l'avait trahi, en refusant de l'épouser et en s'accrochant au souvenir de Bill.

L'un des serveurs lui apporta une autre tasse de thé parfumé, qu'il détestait de tout son être. Son existence était devenue un enfer, et il était convaincu de ne pas avoir mérité ça. Le plus cruel, à ses yeux, était qu'on l'ait oublié. Il n'était plus qu'un fantôme, comme Bill. Bill, le responsable de sa situation. S'il ne l'avait pas menacé, rien de tout cela ne serait arrivé. Tout aurait pu être si simple. Et il était presque parvenu à ses fins. En y pensant, et il passait ses journées à ça, Tony parvint à la conclusion que Bill avait mérité de mourir. Ils le méritaient tous. Puis il prit une autre gorgée de ce thé qu'il exécrait, ferma les yeux dans la chaleur suffocante et souhaita, comme à chaque instant de la journée, être mort lui aussi. Bill avait eu de la chance. C'était lui qui avait gagné, finalement – et c'était injuste. Tony savait bien qu'il valait beaucoup plus que tous les autres réunis. Bill et ses nobles idéaux complètement irréalistes, comme si c'était une sorte de saint. Olympia, si faible, si désireuse de vivre sous sa coupe. Le Président, qui l'avait trahi et dénoncé. Quant aux lobbyistes qu'il avait grassement payés, ils s'étaient moqués de lui. C'était tellement inique à ses yeux. Il savait qu'il était le meilleur. Il les maudissait et les haïssait tous, même les Saoudiens qui le tueraient sans doute un jour. Mais c'était ses ennemis, les dindons de la farce, parce qu'il s'en fichait désormais. Il éclata de rire dans la chaleur implacable quand l'appel à la prière de midi commença. Et dire qu'il les avait payés pour ça – pour qu'ils fassent de lui un homme mort.

Vous avez aimé ce livre ?
Vous souhaitez en savoir plus sur Danielle STEEL ?
Devenez, gratuitement et sans engagement, membre du
CLUB DES AMIS DE DANIELLE STEEL
et recevez une photo en couleurs.

Retrouvez Danielle Steel sur le site :
www.danielle-steel.fr

La liste de tous les romans de Danielle Steel publiés aux Presses de la Cité se trouve au début de cet ouvrage. Si un ou plusieurs titres vous manquent, commandez-les à votre libraire. Au cas où celui-ci ne pourrait obtenir le ou les livres que vous désirez, si vous résidez en France métropolitaine, écrivez-nous à l'adresse suivante, à partir du 1er janvier 2020 :

Éditions Presses de la Cité
92, avenue de France
75013 Paris

Composition et mise en pages
Nord Compo à Villeneuve-d'Ascq

Imprimé en France par CPI
en février 2020

N° d'impression : 3038590